JN033100

酒井隆史＝責任編集

グレーバー＋ウェングロウ『万物の黎明』を読む

人類史と文明の新たなヴィジョン

河出書房新社

酒井隆史＝責任編集

グレーバー＋ウェングロウ『万物の黎明』を読む

人類史と文明の新たなヴィジョン

はじめに

「リアル・フリーダム」を再発見するために

酒井隆史

いま、世界で最も有名な考古学者は、おそらくヘンリー・ウォルトン・ジョーンズ・ジュニア博士、通称、インディ・ジョーンズだろう。このインディ・ジョーンズのモデルとしてしばしばあげられるのが二〇世紀を代表する先史学者・考古学者のヴィア・ゴードン・チャイルドである。ただし、かりにインディ・ジョーンズの人物造形のさいにチャイルドが参照されたとしても、その影響は、かなり限定されている。それよりも確実なのは、ジョーンズに対するチャイルドの知的影響である。たとえば、かれはあるとき（第四作『インディ・ジョーンズ／クリスタルスカルの王国』）、若き学究に、きみがあげるその（保守派の）学者じゃなく、ゴードン・チャイルドを読みなよ、と、すすめている。

舞台である一九五七年は、冷戦の最も緊張した時期、アメリカにおける赤狩りの時代である。かつてナチスと考古学との結託と戦ったジョーンズは、いまではＣＩＡに協力するほど、「自由世界」にコミットしているわけだが、いっぽう、かれの「知的メンター」であるチャイルドは、スターリン派ではないとはいえマルクス主義者であった。この微妙なやりとりに、なにを読み取るべきなのか。すくなくともジョーンズは、赤狩りに与するような人間ではないということがひとつ。ゴードン・チャイルドとインディ・ジョーンズは、かつてともにナチスと戦った知における自由の闘士であるということがふたつ。そして、この二〇世紀半ばの危機的時代にゴードン・チャイルドの考古学のもちえたインパクトがみっつ。

そして、おなじく二一世紀の、こんどは二〇世紀の危機をはるかに超えた惑星的規模の危機的状況にあって、チャイルドが一九二五年に公刊し、その後も加筆修正をくり返した古典的著作 *The Dawn of European Civilization*（『ヨーロッパ文明の黎明』）からおよそ一〇〇年後の二〇二一年、人類学者デヴィッド・グレーバーと考古学者デヴィッド・ウェングロウの共著 *The Dawn of Everything*（『万物の黎明』）が公刊された。

チャイルドが二〇世紀の危機のただなかで提示した「新石器革命」論（そして都市革命、産業革命をあわせた三つの革命論）のインパクトは巨大であり、その認識は一個のパラダイムとなってその後のわたしたちの人類史観を支配してきた（ハラリは、新石器革命以前に認知革命を追加した）。百年後の二人の著者がこのタイトルに込めたのは、そのチャイルドの「ヒューマニズム」、すなわち人間を人間自身の集合的プロジェクトとみなすというチャイルドの精神への深い敬意である。そして、その精神をもって現代までに積み重なった知的発見を検証し直してみたらどうなるだろう？　その「革命」史観のほとんどは、変わらなければならない。『万物の黎明』は、チャイルドの精神でもって、チャイルドのパラダイムを転覆しようとする試みなのだ。

わたしたちの社会は、王の産物でもエリートの産物でも環境の産物でもテクノロジーの産物でもない。じぶん自身の集合的創造によるものである。「世界の隠された究極の真実は、その世界は、わたしたちがつくり、またおなじように別のかたちでつくることができるということだ」。もし、ほとんどすべてにむけて、これでよかったのかと問わずにいられないほど深い危機にさらされたわたしたち人類にとって、その未来は、これまでとは異なるなにかを創造するわたしたち自身の能力にかかっている。かれらによれば、わたしたちを「サピエンス」に仕立てているのは、やり直すことのできる自由である。したがって、いま緊急の課題は、その自由を再発見し、その自由をもとに、社会、そして地球との関係を再構築することである。

その再発見のためには、もうヨーロッパの知だけを参照するわけにはいかない。『万物の黎明』を読むならば、ヨーロッパにルーツをもつ「自由」、そしてわたしたちもこれこそが自由とおもいこんでいるものが、どれほど人類史において制約の多いものか、あるいは、ときに不自由の言い換えであることか、がわかるはずだ。しかし、いま本当に必要な「リアル・フリーダム」を再発見するためには、人間のこれまでのなしえてきたこと、わたしたちが忘れてしまったわたしたち自身の可能性を知ることが必要である。ということは、わたしたちの視野をはるかに拡大しなければならない。

『万物の黎明』は、かれらもいうように、そのような試みのあくまで第一歩である。かれらはここで、まるで託宣のように、一挙にあたらしい解答を与えているわけではない。『万物の黎明』が関心を寄せないのは、既存のゲームのなかですぐれた解答を与えることではない。そうではなく、この本が全力をかたむけるのは、ゲームそれ自体を変えることである。そのためには、問いを、わたしたちが問いを発するやりかたを根本から変更しなければならない。

すでに、さまざまな分野において、あたらしい知の集積が、わたしたちのおもいこみのほとんどをお払い箱にするようもとめている。ふつふつと沸騰する知の進展は、そのポテンシャルを最もよく表現してくれる、適切な語彙、適切なロジック、適切な叙述法をもとめている。かれらのプロジェクトは、それをさがす模索の旅のほんの一歩だった。

そこには未熟な考察もあるだろう。発展させることの必要な、あるいは、捨てなければならない仮説もあるかもしれない。しかし、重要なことは、このすぐうしろから崩壊していく吊り橋を走っているような状況のなかで、人びとにあきらめや無力を伝達するのではなく、人びとが別の世界を構築していくプロセスに奉仕するような、あたらしい知を模索することだ。

『万物の黎明』はとても要約をゆるす本ではない。そこにはその多くが専門家以外には知られていない多様な人類のありかたが刻印され、完成度もさまざまの洞察や仮説、そして発見が数え切れないほどつめこまれている。これはひとつの実験の書なのだ。

このプロジェクトに、もはや「偉人」は不要である。それよりも必要なのは、大きな問いのもとで、さまざまな分野を横断して、さまざまに対話をはじめることである。

本書は、その対話の再開のほんの第一歩である。ここでは、さまざまな領域の人たちが、それぞれ独自の角度から『万物の黎明』から考えたことを表現してくれている。そして、そのひとつひとつの歩みが、この迷宮のような本、「書物ではなく一個の宇宙」と評された本にアクセスする道を残してくれているはずだ。

不必要にギクシャクしていたり、あれがなかったりこれがなかったりするのはゆるしてもらいたい。長いこと途絶していた会話の再開なのだから、そうなるのも無理はないのだ。もしやる気になったら、あなたがみつけた数々の穴をもぜひ、介入できる余地であると利用してほしい。そして、ぜひとも参加してほしい。もちろん、参加に資格はいらない。必要なものは、ただ想像力だけである。

グレーバーと『万物の黎明』について知っている、5、6くらいのことがら

酒井隆史

◉デヴィッド・グレーバーへの手引き

Q　『万物の黎明　人類史を根本からくつがえす』を読むにあたって、まず人類学者デヴィッド・グレーバーへの入門的ななにかが必要じゃないか、ということで、よろしくお願いします！

　最近、グレーバーの「翻訳者」とか「研究者」みたいに紹介されることもあって、前者はまあ事実ではあるから、それに還元されるのは勘弁してもらいたいけども、仕方ないところはある。でも後者は、そういうつもりはないので困ったな、と。最近、あきらめつつありますが。まずひとつには、どうしてもいまだ「仲間」という感覚があって、たとえば、クラストルとかフーコーといった人のテキストを扱うのとまったく異なるんですよね。

　それにもちろん、かれの仕事にずっと強い影響を受けてきたとはいえ、その研究全体を網羅的に追ってなにかを語れるわけではない。それが「研究者」でしょう。そもそも、人類学者でもないので、その文脈でなにかいえることがあるわけではない。かれの口からはよく知らない固有名やよく知らないエピソードばかりでてくるし、結局、なにをいわんとしていたのか、それすらよくわかってるわけではない。

　死後に多くの人が指摘してきたように、かれが二一世紀において人類学分野はもちろん、それを超えて人文学全体、最も創造的かつ最も影響力をもった研究者であったことはまちがいない。しかし、これも多くの人がいっているように、デヴィッド・グレーバーが

いったいなにをやろうとしたのか、それこそかれの好むいいまわしじゃないですが、「ようやく理解の端緒についたばかり」であるというか。とりわけ二〇一一年のオキュパイ・ウォールストリートと『負債論』の公刊以前、かれのキャリアの前半ではとくに、価値論関連のテキストにせよ、二冊の長大なエスノグラフィにせよ、かれの「アナキズム」にせよ、たぶん読み手も、なんかちがうことやってんのかもしれないけど、どうそうなのか、どこまでそうなのかわからない、あるいはそうすごいことではないかもしれない、みたいに、どこかでずっととまどいがあったとおもうんですよね。それが鈍い反応とか、あさっての批判とか、無理解とかとなってあらわれて、イエール大学でのトラブルもあいまって、ある時期までは、アカデミックキャリアにおいてはずっと不遇がつづいたとおもいます。

　でも、じぶんにとっては、最初にそのテキストを読んだときからおどろきの連続でしたよね。二〇〇八年に来日したときに、実際の話を聞いたときにさらに、それ以外の「ビッグネーム」が色あせましたから。おなじようなことをいっても、なんかまったくちがうように聞こえる。これも、かれのよく使ういいまわしで「allow us to see」というものがありますが、みることを可能にする、別の見方を可能にして、そこに異なる世界を現出させる。おなじテーマ、おなじ概念が語られてても、それを通してかれは、なにかちがうゲームにつれていってくれた、というか。

　かれのテキストは、それを読む前とあとでは世界が変わってみえるとはよくいわれますが、なんで以前はこれがあたりまえとおもっていたのか、不思議におもえてくるような仕方で変えるんですよね。

Q　geniusとtelentedで説明している経済学者だったかな、もいました。天才と秀才でいいですかね、秀才はすでにあるものを組み合わせるが、天才はあたらしいものを創造する。グレーバーはgeniusだった。

あ、知ってます。ブレア・フィックスという経済学者の追悼文ね。こういってるんですよね。「talentedとは分析力の問題で秀才はすでにあるものを組み合わせる。天才は新しいものを創造する。デヴィッドが多くの人を感動させたのは、かれがこの意味での天才だったからだ。かれの作品を読むと、想像力が爆発する。すべてのページがあたらしい可能性を開いてくれた。デヴィッドの作品にはニーチェ的なものがあったのだ」。これって、おおむねそうだなとおもうんですが、でも「天才」という言葉はあまり似つかわしくないというか、かれがずっと批判してきた「偉人理論」的ですし、つまるところ「個人主義的」ですし。なにか集合的で創造的なプロセスを個人主義化する概念なんですよね、たぶん。なにかちがうもっとふさわしい概念があるとはおもうのですが、でもいっぽう、ああgeniusってこういうことかな、とも感じることが多々あったのもたしかで。でもかれは、ふつうgeniusから想像されるところの無からの創造という意味の「ロマン主義的」才能ではなく、かれいうところの「内在的想像力」、人びとの日常的基盤で働く他者への洞察力というか、民族誌的想像力とでもいうか、それに圧倒的に長じてたのはたしかですよね。

Q　翻訳者として最も印象的なのはどこでしょうか。

翻訳者って、最初の読者ではないかもしれないけど、おそらくすみずみまで読むという点ではほかにない最初の読者でしょう。といってもそれが理解することとイコールかは別問題なんですよね。翻訳についてエラそうなこといえるような立場じゃないのですが、多かれ少なかれ、翻訳のプロセスって発見のプロセスでもある。もちろん、ネガティヴなものもあります。なんて適当なことといってんだ、とか、こんなんで活字になっていいのかよ、的な。でもポジティヴな発見のたのしみは、だれよりもありますよね。もともと人類学者もふくめて並みの知識人よりは参照先が圧倒的に広いでしょう。あのマーシャル・サーリンズをして、「人類経験の多様性についての深い専門知と世界の諸文化について百科全書的知識を備えた最後の人類学者の一人」といわしめたくらいで。知らない地域の、名前も聴いたこともない部族、ましてやそれにまつわるさまざまなエピソード、それに遭遇し書き残した冒険家、商人、そしてそれを解釈した名前も聴いたことのない「奇人変人」の研究者たち、さらには、おとぎ話、笑い話、それとよくかれ自身の個人的エピソードもしばしば挿入されますよね。『万物の黎明』だと、時間をかけて調べても、なんにも情報がでてこないのもかなりあって、そうなると不安なんですよね。それに、ひっぱりだされる事象のひとつひとつがおもしろいから読みすすめるんだけど、よく考えたらこのひとつの章でいったいかれがなにをいってたのか、わからない。あれ、いったいなにいってんだっけ、と。要約がとてもむずかしい。『負債論』の訳者あとがきでは、一章ごとに長めの概要を付していますが（『万物の黎明』でもそれを踏襲しましたが）、なによりもじぶんでじぶんに筋をつけるためだったんですよね（もうひとつあって、編集者とこの本がなにをいっているのかの最低限をまず共有するため）。そうしないと、訳文をじぶんで納得できるかたちで最終的に仕上げることができないですし。

Q　なるほど。

たとえば、近代を超える（ポストモダン）とかヨーロッパ中心主義批判、なんてずっと人文学では唱えられてきましたよね。日本なんて、戦前の不吉なそれからの伝統もある。ところが、かれらのテキストを読むと、それらがどれほどヨーロッパ的「近代」のコップのなかの嵐にすぎなかったかのようにみえてくるんですよね。たとえばかれの「師匠」でもあるサーリンズとの共著『王権論』（二〇一七年）[1]を読んだあとで、じぶんの本棚をみわたしてみると、これまでの主権や国家、あるいは政治について語られた本が、急速に色あせてみえてくる。そこには、ヌアーの「秩序あるアナーキー社会」とその首長も、シルックの神聖王権も、フィジーの外来王も、あるいはルイジアナのナチェズの太陽王も、ビルマ高地の政体も、あるいはマダガスカルの王室儀礼も、ホデノショニの連邦システムなんてのも登場しないでしょう。そのかわりそこに登場するのは、いつもの役者で、アリストテレス、アウグスティヌス、マキアヴェッリ、ボダン、ホッブズ、ルソー、カント、ヘーゲル、マルクス、（まれにプルードンやバクーニン）、ハイデガー、カール・シュミット、マックス・ヴェーバー、最近だとハンナ・アーレント、ミシェル・フーコー、あるいはローマ法、あるいはウェストファリア条約などなど、要するにヨーロッパの、ほぼ「白人」かつ男性ですし。そして、それがユーラシア大陸極西部に位置する小地域の「地域研究」としてではなく、主権や国家、あるいは政治をめぐる普遍理論として語られている。そしてそれがさしておかしくも感じていなかったことが、おかしく感じられてしまう。

　この点でいうと、グレーバーがなにをしたかというと、思考のレファレンス（ものを考えるにあたって参照すべき世界）を圧倒的に拡大した、それによって人文知の真の「脱植民地化」の一歩をしるした、というんでしょうか。かれはそれこそ人類学の対象としてきた「未開部族」やその社会、あるいはマダガスカルのようなフィールドをはてしなく参照してきましたし、最後には考古学の力を借りてそのレファレンスをさらに拡大した。それに、じぶんのこともよく「素材」にしてますし、イスラーム世界の「吉四六さん」的なナスレッディンの小話のようなものも、むかしから会話のなかで好んでひきあいにだしてたらしいですが。ほとんど「万物」がレファレントになるといった感じですよね。人は人類学や歴史学を参照するときそうしてきたわけですし、かれのいうようにこうした学問における異世界への関心は、変革の波が高まる時期と重なっていることが多い。日本でも一九六八年以降、人類学や神話学、民俗学への関心が高まったことをおもえばそれもわかります。グレーバーはそれを方法的におこなった。

　いっぽう、それがレファレンスの手に負えないほどの拡大を要することがみえてきたとき、並行するように人類学への（内側からの）攻撃が起きたともいってました。つまり、人類学あるいは民族誌の「コロニアリズム的」政治性への反省。それによって、批判的感性が、逆説的にもヨーロッパ以外のレファレンスを喪失し（「ロマン主義」的レイシズムとして退けられるようになります）、西洋の伝統を超える想像力を摩耗させ、西洋の伝統内部のランダムなスナイパーにしてしまった、と。保守派やリベラルはもちろんのこと左派もしばしば「ヨーロッパ的観念」に居直るようになった近年の知的動向とその苦境の所在を、よくあらわしているとおもいます。いずれにしても、かれはよくいわれるように「イコノクラスト（偶像破壊者）」ではあったけども、人類学に対するのではなく、むしろそれにより忠実であることでそうだった。その伝統的ありかたを再発掘してそのうちからいわば宝物をとりだすことによって、というか。たとえば、シャーマニズム、トーテミズム、ポトラッチ、タブー、といった現地語を用いて、みずからの世界に違和を導入し、そこから相互作用をはじめる端緒になるというかつての人類学の伝統が、大陸哲学の用語によってみずからを説明するという方向性にかわっていくことを嘆いていました。流行の「大陸哲学」の応用になっていくという傾向です。かつて人類学はむしろ、そうしたセオリーの思考を触発していたはずなのに。たとえば、フロイトの「トーテムとタブー」を頂点とする人類の初源的事象への洞察は、フレーザーの『金枝篇』やロバートソン・スミスのテキストをもとにしていました。あるいはヴィトゲンシュタインがこれもフレーザーの『金枝篇』に取り組んだのを媒介に『論理哲学論考』から『哲学探究』への移行をはたしたことも知られています（グレーバーはこのヴィトゲンシュタインのフレーザー論に対し註釈をほどこした長いテキストを書いています）。あるいはサルトルも、みずからの哲学を構築するにあたって、クワキウトルのポトラッチを手がかりにヘーゲルの主と奴の弁証法からの脱出を試みる。[2]しかし、グレーバーによれば、いまではその傾向は逆転している。人類学者は民族誌からではなく、大陸哲学からインスピレーションをえるようになった、と。

Q 『負債論』だったか、人類学を定義して「これまで想像されてきたよりもはるかに超える存在として人間をみることを強いるもの」といってます。

人類学の強みは、わたしたちのものとは異質な、つまり国家のない、あるいは資本主義的に組織されていない社会組織のヴァリアントを最もよく知るということにある。だから、そのひとつの責務は、その一覧を可能性として、全人類に属する資源として、贈与することにある、みたいなことをよくいってましたよね。わたしたちの「なしえたこと」、したがって「なしうること」の一覧によって、わたしたちの想像力に寄与することである、といいかえもできるでしょうか。原則的には、この方向はおそらく、わたしたちのレファレンスを「すべてeverything」に開放することにある。『万物の黎明』という、ウェングロウが当初、さすがにそれはないと躊躇させた誇大なタイトルをグレーバーがぶちあげたのも、これもなかば「遊戯的」とはいえ、理念はそこにあるんじゃないかな。

『価値論』

Q　最初に公刊された著作は『価値論』という理論的な本でしたが、むずかしいですよね。

むずかしいですよねえ……。ただまず当人も、本来なら最初の本は別にあって、一九九七年には書かれてたんだけど、やや長くなって、結局、遅れたといってますよね。それが、二〇〇七年。それで、『価値論』が二〇〇一年に公刊されて、そのほうが早くなった。

『価値論』や『負債論』で（ときに批判的に）参照されている人類学者のクリス・グレゴリーという人がいるんですが、グレーバーの公刊された最初の著作である『価値論』について、その死後におおよそこういうことをいってます。[3] かれは、『負債論』がまだ構想段階の時点で、その草稿が報告された学会だかの場に立ち会ったらしいのだが、いったいそこで報告者がなにをやろうとしていることがまったく理解不能で、とりとめもない流行遅れの「ビッグ・ストーリー」だと感じたといってます。まあ五〇分でユーラシア文明の五千年を駆け抜けたのだから、そうなるのも当然といえば当然ですが。

それで『価値論』も、当時はぜんぜん理解不能だったらしいんですよ。ところが、その後、『負債論』が本として公刊され、さらにその後も仕事を発表していくのをみて、やっとなにをしたかったのかわかるようになった、というんですよね。それでかれがいうには、グレーバーの仕事を貫通しているのは、価値の問題である、あるいは、複数の競合する富のイメージをめぐる闘争である。グレゴリーは、「価値論五部作」として、『価値論』『アナーキスト人類学のための断章』『ダイレクト・アクション』『負債論』『ブルシット・ジョブ』を並べてます。『ロスト・ピープル』がないんですよね。そのかわり『ダイレクト・アクション』がある。ちょっと不思議だったりしますが、ともかく、かれによれば、これらをたがいに参照させながら読むことでそれが理解できる。そういう意味では、『価値論』はグレーバーの歩みの最初にふさわしいといえるかもしれません。

『万物の黎明』はグレゴリーのテキストが発表されたときは、まだ公刊されていなかったので、かれがそれを価値論系列のテキストにくわえて、価値論六部作とするかどうかはわかりませんが、そこにももちろん、このグレーバーの問題設定はつらぬかれています。たとえば、第5章です。ある隣接する二つの文化圏において、ひとつは奴隷制を採用し、もうひとつは採用していない。その理由は、「生産様式」からも、「生業様式」からも、あるいは自然環境からも、すくなくともすべては説明できない。とすると、そこで決定的なのは、それぞれの社会のもつ価値意識valuesだ。つまり、そこでは奴隷をもつことに対して競合する価値意識があり、二つの文化圏は相互を参照しながら、「人間とはなにか（そしてじぶん自身をどう考えているか）、そして人間どうしはどのように関係すべきかといった問い」に応じるかたちで、奴隷をもつかもたないかを決めているのです。

Q　そこからすると、価値はあたかも生産様式の限界に位置しているようです。マルクス派とちがって、生産様式のうちに価値（論）が埋め込まれていないのですね。

そうですよね。『価値論』は、ものすごくおおまかにですが、マルクスとモースの統合の試みともいえるのですが、これも概してということですが、マルクスが「構造的規定性」の側にあって、モースは「集合的構成」の側に配置されている。価値概念はその結節点ですね。とにかく『価値論』は人類学的媒体の書といってもいいかもしれないような本なのですよね。これにはグレーバーが強い影響を受けていたシカゴ大学の人類学部門の人たち、とりわけマルクス派のテレンス・ターナーの影響も強いのかもしれません。『価値論』を翻訳された（かつシカゴ大学でグレーバーと同時期に学んでおられた）人類学者の藤倉達郎さんがうまいことおっしゃっていました。「テレンス・ターナーはいつも象徴のことを考えているマルクス主義人類学者で、マーシャル・サーリンズはいつも経済のことを考えている象徴人類学者」である、と。テレンス・ターナーは価値論を展開するとき、マルクスのテキストのおそろしく厳格な読解というかたちをとりますが、なのに、それは「経済」じゃなく、媒体が議論の中核を占めるんですよね。媒体は、規定と創造の交錯する場であって、マルクス派だったら、価値を表現する媒体（貨幣）は生産の部面に限定されるというか、それが生産と再生産の領域を分断する機能をはたす（実際に資本制的生産様式が支配的になるなかで貨幣はそういうふうに機能する）わけですが、グレーバーはターナーあるいはマルクス派フェミニズムの延長上で、むしろ媒体を通して、分断を克服し、創造を物的生産から人間の生産（このプロセスで再生産という概念は棄却されます）へと拡張するんですよね。媒体（貨幣）それ自体が問題ではないんですね。媒体も、まさに複数の価値をめぐる競合の場なわけです。

Q　ケアの問題がそこにあるのですね。

ここから『ブルシット・ジョブ』まではおおよそ一直線ですよね。「フェティシズム」現象を思想的に最初に真剣にとりあげたのは、啓蒙思想家のド・ブロスですが、マルクスはかれからこのフェティシズム概念をひっぱります。でも、マルクスがド・ブロスから継承しなかった重要なポイントがあって、それはアフリカ人たちはとても恣意的にみえるモノ＝神（フェティシュ）を役立たずとみるや、いともかんたんに廃棄するというところなのですよね。ここにはマルクスだけではなく、モースもという論点がとてもよく表現されているとおもいます。もちろん、グレゴリーもいうように、この視点でグレーバーの仕事に一貫性をみいだしていくのもあくまでひとつのやりかたにすぎないのですが、この視点からすれば「わたしたちの夢のニセ硬貨」という『価値論』の謎めいたサブタイトル、マルセル・モースとアンリ・ユベールの共著に由来するフレーズが、グレーバーの議論全体を捉えるみちびきの糸となるでしょう。集団的で価値を表現するまがいもの（コイン）をつくりだしては破壊するか、あるいはそのまがいものがいつのまにかホンモノと化し、破壊できない永遠の呪縛となってわたしたちを支配するか。

Q　「まがいもの」というと、『万物の黎明』にでてくる「王権まがい」とか「農耕まがい」をおもいだすな。

　そうですよね。『万物の黎明』では、人間の可塑的な変異能力の手中にあった王や農耕を「遊戯王」とか「遊戯農耕」と呼んでるけど、あきらかにのちに「遊戯」として展開される発想がすでに価値論の中核にある。そこでおもいだすのが、かれの最後の単著となった『海賊の啓蒙』[4]です。この本は、マダガスカルにおける「ニセの海賊王」の話でもあって、海賊たちがカリブやインド洋で大暴れしていた時代、いわゆる海賊の「黄金時代」、すなわち啓蒙主義の一八世紀の直前からその発端の時期。ヨーロッパにマダガスカルの海賊王国の代理と称する人間たちがあらわれ、しきりに王室との外交交渉にあたろうとするんですよ。このような動きが、マダガスカルには海賊のユートピアがあるという幻想の源泉のひとつとなる。あの、だれもが平等で、なんでもみんなで決めて、だれもが自由な海賊共和国、リバタリアです（説明がややこしくなるので立ち入りませんが、これはたんなる幻想ではなかったのです）。でも、海賊王国はこけおどしなんですよね。たとえばヨーロッパから現地調査にやってくると、この「詐欺師」たちは知人親族の現地民にたのんで臣下のふりをしてもらう、そして、ありあわせの材料でまにあわせので宮廷のハリボテをつくっては、すごんでみせる。世にいう「王」は、それぞれの仕方でかようなハリボテである、こうグレーバーはいいたいみたい。でも、ハリボテにはハリボテなりのおそろしさもあるし、そのつきあいかたもある。その社会を生きるひとたちは、それをよく知っていた（そしてしばしば、つきあいかたに失敗します）。たとえば、ナチェズの王はおとがめなしに好きなことをやりたい放題でしたが、かれが物理的にいないところはその力もふるえませんでした。とすれば、どうすればよいか。顔を合わせればすぐ小言をいったりイヤな命令をする上司に対応するのとおなじです。なるべく会わないようにすればいいのです。ところが、それがシリアスに転じてシャレにならないものになる地点がある。たとえば、おなじ空間に閉じ込められて、始終顔を突き合わせるしかなくなるとか、代理人たちがあちこちにいて見張っているとか。『万物の黎明』が「スタックstuck」つまり「閉塞」という概念でいおうとしている閾ですよね。われわれ近代人の知る「主権」こそ、そのシャレにならなくなった「ニセ王」です。ほら、近代人はシャレが通じませんから。ハリボテをホンモノと信じ、ニセモノとホンモノの継ぎ目も知らず、それゆえに引き返す道も見失い、あれこれあれこれシリアスに論じては、ハリボテを実際にホンモノに仕立て上げ、みずから呪縛している、というわけです。われわれの「ミカド」だって、近代に入ってからですよね、そのクソマジメ度において世界史のトップクラスになったのは。それは、この鉄くず、紙切れ、すなわち貨幣が、シャレにならなくなるプロセスでもあるんですよね。

Q　多くの追悼文が文体にふれてますね。

たいていみんなふれてますよね。その博識が、ウィット、ユーモアとともに、ファニーな文体で会話のように表現される、みたいな。とくに学術的テキストとしては、きわめて変わった文体をもった人ですよね（それがうまく日本語で表現できていればいいのですが）。それがとても多くの人にアピールをした。新書みたいな形式でやさしく効率的に要点をまとめて一般読者に売れたんじゃないですからね。あのジャングルをジャングルのまま人に読ませたのがすごい。簡潔でやさしい文章が書けなかったわけではないとおもいます。しかしあまりそうした書き方はしなかった。たぶんイヤだったんでしょうね。YouTubeにもかれの語る動画がたくさんあがってますが、パワポのたぐいはほとんど使ってないですよね。もしかすると、ひとつもないんじゃないかな。ああいうプレゼン用のアプリ使って、要点の箇条書きを強いるようなやりかた、結論にむかって最短の道筋ですすむ効率的な思考、道筋をあらかじめ指定されているような思考や表現、それこそ「お役所的な文書」がたぶん「死ぬほど」イヤだったんじゃないでしょうか。

考えてたら、対話って、「ドリフト」というか「漂流」が命でしょう。いつのまにかテーマが変わったとおもえばまた戻ってくる。そのとりとめもなさですよね。要点だけさっさといえよ、という世界とは真逆ですね。たとえば、こういう経験は多くのひとがもつんじゃないでしょうか。あのときあいっててそれがとても印象的だった、とかいわれて、そんなこといってたっけ、まったくおぼえてない、と。あれすごくいいこといってましたよね、という対話の記憶をその相手に話すと、そんなこといった？　となったりする。

対話はしばしば人の考えを変えたり、深くしたりしますが、往々にしてそれは、対話相手が主題とおもっていたこと、一番いいたかったこととはまったく別の、当人にとってはいわば「余談」にあったりしますよね。対話の相互性や創造性は、だから、とりとめのなさとそれがもたらす予測不可能性にある。

かれの仕事を解くキーワードがのひとつが「対話dialogue」あるいは「会話conversation」であるのはまちがいない。かれはそのキャリアの最初期からミハイル・バフチンを好んで参照していましたが、グレーバーの仕事には最初から最後まで独特の「対話主義dialogism」がひそんでいるんですよね。それがいくつかのかたちをとって露呈したり、後景に引っ込んだりする。『アナーキスト人類学のための断章』では、突如としていくどか対話が挿入されますし、『ブルシット・ジョブ』でもときおりインフォーマントとのやりとりがそのまま記述されています。

『ロスト・ピープル』

Q　それはかれのエスノグラフィの方法ということでしょうか？

そうなんですよね。くり返しになりますが、かれには二篇の長大な民族誌（エスノグラフィ）があって、それはすべてかれのキャリアの前半に公刊されてます。ひとつが、先ほどふれた、一九八九年から一九九一年までのマダガスカルでのフィールドワークの記録である『ロスト・ピープル』（二〇〇七年）[5]。もう一冊が、グローバル・ジャスティス運動への「参与観察」を記録した『ダイレクト・アクション』[6]。かれ自身は、『ロスト・ピープル』を自著のベストといってます。どこまで本気かわからないけれども、要するにもっと読んでくれよ、といったのはあったでしょうね……。それで、どちらも分厚くてそれだけでもまいるんですが、それ以上にひるむのが、とりとめもないようにみえる対話のプロセスがあちこちで記述されるところです。

民族誌の歴史もほとんどわからないので、そういう文脈での評価はできないのですが、『ロスト・ピープル』『ダイレクト・アクション』も、得体の知れないポテンシャルをはらんだ「読まれることを待っている」本という印象です。当人はマダガスカルにもっていったドストエフスキーの長編小説になぞらえてますよね。ここに登場するのは「キャラクター（人格）」だ、と。この「キャラクター」は、いま日本語で「キャラ」と省略されるそれとはちょっとちがうというか、たぶん真逆です。つまり、登場人物のなにがしかの同一性を規定するいくつかの特性から発言や行為が流出するというのではなく、むしろ刻一刻となされていく行為の累積がその都度えがきだす人間、しかも前例のないなにがしかの創造性の余地をはらんだ「政治的」行為をおこなう「歴史的」人間が「キャラクター」ということでいわれようとしている。そのような「キャラクター」として、フィールドワークで遭遇する数々の「市井の人びと」をえがこうとするものです。

現時点でふり返ると、ここには『万物の黎明』までつらぬく、かれのひとつの姿勢がはっきりとあらわれてるんですよね。あたりまえといえばそうなんですが。マダガスカルは一九世紀末（正式には一八九六年）にフランスに植民地化されるのですが、グレーバーはそれ以前と以後ではヨーロッパ人による文書のトーンががらっと変わるというんですよ。これがおなじ国の描写か、とおもうくらい。かれ自身、マダガスカルの公文書館で調査をしていておどろいたらしいです。植民地化以前は、旅行者や宣教師、商人などのヨーロッパ人による現地人の描写には「個人」がいた。「政治家、王女、質素な田舎の牧師や放浪の魔術師、盗賊、将軍、キリスト教の殉教者」とか。政治がらみの文書ですら、それは現地の政府閣僚、政治家や反体制派などの人間関係や政治的動向、出来事を、かれらの人物像や思惑とともに書き記していた。ところが、植民地化以降は、そうした個人、そして出来事は消えていきます。そのかわり、文書は、財政、人口調査、収穫量、公衆衛生にかかわる味気ない報告や統計的数字で埋め尽くされるようになる。そしてそれと裏腹に、よき「マラガシ（マダガスカル）魂」を「ロマン主義的」に唱いあげるヨーロッパ人たちによる文学的テキストがあらわれるというんですよね（これは示唆的ですね！）。要するに、そうした行政的知の管理からはみでるあらゆる要素がエキゾチックな「他者」の詩学に放り込まれるわけです。植民地化以前にどうして「個人」があらわれたかというと、それはヨーロッパ人たちが、かれらのたがいに影響を与え合う関係にあって、したがって現地人の人たちの思惑などを推測するしかなかったからです。ところが、植民地化以降、現地民はただただ統治される対象として、あるいは、かれらのコマとして、統治者としてのヨーロッパ人たちに影響を与えることはない存在としてあらわれる。だからそこからは個人が消える。

実際にはもちろん、もっとニュアンスのある分析がなされてるので関心のある人はテキストそのものをあたっていただきたいのですが、これをみると『官僚制のユートピア』にまとめられているかれの官僚制にかかわる議論、たとえば暴力と解釈労働にかんする議論が、マダガスカルでの観察に強く由来しているというのがよくわかります（余談ですが、ミシェル・フーコーの統治性とか生権力、あるいは権力一般にかんする分析をよりグローバルな文脈におきなおし、その問題点を補正する可能性をもっているようにもおもいます）。さらに、おそらく『万物の黎明』の読者の方々はお気づきでしょうが、その第2章が彷彿とされますよね。一七世紀には、ニューフランスに上陸した宣教師たちは、先住民たちと遭遇し、そのやりとりを記録します。そこにあらわれる先住民たちは、「このクソ野蛮人が」（宣教師たちはもっと上品にひどいことをいいますが）みたいな、たいてい否定的あるいはよくてもアンビヴァレントなイメージであったとしても、基本的に「個人」だったわけです。ときにじぶんたちに辛辣な批評をむけて、ヨーロッパ人がかれらよりも開明的であるとはどういうことなのかという反省を誘ってくるような。そのような遭遇によるショックが一八世紀に啓蒙思想に影響を与えはじめると、ヨーロッパ人のエリートたちはすぐに立ち直り、猛烈にバックラッシュをはじめる。かれらは（陰険にも）、世界史の（「客観的」な）段階論をこしらえて、先住民をその低位の段階に位置づける。そうなるとかれらは、もはやかれらにも影響を与える個人であることをやめます。かれらは、未熟なヨーロッパ人にすぎず、庇護されるか隔離されるかあるいは絶滅するかの対象でしかない。そしてそれと裏腹に「高貴な未開人」のフィギュアがあらわれるのでした。このようなある意味で大きな歴史的記述も、かれのフィールドワークの経験に根ざしていたことがみえてくる。

ある意味で、グレーバーは、この初期啓蒙の断絶を超えて遡行して、この端緒の「対話」を復活させ、再開させようとしているともいえるかもしれないですね。ここでいわれる「影響」し合うための媒体は、もちろん主要には「対話」ないし「会話」です。しかし、これはもともと、かれの民族誌の方法でもあったわけです。『ロスト・ピープル』の序文で、かれは一九九〇年代頃、アメリカの学会ではバフチンの再評価が起きて、人類学者は「対話」すべきだとよく「モノローグ」していた、と皮肉をぶつけてます。その都度、じぶんはいらだっていた。いいから、実際に対話すればいいじゃん、オレはやるよ、みたいに。こうして、この本でやろうとしてるのは「対話的民族誌 dialogic ethnography」だ、と宣言します。当時、民族誌はますますテーマや理論に拘束されるようになっていた。だから、かれもよくアドバイスされていた。なんか基本的理論を提示して、それに即して書き直したほうがいいんじゃない？　とか、奴隷制というテーマの議論だということをもっと強調したほうがいいんじゃない？　とか。そんなのぜんぶ無視してやった、と。じぶんは昨今の流行ではなく、人類学のエスノグラフィの伝統に忠実にやるんだ。つまり、民族誌の目的は、なにかのために存在するわけではないひとつの宇宙、そして生活様式にアクセスすることであったはずだ。そしてそれは対話を通じてなされるものだ。こうしてこの民族誌は、対話から生成したテキストである、と。『ダイレクト・アクション』についても、おおよそおなじことをいっています。

Q　そうみると「存在論的転回」へのきびしい批判の背景もみえてくる気がします。

直接にはヴィヴェイロス・デ・カス

トロがかれのフェティシズム論を批判したのに対して、その批判的コメントに比して、とんでもない長さの応答をHAU誌で展開したものですよね。それを適切に評価することは、ここで手に余ります。

『ロスト・ピープル』では、おおよそこういってます。もともと、フィールドワークをやっていて、このような「断絶」を感じる人類学者はいないだろう、こうしたことは民族誌を読むだけの人間がたいていいうものだ。でも、主観的であってはならない、なるべく科学的にみせたいという欲求が、そのように人びとを扱ってしまうのもたしかである、と。それに対して、かれは、マダガスカルのベタフォという地方の複雑な人間関係とそれがもたらした大きな出来事（共同体の断絶）の余波の渦中に巻き込まれ、影響を与えられ、与える（会話を通じて）そのプロセスもそのまま記述したかったのですね。そして、そこにあらわれれる人びとは、もう、規則と構造の反復のエージェントではなく、歴史的アクター、歴史をつくる（そして歴史を語る）人びとでしかありえなかったのです。

Q　相対主義批判なのですね。

『ロスト・ピープル』は、本当に印象的フレーズであふれているのですが、たとえばここ。「マダガスカルで出会った人々がまったく異なる種類の人間であると考えることができなかった最も明白な点は、かれらがみな、たがいに大きく異なっていたという事実である。そしてそれだけでなく、かれらがたがいに異なるありようは、わたしがこれまでたずねたことのあるどこの国でも、人びとがたがいに異なるありようとほとんどおなじにおもえた。人と長くつきあうようになった瞬間から、わたしは人を個人としてみていることに気づいた」。これはおそらく、フィールドワーカーのほとんどだれもがもつ印象です。ところが、それを書く段になると、このような個人としての関与の次元が消えていく。なぜかというと、それは「絶望的に主観的にみえる」からだ、というのですよね。要するに、「科学的」にみえない。この「科学的にみせたい」という、ネオリベラリズムの浸透によって拍車のかかった人文系の研究者の欲望の危うさについては、かれがしばしば指摘するところでした。

文化相対主義はとりわけ人類学が獲得してきた強みのひとつであって、知における脱植民地化の主要な武器であるのはたしかですが、それは一面でそうした相互的影響のプロセスを無化する危険もあるのですね。とすると、こうした文化的差異を尊重しながらも相互性のプロセスを排除しない相対主義はないだろうか、という問いになる。

かれはむかしから政治の実践的の局面に即していってましたよね、理論から考えると絶望的に複数の価値世界が分断しているようにみえるが、実践的にはたいていそれでたいして支障もなくやっている。「共約不能性」を過大評価してはならない、って。そしてそれを、アナキズムの実践とつなげてましたよね（いわゆる小文字のアナキズムに通じるこのような話にかんしては、日本では一九六八年頃からあらわれた「ノンセクト・ラディカル」の伝統と重ねるのが一番わかりやすいと考えてます）。フィールドではきわめて異質な価値の宇宙どうしの人間でも、誤解まじりであってもなんとかやれている。

　こうした問題を、かれは『ロスト・ピープル』とは別の論文（「抑圧／圧迫 Oppression」というタイトル）で「対話的相対主義」として展開してます。[7] これが、けっこう感動的なテキストなんですが、かなり複雑で、消化して語るのがむずかしい。ともかく、かれがフィールドワークのマダガスカルにまだなじんでいなくて不安を抱えていたときに、ある大学生の現地女性と話をするんですよね。マダガスカルにおける身体的動作のジェンダー性について、予想とはちがったみたいで（女性が堂々としていて男性は縮こまっている）、それはどうしてなんだろう、と問いかけると、かの女は、「それは文化に圧迫（プレスド・ダウン）されているからでしょうね」と応える。そのときに、かの女には、ある身ぶりがともなっていました。手を下むきにして、みえないなにかを抑えつけるような仕草だったのです。この会話の内容それ自体はさして意味がなかったらしいのですが、この身ぶりにグレーバーはすごく印象づけられます。もともと、マダガスカルでは（かつての日本とおなじように）ジェンダーと抑圧をむすびつける発想はなかったらしいのですが、そういう思考のフレームや語彙体系自体異なる人間のあいだでも、この、窮屈であることを余儀なくされている、なにか自由を阻害されている、といった事態を示すときに、上から抑えつけられるというジェスチャーで表現するのです。かれはそれをおぼえていて、のちにマダガスカル語での「抑圧／圧迫されている（oppressed）」を意味する表現、ツィンヂアナ tsindriana という語を考察します。「その文字通りの定義は「重いものによって押しつぶされること（to be pressed down, crushed by a heavy weight）」で、政治的な文脈で使われたばあいには、ある種の不当な権力ないし権威の下で苦しむという意味になる」。このように、なにか権力のもとで不当に苦しむという事態を、上から抑えつけるというかたちで表現する言葉は、世界にほとんど共通して存在しているらしいのです。かれとマダガスカルの女性は、語彙体系やニュアンスを超えたレベルで、身ぶりで抑えつけると表現するような身体性のレベルで、なにかを共有していたのですね。さっき、統治の視点からみると個人の相互影響（対話）が消え、理論の視点からみると相互の分断がきわだってみえる、といいましたよね。相対主義って、もともとこうした権威主義を含意してるんだ、とかれはいうんですよね。たとえば、かれは大学の授業でフィールドワークで現地のことを知りたければ、まず首長のところ、あるいは地元の有力者のところにいけといわれたらしいんですよね。それに対して、相対主義を放棄することなく、こうした権威主義を避けるためには、対話主義的相対主義が必要である、とグレーバーは提案します。それはこうなります。

「[対話主義的相対主義とは]差異の相互承認ないし相互尊重ということであり、そのような承認を可能にするさらに根本的な類似性(したがって平等)の承認にもとづいている。その基盤となるのは、会話をつづけていくという約束しかない。そしてそうした対話は、不快な問い……をけっして脇に追いやらないだけでなく、こうした課題についての洞察を独占できる単一の伝統はないという前提にもとづいて進められる。ここでの「抑圧/圧迫」という語についての探究がなにかを示しているとすれば、それは、こうしてつぎはぎしている材料がいかに豊かで、いかに不均一であるかだとおもう。そしてそうした材料から、わたしたちは、人類が共有している感覚をみつけだそうとしているのである」。

Q　グレーバーにとって、マダガスカルのフィールドワークは重要だったのですね。

　たとえば、歴史家のクリストファー・リーは、「アフリカニスト」としてのグレーバーを論じながら、『負債論』も『ブルシット・ジョブ』も、かれがマダガスカルでねりあげた権威や奴隷、魔術などの議論なしには理解できないとしています。[8]「研究」として理解するとなればですが、たしかに、それらのテキストを読んでないとそれらの概念のふくらみはわからない、というか読んでいるとより一層生き生きと理解できるかもしれません。かれは、インスピレーションの源泉に立ち返るかのように、『王権論』でも『海賊の啓蒙』でもマダガスカルに立ち戻っていますし、かれらが構想していた『万物の黎明』の続編では、マダガスカルが大きくフィーチャーされてたんじゃないかな、と推測してます。

　これも適当に推測ですが、一六歳からすでに「アナキスト」を自認していたかれのアナキズムが、ひとつの知的方法として、あるいはかれの世界観として独自のものになって、かれの知的活動に血肉化されていくのには、フィールドワークの対象がマダガスカル、独特の仕方で民衆社会のうちに反権威主義が遍在している(かれの描写によれば)場所であったということが決定的だったんじゃないですかね。かれだったら、どこでもちがったかたちでおなじようにきわめてユニークなかたちで人間社会のアナーキーな組織的基盤を観察して、だれもおもいもよらない社会像を提示しながら、みずからの知的基盤としてもアナキズムを統合していったのかもしれませんが。

『ダイレクト・アクション』

Q　アナキズムについて。

　これもこれからもっとちゃんと読んで考えていくための粗雑なメモとして考えてもらいたいのですが、かれは一九九九年のシアトルでの反乱に遭遇し、「わたしが目を離していたすきに、本当に存在してほしかった政治運動が誕生していたことを発見した」といっています。それから深くグローバル・ジャスティス運動にコミットしていくわけですよね。二〇〇〇年から二〇〇一年にかけての、その運動が最も高揚をみせた時期の記録が『ダイレクト・アクション』というもうひとつの民族誌に結実します。

　かれがアナキストの活動家としての実践とフィールドワーカーとしての知的実践を独特の仕方でむすびつけられたのはそれ以降で、それ以前は、多分にかれの理念として、かれの対象へのかかわりかたや観察の仕方としてあらわれているんだろう。でもたぶん、マダガスカルの経験のほうも、その理念に独特の肉体というかサブスタンスを与えてもいったという感じでしょうか。

アナキズムといってもいろいろですし、かれはそのときどきでいくつかの定義を与えていますが、そのひとつがアナキズムとは三つの次元の往復である、というものです。

Q　三つですか。

　まず教義。ふつうアナキズムの歴史といったときこの教義とそのまわりに運動を並べるというかたちをとることが多いですよね。グレーバーは、そういう教義のレベルではそれほど関心をもっていないと思います。もうひとつが、態度。世界史には（日本の中世もふくめて）、たとえば、王や搾取、ヒエラルキーのない平等主義的共同体をめざす千年王国的運動のようなものが頻発しますよね。それがアナキズムを名乗るわけではないけど、実質的にアナキズムである（マルクス主義的革命のようだとはいいません）。それが態度です。もうひとつが、実践です。これはすでにおこなわれている、ヒエラルキーは暴力、支配とは切れた自由な実践。これはそれこそ人類学者がときに未開社会にみいだすような、基盤的次元ですよね。アナキズムとは、これら三つの往復である。つまり、それは教義から流出するものではなく、たえず基盤的次元につなぎとめられながら、それをより発展させていく、自由をより強化し、育てていくというのでしょうかね。このような見方が、あアナキズムと教義としてのみ捉える立場からすると、彼のアナキズムがあいまいに映る一要因かもしれません。

　ただ、翻訳があるかもしれませんが、わたしも好きなみじかいグレーバーのテキスト（「あなたはアナキストかな？答えにきっとおどろくかも！」[9]）があって、その定義がいちばん基本的ですよね。

「アナキストの信念は、ごく単純にいえば二つの基本的な前提に立脚している。ひとつは、人間は普通の状況下では、道理を解するまっとうな存在であり、そのあり方を教えられるまでもなく、じぶん自身やじぶんたちの共同体を組織することができるというものだ。もうひとつは、権力は腐敗するということである。なによりも、アナキズムとは、わたしたちだれもが生きている単純な良識の原則を、論理的な結論まで貫き通す勇気をもつことなのだ。奇妙におもえるかもしれないが、おそらくほとんどの重要な点で、あなたはすでにアナキストなのだ」。

　いずれにしても、フィールドワークの時点では、まだこういう分節にはいたってなかったでしょうけど、アナキズムという理念が人のみえないものをかれにみさせ、人がさして意味を認めない細部をみさせるということもあったんじゃないかな。たとえば、『ロスト・ピープル』でも別のところでもしばしばかれは、マダガスカルの権威が「否定的（ネガティヴ）」にしか行使されないことに注目するんですよね。これは専門外の人間のあやしげな要約ということで、関心のある人はじかにあたってほしいのですが、フィールドワークで観察したかぎりでは、そこでは権威ある人たちは権威を否定的なかたちでしか行使しないらしいのです。「○○してはならぬ」「××にいってはならぬ」といった。「△△をせよ」という、人をして（暴力をたてにした）強制によってなにかをさせる（じぶんのための奉仕させる）といったことはしない、というかしてはならない。もちろん、一九世紀にマダガスカルは統一されて、王族や貴族はポジティヴな権威を行使します。奴隷制の社会でもありますし。ところが、民衆社会のなかでは、権威者は基本的に否定的権威しか行使できない（ということは非権威者はそうでもないということです）。これが一九世紀末のフランスの植民地化を通して、積極的権威の行使がフランス流、つまりマラガシとは無縁の「よそもの」流に同一視される。そうした命令と服従のような奴隷のごとき関係はわが伝統にそぐわない、ということです。

なにが興味深いかというと、これが魔術にかかわっているからです。つまり、マダガスカルではいまでもウディ*ody*という不思議な力をもつお守りが使われています。木片などからなるものです。これによって、人をして影響を及ぼすことができます。でもこれには正当な使用と不当な使用が社会のなかでわけられていて、正当な使用は否定的にかかわるものなんですよね。要するに、じぶんにむかってくる弾が逸れて当たらないとか、ナイフで刺そうとしてくる人間がコケるとか、人を危害から守るというかたちで作用させるばあいのにみ使用は正当である。不当な使用は、積極的に人になにかをさせるものです。おまえは全財産をオレに捧げたくなる、とか、あなたはわたしにぞっこんになるとか。これは邪術であり、やってはいけません。しかし、こうした力を行使する可能性はだれにもあるわけで、それは両義的です。

　以上、相当ラフにまとめていますが、なにをいいたいかというと、こうした権威の行使にかかわるこまやかな観察も、おそらくかれのアナキストとしてのまなざしによってその意味がひらかれたのではないか、ともおもわせるからです。

そしてもう一点、これが共同体の幻想とつながっている点です。グレーバーが生活したマダガスカルには、「だれもがおそるべき薬物や精霊をたずさえ、夜には裸で墓地の上を踊り狂い、男たちを馬のように駆る魔女たちが暗躍する」といったおそろしい妄想じみた幻想がありました。かれはそうした観察もふまえて、しばしば、未開社会が平等主義的であればあるほど、その社会は異様な妄想に取り憑かれているといってます。『負債論』でも平等主義的アフリカ社会を覆う「人肉負債」の幻想についてくわしく論じてますよね。こんなおそろしい幻想とそんな幻想に包まれた儀礼のなかで行使される、かれいうところの「不可視の戦争」というものが存在するのは、そうした社会がみずからを覆すかもしれない、じぶん自身の力の両義性と闘っているからなのです。グレーバーがサーリンズとともに『王権論』で、国家のようなものが人類の最初期からあったとしているのも、サーリンズの「コスミック政体」の議論を、この論理の延長上においているからだとおもうんですよね。つまり、狩猟採集民のどんな平等主義的社会でも、神話のようなナラティヴを通して精霊や神(「メタパーソン」)のような存在があり、この世界はその統治のもとにあるかのように生きられている、と。これをして、グレーバーはあたかもアナキズムに懐疑的になり「穏健化」の道をたどっていたんだ、とする意見をみたんですが、これに対してはちがうといいたいです。一見するとアナキストがそういうことというのか、とみえないこともない。でも、ここはとくにロバート・ローウィやピエール・クラストルの「国家に抗する社会」との最も強い共鳴をみなければなりません。ローウィやクラストルのみるところ、国家のない社会は、たんに未熟だから、単純だからそうであるわけではない。かれらがそれを大切なもの(つまり価値)として選択し、積極的に国家の登場を阻止しているからそうなのです。しかし、かれらがそれを価値として選択しているということは、それ以外の選択の可能性をあいともなっています。それ以外の可能性のなかで、かれらはそれをひとつの生き方、じぶんの社会の望ましいありかたとして選んでいるのです。これはいわゆる「クラストルのジレンマ」とされてきた論点とつながっています。つまり、なぜ知りもしない国家をかれらはあらかじめ「祓い除けられるのか」といった論点です。それに対しては、さまざまな人たちが独自の応答を与えてきました。『万物の黎明』も複数の応答を与えています。わたしがおもうに、答えはひとつではありません。それはおいて、ここでの問題はただ一点、非権威主義的に生きる、平等に生きるといった社会は、別の可能性との格闘のなかで生きているということです。人が集まって理念によって統合すれば、それでOKというわけではないのです。人は本性的に善でも悪でもないのですから。さっきの引用でいえば、「権力は腐敗する」というのがアナキズムのひとつの基本的想定です。だからそれは意識して回避されねばならないのです。なにが危険なのか、なにを避けねばならないのか。『負債論』でのあの印象深いイヌイットの事例がありますよね。肉をふるまったイヌイットになんどもお礼をいう人類学者に対し、イヌイットが怒って「鞭が犬をつくるごとく、贈りものは奴隷をつくる」と説くシーンです。つまり、贈り物に感謝で返す日常的ふるまいが奴隷の存在する社会への一歩である、だからそれは避けねばならない、ということです。かれらは、奴隷の存在する社会を知っていて、そこに生きる人間のありかたをイメージでえがきながら拒絶しているわけですよね。グレーバーはマルクス派は分析に、アナキズムはモラルにかたむく傾向があるとよくいってましたよね。マルクス派は、現実を理論的に規定して、そこから行動をみちびく。ところが、それに対してアナキズムは、この社会でどのような行動がよりヒエラルキーのない社会をつくるのか、と問いかける傾向にある。これにともなうのは、イヌイットの事例にあるような、さまざまな危険な可能性を祓い除けるふるまいのモラル、そしてそれを促進するような組織方法、あるいは制度の構築です。このような態度はもちろん、運動においては多かれ少なかれ作動しているものであり、アナキストだけにかぎったものではありませんが、アナキストはそれをきわめて重要視する、というか一義的な目標にするところに特徴があるとおもいます。こうしたリアリティは、デモに参加するとかだけではないかたちで、すこしでも運動にかかわった経験があれば、たぶん通じやすいとおもうのですが、とりわけいまの日本ではなかなかむずかしくなっているんでしょうか。ここまでいってきましたが、ウディにおいてみたようなマダガスカルの民衆社会における力の両義性への対応が、こうしたしばしば妄想的イメージ世界における格闘というかたちであらわれているのですね。

『アナーキスト人類学のための断章』

Q　これは『万物の黎明』の「分裂生成」の概念をおもわせますね。

　そうですね。これについてはまたあとで述べたいとおもいますが、グレーバーにとってアナキズムが実践をともなって、知的プロジェクトのうちに統合されるのは、かれの記述からみても、シアトル以降、とりわけ二〇〇〇年あたりのＤＡＮ（ダイレクト・アクション・ネットワーク）への参加からといえるでしょう。『アナーキスト人類学のための断章』がサーリンズの監修する叢書の一冊として公刊されたのが、二〇〇四年。わたしたちも、高祖岩三郎さんを介してグレーバーとのつながりができてきたあたりですね。なので、人類学という学問ではなく、それ以外で日本でつながった人たちは、やっぱりこのように実践経由ですよね。

この時代のグレーバーはアナキズムという理念のうちで「じぶんが望んでいた」運動をみいだし、『アナーキスト人類学のための断章』にあらわれるようなきわめて創造的な知的展開もすすめ、かついくつかの領域で小さな「現象」を起こしていたとはいえ、アカデミズム的には不遇だったですよね。かれは一九九八年にイエール大学にアシスタントプロフェッサーとして採用されますが、二〇〇四年、雇い止めというかたちで「クビ」になります。おそらくかれが関与をはじめた運動、あろうことかそのうえ「アナキスト」を名乗ってときに運動のスポークスマンであるかのようにふるまっているそのような動きへの、いろいろな証言によればヒエラルキー構造の強力だったイエールの学部の教授陣の反発を招き、ことがひとつの要因だったとされています（ほかにもキャンパスで起きた複数の出来事への直接的関与も原因とされていて複合してますが）。これはけっこう大きな事件となって、学生たちの反対署名が四五〇〇集まったのですよね。それだけじゃなくて、二つの民族誌もかんばしい反応がない。かれに近しい人たちが、「荒野の時years in the wilderness」と表現した時期です。かれはアメリカでは職がえられないとあきらめ、かつての革命家たちと若干似てますが、ロンドンに「亡命先」をもとめ、最初はゴールドスミスに、最後にはＬＳＥ（ロンドン・スクール・オブ・エコノミクス）に職をえます。

でも基本的なことですが、グレーバーが、マルクス派とちがってアカデミズムとはほとんど相手にされていなかった、というかバカにされていたアナキズムを掲げ、しかもたんなる理論家ではなく行動するアナキストを堂々と名乗っていたことに、わたしはいつも敬服してたんですよね。いまでこそ、それこそグレーバーの力もひとつにはあるんだとおもうんですが、アナキズムは、アカデミズムでも、より一般的に知的世界でも、それほどタブーではなくなって、多くの人がアナキズムを参照し、かつ、アナキストを名乗りはじめました。これはとてもよいことだとおもいます。でも、いまだってそうでしょうが、この時代には、はるかにリスキーですよね。だって、いかにも小バカにしそうなマルクス派とかポストモダン系の学者たちの顔が、すぐずらーっと浮かびませんか。実際に職を失うわけだし、しかもそれもスキャンダルめいた「名声」とともにですから、アカデミズムのうちにキャリアを築こうと考えている人間のすることではありません。本当に勇気が必要だったとおもうし、倫理的確信もそうですが、みずからそうした困難を知的に乗り越えていこうとする気構えなしにはそういう態度はとりえなかったとおもう。ほとんどアカデミズムでは無視されていたけど世界では拡がっていた大衆運動、アナキズム的原則をとるようになった大衆運動で、実際に、なにが起きているのか、そこに作動している理念はどのようなものか、そこにどのような意味があるのか、ほとんどなにもないところから議論をつくっていったのですから。大学のなかで難解なジャーゴンを駆使しつつセクトを形成していた人たちではなくって、二〇世紀にすぐれたマルクス派の知識人がやっていたことを継承したのもかれだったのですよね。

『ポッシビリティーズ』

Q　二〇一一年でそれが変わって、それから「後期」ということでしょうか。

そうですねえ、いまここで仮にグレーバーの知的キャリアを一九八九年から一九九一年までのマダガスカルでのフィールドワークを出発点として時期区分するとすれば、まず、それから、どうでしょう、とりあえず二〇〇一年の『価値論』までかな、それまでが初期？　それで、二〇〇一年から『負債論』の二〇一一年までが前期、それから突然のこの世からいなくなるまでが後期というところかなあ。それとも前期、中期、後期のほうがいいでしょうか。「中期」があるほど長い知的生活ではなかったともいえるけど、アカデミズム的な意味では不遇だったこの時代がかれの創造性が爆発して、真に独自性を形成した時期でもありますし。でも、単独の著作があるわけじゃないんで、やっぱり前期かなあ。それこそ、これからいろんな人が論じるなかで、かれの知的時期区分が定着していくんじゃないでしょうか。ここでは仮に、初期、前期、後期に分けておきましょうか。

かれがオルタ・グローバリゼーション運動への関与を媒介として、アナキストとしての立場と人類学者としての立場が、ある意味でパズルのピースがハマるみたいに合流して、わたしたちの知る「デヴィッド・グレーバー」があらわれる。この前期から中期のグレーバーの知的集大成が『ロスト・ピープル』とおなじ年（二〇〇七年）に公刊された『ポッシビリティーズ』という本で、知る人ぞ知るというか、アナキズム系の独立出版社であるAKプレスから公刊されています。グレーバーの思考の全体を知るには欠かせない本ですが、これもまた入門的本というにはあまりに分厚い。三部構成で、それぞれ四つのテキストから構成されてます。第一部がそれこそ修士論文をもとにしたテキストからはじまる最初期の理論的テキスト（それぞれ、ヒエラルキー、消費、生産様式、フェティシズムをテーマにしてます）、第二部がマダガスカルのフィールドワークをもとにしたテキスト、第三部が運動にコミットしてからのより直接的に政治的含意をもったエッセイ的テキスト（というにしては、たとえば『民主主義の非西洋的起源』というタイトルで日本語訳されているテキストのような本格的論考もふくんでますが）。そういうわけで、第三部には、相対的に軽いエッセイもありますが、しかし、全体としてみると、それぞれの論考がそれぞれの領域において独創的で触発的なんですよね。これが公刊されてから、とくに「生産様式をひっくり返す」というタイトルの論文と『価値論』からはみでてしまったフェティシズムにかんする論考には、いくども立ち返って、本当に影響を受けました。ただだんだん、第二部のマダガスカルにかんする論考がどれもとんでもなくおもしろいことに気づき、そっちをよく読むようになったんですけど。

それから二年後の二〇〇九年におなじAKプレスから、かれの民族誌第二弾である『ダイレクト・アクション』が公刊されます。単独の著作としては、最も分厚いんじゃないでしょうか。一九九九年のシアトルの反乱から二〇〇一年の9・11までに最大の高揚をみせたグローバルジャスティス運動にかれが飛び込んでからの記録です。この本の適切な位置づけが、一番むずかしいんじゃないかな。すくなくとも、じぶんにはできないのですが、ひとつの運動、しかもセクト政治とは無縁であろうとするなかできわめて創造的で多様な戦術や試行が展開された本当の意味での「大衆運動」の実践の平面を、『ロスト・ピープル』とおなじく、しばしばとりとめもなくみえる会話の記録や行動の観察によって記述した本ですね。こうした民族誌的記述のうちに、そこにいたるまでの「直接行動」の歴史やその意味の考察や、それ以降、おりにつけ展開されることになる想像力にかんする考察といった、ダイレクトに手がかりになる論考も散りばめられます。運動にかんする活動家の経験談とか、より歴史的記述とかならたくさんありますが、ひとつの歴史を画する社会運動に、積極的に関与する人間が同時にフィールドワーカーとして方法論をもって記述するという、あまりみたことのない、にわかには形容しがたい本です。なので、メモ程度にいっておくと、グレーバーはのちに「民族」とか「エスニック・グループ」のようにみなされるようになった集団も、もともとはその多くが政治運動としてはじまったんじゃないか、というようなことをしばしばいうんですよね。これはマダガスカルの観察からの洞察だともおもいますが、おそらく『万物の黎明』のあの人類はもとより成熟した政治的アクターだったというヴィジョンともどこかでつながってるはずで、そのレベルでも、『ロスト・ピープル』や『ダイレクト・アクション』には共通するなにかもあるんだとはおもいます。

さらに、ちょっとこれはたいして意味のないコメントになるかもしれませんが、たぶん、セクトや選挙政治もふくめてよりフォーマルな政治運動についての言及は、そのフォーマルな場面以外は悪くて「ダークサイド」に、よくて、というか欺瞞的には心温まる「サイドストーリー」になるでしょう。でも、そうじゃない運動、とりわけアナキズムというより自覚的にセクト的なものを排除した運動、しかも広い意味で直接行動にふくまれるような運動に関与したことのある人だったら、パブリックには華々しくあらわれる場面じゃない、さまざまな日常的実践、それは会話もふくめて、それが大事だということがどこかでわかってるんじゃないですか。でも、それってあらためて語られるときは、消えてしまうんですよね。じぶん自身、本当に大事だとおもっていたことが、なぜかそのあとの語りのなかではたいてい消えてしまう。これがもどかしくも不思議だったんですよね。グレーバーはもともと、そういう日常的実践の平面こそが重要だということはいろんなかたちでいってきてはいたんですが、『ダイレクト・アクション』で、それが具体的にどういうことかをはっきりと提示しています。たとえば長々とした会議の記録があるんですよね。それはこのボトムアップの意思決定に根ざす運動にとって要だということはわかっていても、実際にそこにいると、長い。グレーバーにかんして何人かの人がいってるんですが、こうした運動のたいていの人は退屈だったりイライラしたりする局面において、かれは異常に忍耐力があった、と。かれとそういう現場を共にしたことのある人は、それから連想されるシーンがすぐ浮かぶんじゃないでしょうか。こともなげにみえた。資質なのか、それともマダガスカルのフィールドワークで鍛えられたのかわからないですが。でも、もちろん、そんな記述が、退屈にみえる人はいるでしょうね。この本はその意味で、いちばん扱いのむずかしい本ではないでしょうか。

『負債論』

Q　それで『負債論』で大きな転換点となる、と。

かれが二〇〇八年頃に来日したときにもそんな話をしていたし、『資本主義後の世界』という高祖岩三郎さんがつくった独自のインタビューの本があって、そこで構想をかなり詳細に語っていたので、そういう本がでたこと自体はおどろかなかったんですが、しかし、あのボリュームだし、こんな壮大なものになるのか、と。そしてなによりそんな本なのにAmazonでのレビューが爆発的に増殖していって（グレーバーはいつもそれをチェックしてニヤニヤ?してたみたいですが……）、要するにあきらかに「ブレイク」していて、おどろきましたが、うれしかったです。オキュパイ・ウォールストリートやそれをもたらした二〇〇八年以降の雰囲気との相乗効果もあった。ここでかれの「荒野の時代」は終わり、悲しいかな後期に移行するということになります。『負債論』の二〇一四年版あとがきでかれはこういってますよね。

「『負債論』以前のわたしの知的キャリアの特徴といえば、想像しうるかぎりの最悪のタイミングであった。わたしは、長編の民族誌を書くことがほとんど不可能になっていたときに、微に入り細を穿つ長編小説のような民族誌『ロスト・ピープル』を書き、人類学という学問分野がもはや理論に関心がなくなっていた頃、『価値論』という人類学理論の本を公刊した。わたしはさらに9・11の直前に、直接行動の擁護者として知られるようになった。だが二〇一一年になってから、それ以前の一五年間にわたしが逸しつづけてきたタイミングというものすべてが、あたかもわたしに追いつこうとでもしているかのようであった」。

『負債論』はいまでは日本でも比較的よく読まれているとおもいますが、翻訳を公刊した当初は、予想を裏切ってほとんど反応がないのでそれは悪い意味でおどろきましたよね。だって、書店に並んだらと怒濤の、とまではいわないですが、待ってました、という応答がすくなくとも知的世界からは起きると想像しながら翻訳をがんばってたわけですし。(元)サッカー日本代表の本田圭佑選手がツイッターでおもしろい、といってくれて、それですこし風向きが変わりはじめたんですよね。

それ以降は、ご存じの通り……ではないか。基本的には9・11以降の、たとえば「対テロ戦争」にするどくあらわれた、グローバルジャスティス運動のような世界規模の大衆運動の高揚への反動の時代に書きつらねられたエッセイ集の『反転された革命』が二〇一一年、オキュパイの経験と並行した書かれた文章を集めた『デモクラシー・プロジェクト』が二〇一三年に公刊、そしてわたしが愛してやまない『官僚制のユートピア』が二〇一五年、政治人類学の金字塔、サーリンズとの共著『王権論』が二〇一七年、そしてあの『ブルシット・ジョブ』が二〇一八年、考古学者デヴィッド・ウェングロウとの共著『万物の黎明』が二〇二一年。

かれがようやくそれにふさわしい評価を与えられても、「アイデアの泉」は涸渇することなく、かつ行動の範囲もグローバルに拡大していました。ところが、ご存知のように、信じがたいことに、コロナ禍の初期に、突然、その壮大なプロジェクトは中断することになりました。みんなそうでしょうが、まったく意表をつかれましたよね。もちろんそんな年齢じゃないというのもありますが、いまこの世からいなくなるなんて考えられもしない人でしたし。だからこちらもあんまりよくないのですが、安心してたところがあったんですよね。どうせこれからもがんがん書いてくだろうし、日本語圏でも注目する人は増えてくだろうから、それを横目でみつつ、ときに参照しつつ、じぶんはじぶんの仕事ができる、みたいな。『万物の黎明』の訳者あとがきでもいってますが、ヴェニスでかれがいなくなったそのとき、わたしたちがなにを失ったのか、いまだにわからない、というのは、かれの仕事がなにをわたしたちにもたらしていたのか、いまだわからないということなんですよね。あんまり考えたくないということもありますが、いまではかれの残したテキストはどれも、本当の意味で、未来へのギフトになったということですね。

◉『万物の黎明』への手引き

Q　さて、それではここから『万物の黎明』の手引きをおねがいしたいのですが……。

　『万物の黎明』もいろんな意味でとんでもない本ですし、すくなくとも英語圏での公刊後の反応をみると「事件」ですよね。わたしは人類学者ではないうえに考古学者でもありませんから、知らないことだらけで、翻訳においても、考古学者のかたがたに大変、助けられました。考古学は人類学以上に、独特の語法があるんですよね。考古学関連の事典のたぐいはもちろんですが、コリン・レンフルーの教科書を筆頭にそれ以外の翻訳書を原文と対照させながら（総じて考古学の本は日本語でも英語でも高い！）、考古学的なイディオムを学びつつの過程となりましたが、それでもぜんぜん追いつけていないとおもいます。たとえば、ceramicって、ふつうは陶器となるし、それでいいばあいもあるけども、考古学的文脈だと「土器」と訳さなければならない場面がたくさんある。考古学者以外のかたの訳した考古学の本、あるいは考古学への言及では、しばしば陶器と日本語訳されていることに気づきました。わたしも考古学者の方々に指摘されなければ気づかないまま、陶器とやって文脈をみえなくしてしまったでしょう。

　これも翻訳の過程で考古学者のかたがたと幾度かそういう話題になったのですが、かなり前には部外者にも考古学はしばしば話題の的じゃなかったですか？　それはまた、梅棹忠夫やそれ以降の生態学、民族学、さらには日本の中世史などの展開ともむすびついて、大きな問いと大きな展望がえがかれてましたよね。いまふり返ると人文知が本当に輝いていた時代だったと思います。こんな大きな問いがあったからこそ、複数の学問領域が自発的に交錯していた。アカデミズムと非アカデミズムの境界も横断して。そしてたぶん、そのような大きな問いを活気づけていたのは、どれほど意識されていたかは別として、現代世界への深い危機感と裏腹の「別の世界」への希求であり、「別の世界は可能である」という感覚だったと思うんですよね。でもいま、じぶんの無知が大半だとしても、たとえば考古学の展開が人文社会科学一般におおきな影響をもたらすという感じではない。それはたぶん、ポストモダニズムとネオリベラリズムが融合し合いながら人文社会系の知的世界を支配するという状況のなかで、大きなヴィジョンが忌避されてきたことも関係しているのでしょうが。ところが、それこそこの翻訳のプロセスで知ったのですが、日本の考古学でも革新が起こっていて、とりわけゲノム解析の進展の助けを借りて、この極東の群島の歴史観も一新させつつあることがわかり、しばしばおどろかされました。たとえば、北條芳隆さんらは近藤義郎の前方後円墳論以降のめざましい展開のなかで、古墳時代（そして日本史一般）のイメージを一新されていましたし、インダス文明研究の小茄子川歩さんらはそういう動きとの応答のなかで、ピエール・クラストルをはじめとする人類学を参照し、とりわけウィットフォーゲルの再読を介して世界システム論を古代社会への応用可能なかたちに組み替えながら、発展させられていました。

関雄二さんの「神殿更新論」も『万物の黎明』の翻訳のプロセスで知りました。松木武彦さんは、認知考古学などのあたらしい動向に呼応しながら、いっぽうでマウンド文化の比較研究のうちに古墳を位置づけ直されていたり、瀬川拓郎さんはアイヌ研究の視点から、近年の遺伝学研究の進展も参照しながら、この列島の歴史を塗り替えられていました。これもたぶん、ほんの一部なんでしょうが、『万物の黎明』がしばしば嘆いているように、本当はすべての人文社会科学がふまえ、みずからのフレームを組み替え、必要ならば介入しなければならないはずの進展があまり知られず、そのインパクトが封じられている。それでいて日本の考古学が一般的に話題になるときって、最近では、そういうめざましい進展よりも、「土偶問題」とか、スキャンダルめいたことが多くて、不幸なことだとおもいます。もちろん、「学際」って花盛りで、それを冠した大学の学部、授業、社会人講座などなど、うんざりするほどあふれてます。でも、上から「学際」が押しつけられれば押しつけられるほど「ブルシット学際」（学際やってます感のプレゼン）だけが増殖して、好奇心とか探究意欲とか、危機感とか、そのようなものに根ざす本当の越境的対話がなくなっていくって感じ、ないですか？

Q　そういう話は、よく耳にします……。

ジュンク堂の福嶋聡さんが、『万物の黎明』を読んで「「人類学」は考古学と連動してこそ真の「人類」学になる」と感じたといわれていて、印象深かったのですが、そうなんですよね。

考古学は遠い過去の痕跡をたくさんもっています。その物質的痕跡がなにを意味しているのか、どのような世界の一部であったのか、どのような人びとの価値観を反映しているのか、それ自体は黙して語らない。この沈黙こそが、さまざまな、それこそYouTuberにあふれている宇宙人との交渉による超古代文明的な妄想ぶくみの解釈もゆるすし、近代的価値観、たとえばホモエコノミクスの投射のような貧しい想像力による解釈もゆるすわけですよね。前者のほうがはるかに魅力的ですし、ある意味で後者よりマシだとはおもうんですが……。それに対して、人類学はラフにいって「非近代社会」、文字のない社会、国家もときに市場も知らない社会について、最もそのヴァリエーションを知っている。それによって、その意味の類推を可能にしてくれる。かつては、たとえばアフリカや南アメリカのきわめて平等主義的であるような狩猟採集民の生活を古代生活の窓とみなされることもありましたが、結局は、近代以降の世界の一部にすぎないんですよね。とすると、人類社会やその歴史の問い、要するに「人類とはなにか」という問いへの応答は、たしかに人類学と考古学の共働によってはじめて十全にはたされるといってもいいかもしれないですよね。

Q　英語圏では、考古学は人類学の一部ということも聞きましたが。

　コリン・レンフルーの教科書でも考古学は広い意味での人類学の一分枝として扱われているわけで、日本よりはもともと近接しているんですよね。それでも日本でも、さっきの大きなヴィジョンが可能であった時代は、もっと近かったようですが。わたしのみたかぎりでは、あとですこしふれたいマルセル・モースの「文明」論を介した考古学における文明論の展開は、人類学と考古学の相互交渉のなかから生まれているようにおもわれます。しかし、それでも『万物の黎明』は、二つの領域を異にする知が相互作用のなかから創造された希有な人文書である。おなじ方法を共有している（たとえば哲学とか）が対象の異なる二人の共同作業でもない、二つの異質な知がどちらか一人がとんでもないおもいつきを提示して、片方がそれをだれにも通用する知的文脈に昇華するみたいな共同作業でもない。近しいところでいえば、グレーバーにとって共著はサーリンズとの『王権論』につづいて二作目なのですが、この二つの共著はかなり異質です。サーリンズとの共著は、二人の共同名義で書かれたテキストは序章だけで、あとは二人のテキストがほぼ交互に並べられています。もちろんそこでは相互のやりとりもあったはずですが（メールするとサーリンズはいつも世界のどこかで闘っていたみたいなことをいってますが）、印象としてはグレーバーがサーリンズの最後の成果をうわばみのように呑み込み、その異質性をも貪欲に消化して独自の政治人類学の構築へのステップにしているという感じです（そこにサーリンズ＝グレーバー派政治人類学とでもいうべきあたらしい思考の誕生をみることもできるかもしれないですが）。

　ところが、『万物の黎明』は、それらとはちがっています。ひとりで書くことになったウェングロウの悲痛さのにじみでた序文では、こういわれてます。

「それは、わたしたちがより「まじめな」アカデミックな仕事からの気晴らしとしてはじまった。人類学者と考古学者が、かつてわたしたちの分野ではとても一般的だった人類の歴史にかんする壮大な対話を、現時点の証拠を用いて再構築しようとする実験、ほとんどゲームとしてはじまったのだ。ルールや締め切りはない。気がむいたときに、気がむいただけ書く、それがだんだん日常となっていった。完成までの最後の数年間は、プロジェクトが勢いづくにつれ、一日に二、三回会話をすることもめずらしくなくなった。どちらがどのアイデアをだしたのか、どちらがどのあたらしい事実や事例をだしたのか、わからなくなることもしばしばだった。その結果、つぎはぎではなく、真の意味での綜合的な本ができあがった。わたしたちの文章や考えのスタイルが、すこしずつ収束して、やがてひとつの流れになっていくのが感じられたのだ。わたしたちは、せっかくはじめた知的な旅を終わらせたくない、この本で紹介した概念の多くは、さらに発展させ、例証することが有益であると考え、三冊以上の続編の執筆を計画した」。

そこの共同作業については、訳者あとがきでもふれてますが、公刊後の反響（それがどのようなものだったかについてもこの記事を読むとすこしつかめます）のなかでヴァージニア・ヘファーナンがウェングロウに密着取材をした『ザ・ワイアード』の記事がすばらしいんですよね。ウェブで日本語訳で読めるので、関心のぜひそちらにアクセスしてもらいたのですが、かの女が一読してじぶんなりにつかんだこの本の要点のようなものを簡潔に書いてて、それがすごくいいんで、[10]やっぱりこういう書き手は、うまいこといいますよね。

Q　「人間はただひたすら人間であった」みたいなのですよね。

そうそう。ついでにここでもその後半だけひっぱると。

「じぶんの子どもを胸にしばりつけておく、トラに追われているつもりで全速力で走る、オスは繁殖力の強そうなメスが好きだから腰のくびれをキープする、男が種をまき散らせるよう最大限に尽くす……どれも先史時代の人間がしてきたことなのだから、現代人もそうするのが当然だと、いままでに何度聞かされたことだろう。／だが、すべて嘘だった。本書の大胆な主張は、本物の喜びをわきたたせる。人間は自然状態にあったことなどなかった！　人間はただひたすらに人間であり、皮肉屋で、感覚的で、内省的だった。全人類に共通したプログラミングなど存在しない。その意味するところは天文学的だ」。

モンスターのフィギュア

Q　この記事全体も読みましたが、二人の共同作業がいかに緊密なものであったのかもよくわかります。

かれらの共同作業の出発がちょうどグレーバーのキャリアの転換点の二〇一一年ですが、それ以降、多くの本を公刊しながら、ずっとつづけられてたんですね。二〇〇六年くらいかな、高祖岩三郎さんにグレーバー、最近はなにやってるんですか、と聞いたら、なんかエジプトの考古学者といっしょに仕事してるんだよね、ということで、へえ、と。わかるようなわからないような。まわりの人たちも、かれがこの共同作業にいかに熱意をもっていたか、その都度、興奮をもってあたらしい発見について話をしていたか、よく語ってますが、最初に耳にしたときは、こんな本格的なものになるとは予想してませんでした。より広くかれらの共同作業の一端があきらかになったのは、最初は*Eurozine*誌で発表された共著のエッセイで、『万物の黎明』のとくに第1章に統合されていますが、これが二〇一八年にウェブにあがったときはかなり話題を呼び、すでに論議も起きはじめたんですよね[11]。

この二人の対話がやがてひとつの脳を生成していったみたいなウェングロウの述懐でまずおもいだしたのは、やっぱりバフチンで、これまでグレーバーの「対話主義」についてふれましたが、でもかれがこれまで理論的に参照してきたのは、どちらかというとそのラブレー論で（『負債論』でもヨーロッパの中世から近代への移行をしるす重要な地点でラブレーが登場します）、そこで展開されているカーニヴァル論、あるいはグロテスク・リアリズム論なんですよね。さっきすこしふれましたが、最初期の論文（修士論文をもとにした「マナー、敬意、私的所有——あるいは、ヒエラルキーの一般理論のための諸要素」というタイトルで『ポッシビリティーズ』に収められています）でかれは、ざっくりいうと、人類学でいう「冗談関係」（ある種の儀礼的な攻撃的やりとりで親密性を表現する関係）と「忌避関係」（逆にある種の儀礼的なていねいさや礼節の演出を通してたがいの隔絶を表現するような関係）を手がかりにして、それをヒエラルキーと平等にむすびつけようとします。忌避関係はヒエラルキーとむすびつき、それを特徴づけるような関係である。冗談関係はその解体、平等な関係とむすびつく傾向がある。冗談関係においてあらわれるのはバフチンのいうようなグロテスクな身体です（グレーバーはこれを「冗談身体」といってます）。バフチンのラブレー論における表現を借りれば「生成する身体、世界を呑み込み、呑み込まれながら、身体の境界を乗り越えて交わろうとする身体」です。このような発想は、奴隷制を社会的文脈への埋め込みからの剝奪、オルランド・パターソンのいう「社会的死」とむすびつけるやりかた、鋳造貨幣の導入やそれによって構成された商業の論理への巻き込みを、「人間経済」からの切り離しと捉える『負債論』の議論に通底していることもわかりますし、『王権論』にも『万物の黎明』にもあらわれる「神聖王」から（タブーでがんじがらめにして世俗と分離させる）「不可侵王」への転換の論理にもそれがあらわれているのがわかります。それとバフチンのカーニヴァル論は、『万物の黎明』でも、社会の季節的変異にかんする議論でそれが参照されています。カーニヴァルの期間では日常を支配するヒエラルキーが転覆しますがヨーロッパの人びとが中世から近世にかけて、平等主義的観念がほとんど不在のなかでも、民衆にそうした世界が想像できたひとつの根拠と考えていました。つまり、その経験が民衆に別の社会が可能であることを告げ知らせ、かれらに可能性の感覚を保証してたわけです。実際に、ヨーロッパではカーニヴァルはしばしば民衆反乱のきっかけになりました。それに対して、知識人はずっとそうした別の世界の可能性を想像できない唯一の階級であったというわけです。それはともかく、グレーバーとウェングロウとの対話の成り行きは、このようなバフチン的な対話主義とグロテスク・リアリズム論を想起させるんですよね。

　ということで、ここでは入門ということですが、これまたうかつな要約をゆるさない本ですし、万華鏡みたいに読む人しだいで、それがえがきだすコンステレーションというか、そのすがたは異なってくるでしょうし、本書自体、考古学や人類学者の研究者のみならず、さまざまなジャンルの方々が、その数だけの手引きをしてくれているとおもいます。それらは『万物の黎明』というひとつの宇宙への筆者の数だけの開口部となっているはずです。また、章ごとのかんたんな概要なども、訳者あとがきにつけていますので、それが必要なかた、そして購入を迷っているかたは、まず立ち読みなどでもしてもらえたら、と。もくじも、あげておきます。

はじまり
第11章　ふりだしに戻る（フルサークル）――先住民による批判の歴史的起源について
第12章　結論――万物の黎明

　引用したウェングロウの序文にもありますが、二人は二〇一〇年くらいに出会って、意気投合し共同プロジェクトを開始して以来、時間をかけて、ひんぱんに対話をくり返してたようです。助成金をもらってルーティンの研究会をくり返し締め切り厳守の報告書の作成に邁進するような「シリアス」な「共同研究」の対極をいく「遊戯的」共同作業としてかれらはこのプロジェクトをおこなったわけです。おそらく膨大な会話がその背景にはあるのでしょう。翻訳していて気づいたのは、この二人のコラボレーションが、さっきちょっとふれた、考古学サイドが素材をだして人類学サイドが推測するといった分業でもなかったことです。つまり、『負債論』の二〇一四年版あとがきでいうような、「歴史家たちは、あくまでも経験主義的なので、しばしば一切の推論を拒否する傾向がある。それと対照的に人類学者は、経験主義的〔……〕だが、非常に豊かな比較研究の素材をもっているために、ヨーロッパ青銅器時代の村の集会あるいは古代中国の信用制度が、現実にどのようなものだったか、推測することができる」で想像されるような分業ではなかった。もちろん、述べたように英語圏では考古学は歴史学ではなく人類学の一分枝という位置づけだとしても、ここでいう歴史家には考古学者もふくまれるんじゃないかな。いずれにしても、ウェングロウ自身が、すでに人類学との交渉もふまえて、独自の人類史にかんするフレーム、とくに「文明」にかかわるフレームをもっていたのですよね。一〇歳ほど若いウェングロウのほうがよりオーソドックスな研究者であるとはいえますが、しかし、すでに破天荒でもある独創的な専門分野での研究、エジプトとメソポタミアの研究によって地位を確立していた人でした。二〇一〇年頃に最初に出会ったとき、グレーバーはウェングロウの論文を読んでいたといわれていますが、それがおそらく「商品ブランディングの先史学」[12]というもので、そこでかれは、「成熟」した資本主義経済に特徴的とみなされた商品の「ブランディング」が、実はすでに、紀元前四〇〇〇年紀、つまりいわゆる「都市革命」の時期にあたるメソポタミアにすでに存在していたとする大胆な主張をおこなっていました。なにがしかのコモディティがある程度の規模の広域を流通するようになると、その品質や身元（流通のさいにだれも手をつけていないこと）などの保証のためにすでにあらわれていた「印章」が使用されるようになります。このような大胆な議論をしていたウェングロウの論文をグレーバーは読んでいたみたいです。

『ザ・ワイアード』の取材記事でのかれの言明を信じるならば、もともと俳優を志望していたウェングロウが当初より考古学を強い意志をもってこころざしていたわけでもなさそうです。でもかれはいったん腹を決めてから？は、はやくから精力的に成果を発表しつづけています。単独の本というかたちでの著作は、いまのところ三冊だとおもうんですが、最初の著作が二〇〇六年に公刊された『初期エジプトの考古学――北東アフリカにおける社会変容、紀元前一万年から二六五〇年』[13]で、つぎが二〇一〇年に公刊の『なにが文明をつくるのか？――古代近東と西洋の未来』（以下『文明論』と略します）[14]。三作目が二〇一四年の『モンスターの起源――最初の複製技術時代におけるイメージと認知』です[15]。一作目は、いわゆる終末期旧石器時代から初期王朝時代をカバーする専門性の高いかつ分厚い著作で、翻訳にあたって無謀にも読んでおこうとしたのですが、とても歯が立ちません。つぎの二〇二〇年の著作は、これはかれのもうひとつの専門である西アジアを中心に据え、かつ二〇〇一年の「同時多発テロ」とそれにつづくイラク戦争といった状況に「古代イラク」の専門家としての考古学者からの介入しようとしてまとめられた、グレーバーとのコラボ以前のかれの仕事のまとめといった印象の小さな本です。さっきの都市革命期メソポタミアにおける商品ブランディングの誕生にかんする論考も、ここではかれの全体の問題意識に統合されています。グレーバーと出会ってから、まず、この本を渡したようです。三作目はコラボ以降に書かれた本ですが、認知心理学と考古学、人類学を横断して、古代より世界の諸文明にあらわれる「モンスター」、すなわち複数種のモジュールによって構成された複合イメージが人類史においてどう生まれたかについて論じてます。この本によれば、こうした複合イメージって、まったくなかったわけじゃないですが、その普及はそんな古いものじゃないんですよね。メソポタミアなんかだとやはり紀元前四〇〇〇年紀の都市革命のあたりにあらわれている。エジプトや中国の例とも比較しながら、かれはここで、複合種のイメージの起源を、人間の認知能力をひとつの極として、もうひとつの極に、社会的・文化的文脈をみます。つまり、文化的交流の拡大、都市あるいは国家の形成、それにともなう「標準化」の拡大、そしてここでも印章のような「最初の複製技術」の登場などです。この二つの極の集合が、モンスターのフィギュアをうみだす、というわけです。

Q　そういえば、『万物の黎明』でも、メソアメリカの「ケツァルコアトル」（羽毛のある蛇）や北米カホキアの「バードマン」とか、いくつか「モンスター」のフィギュアが印象的でした。

南アメリカの古代文明であるチャビン・デ・ワンタルや地中海のミノアなどのさまざまな文化圏のヴィジュアルな遺物の分析もまた彷彿とさせます。『モンスターの起源』における議論がはたしてどう『万物の黎明』に反響しているのか、一見したところ、あんまりよくわからないのですが、そもそも、ちょっと意外なのですが、この時点でというか、このテキストではというか、ウェングロウは、あんまり都市と国家を区別してないんですよね。第10章にでてくるチャビンデ・ワンタルの分析では、複雑怪奇かつ幻惑的な複数種横断的イメージ世界が俎上にあげられますよね。そこにも「モンスター」のフィギュアがあらわれているわけですが、古代ギリシアやメソポタミアにあらわれる複数種の合成イメージとしての「モンスター」(ケンタウルスとかユニコーンとかグリフィンとか)とはまったく異質の表象のアレンジメントにあるといってます。いわば後者が諸要素の「単純複合体」、デジタル複合体だとしたら、チャビンのそれはまさに「シェープシフター」、つまりアナログな変異体である、と。第10章は「国家」概念の解体を提唱する『万物の黎明』でも最長のチャプターであるわけで、チャビン・デ・ワンタルという広域にわたる影響力を誇った文明が、その支配にかんして王ないし王的フィギュアにも官僚制にも裏打ちされていない、ひとつの知、秘教的で瞑想的な知によって力を及ぼした(支配の)「一次レジーム」の事例としてあがるわけですよね(ちなみに、第10章での議論は、わたしたちの「国家」概念はきわめてローカルかつ特殊なものにすぎず、この概念が人類史の多くの局面を誤認させてきたから、そろそろ放棄すべきというきわめて野心的なものです。かれらはそれにとってかえて、主権(暴力)/情報(知)/カリスマ(競合的政治)の三つの要素への分解を提案してます)。つまり、チャビン・デ・ワンタルにあらわれる流動的な複数種合成体のイメージは、おかれた社会的文脈がまったくちがうのです。

ここでかれらが参照しているのは、カルロ・セヴェリというイタリアの人類学者(フランスの社会科学高等研究院の教授です)[16]の『キメラの原理』という本で、もともとフランス語で公刊されていたものの英語版が二〇一五年にHAUから公刊され、そこにグレーバーがまえがきを書いてるんですよ。[17]これで『モンスターの起源』で展開されているような空間構築、イメージ世界、認知といった問題設定がどう『万物の黎明』と共鳴しているかもうすこしみえてくるんですよね。

Q　どういう本なのでしょう。

これまたラフなまとめになりますが、アメリカインディアンのいわゆる「無文字社会」の「アート」を、記憶のテクノロジーとして、その世界のうちに実質的に機能していたものとして捉えるんですよね。そこにあらわれる「ピクトグラム」(つまり記号とイメージのあいだの「キメラ」です)は、文字か口承かの従来の対立でみちゃうから、芸術作品のような一個の完結した表現のようにあらわれる。この二項対立がまちがっているというんですよね。つまり、セヴェリはここで、口承社会から文字社会へという段階論を、そもそも口承と文字という対立を無効化することで乗り越えようとするわけです。そこにあらわれるのは、なにかを欠如したわけではない、つまり文字「以前」の社会ではなく、記憶の媒体をもって、視覚的なものと物質的なものが交雑する独自の社会の平面です。予想できますが、これをグレーバーは文字社会である都市社会の対立する英雄社会の記憶世界への手がかりとも位置づけてます。

で、さらにグレーバーは、このセヴェリの本がたんに記憶にとどまるのではなく想像の科学、いやそれをも超えて「想像力の科学」の基礎を構築するものだといって称賛するんですよね。『万物の黎明』におけるモンスターのフィギュアを、ユーラシアのそれと対照させているのも、セヴェリを経由しています。その複雑怪奇な迷宮のイメージ宇宙も記憶装置ではないか、と。つまり、ここでは「キメラの原理」に依拠する独特のイメージの体制、知のシステム、そしてそれに依拠する支配の体制があったのではないか、というわけです。セヴェリが問題にしているのは、芸術、つまり外在化されたマテリアルは記憶というかたちで人間の認知のプロセスに密接にかかわっている。これをさらにグレーバーは、認知科学のいう「拡張した心extended mind」の概念にむすびつけるわけ。

だれの頭といっしょに考えるか

Q　心は脳に局在するものではないとかいう話ですよね。

そう、哲学者のアンディ・クラークとデヴィッド・チャーマーズが一九九八年の論文で提起した話。そのテーゼによれば、心は、身体だけじゃなくて、物理的環境世界にまで拡張するわけですが。たとえば、人の名前をおもいだすとき、ある人はじぶんの記憶からひっぱりだすけど、ある人はスマホで検索して呼びだす。ある人は、ある計算を暗算するけど、ある人は紙と鉛筆で計算する。だれかが紙と鉛筆で計算してるとき、もうひとりの暗算している人が作動させている脳の一部の役割を、紙と鉛筆がはたしてるわけですよね。思考のプロセスが心だとしたら、紙と鉛筆も心の一部といえるはずだ、というような話です。あるいは、伝統的なマダガスカルの家屋は、北東の角から時計回りに一二の占星術的トポスの配置された同パターンで構成されていて、メインルームに座っていれば、囲炉裏から水鉢、裏口などに目をやるだけで占星術的計算ができるようになっているらしいんです。このようなばあいも、その家がみずからの心の一部であるということになります。でも、ここでグレーバーは「拡張した心」論に不満を述べるんですよ。かれらが心を拡張するさいに、もっぱらテクノロジーに重点がおかれる。でも、もしかれらがただしいとしたら、その拡張された心には、それが他者の脳、あるいは他者の心でもかまわないんじゃないか（かれらはその可能性は、受け入れているらしいのですが）。

Q　なるほど、ここでもまた対話ですね！

　Aさんが「ああ、あれはだれだっけ」といって、Bさんが「○○ですよね」とひきだす。このばあい、なんといったらいいんでしょう、判然とはしないのですが、対話を通して拡張された心が動的に統合されているというのかな。これと正反対の発想としておもいだすのが、「じぶんの頭で考えよ」。最近、なんかよく日本で耳にするフレーズ。他者に追随するな、じぶんで考えろ、と。その意図はわからないわけじゃないけど、いつも違和感があるんですよね。「じぶんの頭で考える」なんてそもそも不可能ですし、たいていろくなことにはなりません。人の考えたことをくり返しても、気づかないだけになる。それと、分裂生成ならぬいわゆる「逆張り」って「じぶんで考え」た気になれる方法だから、普及してるとおもうんですよね。そうじゃなくて、本当の問題は「だれの頭を借りて考えるか」「だれの頭といっしょに考えるか」だとおもうんですよ。たしか、ハンナ・アーレントもそういうこといってたような気がしますが。そもそも「じぶんの頭で考える」というイメージが、ダイアローグのプロセスを切断して、それ自身に折り返したモノローグの心という幻想なのですよね。あるいは、別の文脈でよく使用される概念でいうと「内攻introjection」でしょうか。とここでも「対話主義」という問題とつながっていて。

Q　近藤さんの『人類史の哲学』（月曜社、二〇二四年）の「異律」概念をおもいだします。

　そう、まさにそうなんです。

Q　『万物の黎明』の第3章にすこしでてきますよね。「自覚的［自己意識的］政治的アクターself-conscious political actor」について議論されている箇所です。哲学者が人間の意識の典型として扱う自己認識はちがうんじゃないか。

　認知科学によれば、人間の意識は「もろい」という話ですよね。人間は圧倒的な時間を意識的反省をともなわない習慣的行動によってすごしていて、思考を維持したり解決したりするための「意識の窓」があるとして、それが開くのは七秒ほどだ、という話。でもそれには例外がある、と。それが会話しているときだと。「会話のなかでは、わたしたちはときに何時間も考えをめぐらせたり、問題を検討したりすることができる。だから、単独で考えようとするときでも、わたしたちは、だれかと議論したりだれかに説明したりするように想像しがちなのである。要するに、人間の思考は本来、対話的なものなのだ。古代の哲学者は、このことをよく認識していた。だから、中国でもインドでもギリシアでも、哲学者は対話形式で書物を書く傾向があった。人間が完全に自己意識をもつのは、たがいに議論を交わし、意見をぶつけ合い、共通の問題を解決しようとするときである。ところが、個人の真の自己意識は、ひとにぎりの思慮深い賢者が、長きにわたる研究、実習、鍛錬、瞑想によって達成できるものとしてイメージされているのだ」。グレーバーはここで、ピエール・アドの哲学（例のフーコーの強力な推薦でコレージュ・ド・フランスの教授になった人ですよね）[18]も意識しているようで、とはいえかれは、とくに後年は、かれが敬愛していたマダガスカルをフィールドとする人類学者モーリス・ブロックの影響もあってか、あるいは「大陸哲学」の影響の忌避もあってか、認知科学や心理学をしばしばひきあいにだしながら、その「対話主義」に、哲学的裏づけを与えようとしてるんですよね。

Q　先ほど、『万物の黎明』における「対話」についてふれられてましたよね。

問題意識はここにも一貫してますよね。イエズス会の宣教師ら初期のヨーロッパ人たちと先住民たちは、たがいに軽蔑しあったり、ケンカしたりしているけれども、しかしそれでも、対話は継続していたのですよね。そこには、力のベクトルは一方向ではなくて、相互的である認識はあり、たがいに話は通じるはずという、対話にのぞむ最低条件という意味での「平等」ないし対等性の想定があった。カンディアロンクのフィギュアは、その結晶ですよね。ところが、それがあたらしい知、わたしたちのいまだ自明視している進化論的文明観がそれを切断する。つまりそれは対話の拒絶であり、力のベクトルが一方向になったということであり、そこにはもちろん植民地主義、やがて帝国主義、そのもとでのあたらしいレイシズムが重なり合うのですよね。

検索すると、この本のなかには、対話dialogueという用語が一〇箇所ほどあらわれるし、会話conversationとなるとその二倍くらいでてきます。この会話は、そもそもこの書物の成り立ちから、歴史記述まで貫通して、おなじニュアンスで使われている。読んだ方はおわかりになるとおもいますが、この本のインパクトを増強させたのは、第3章の後期旧石器時代からはじまる歴史記述をかこむように配置された第2章と第11章の構成する円環ですよね。この本のなかでも、かれらは「会話」のなかであるとき「ブレイクスルー」がおとずれたといってます。そこからかれらは、「不平等の起源」から「不平等の起源」を問題にするその知的フレーム自体を問題にする、いわば系譜学へと移行した。この本を当初の構想よりもさらにラディカルな考察に仕立てたのは、この移行で、それはまた、啓蒙思想の再考と深くかかわってたのですよね。

この作業をグレーバーは、流行のフレーズにのせて「啓蒙の脱植民地化」

ということもありましたが、このプロジェクトは最後の著作である『海賊の啓蒙』でもおこなわれています。この本では対話という概念こそあらわれないのですが、それにかわってもっとカジュアルな会話が頻出します。マダガスカルのまがいものの海賊王の表象をみちびきの糸にして、港町の現地女性たちが「捕獲」したヨーロッパ人海賊とその子息たちが、その現地女性と野心ある現地男性たちとの「おしゃべり」を介した相互交渉のなかからヨーロッパ人もまだ知らない共和政体を構築し、それがヨーロッパにリバタリアという海賊共和国の空想的イメージとして流入することで、啓蒙思想のひとつの先駆となるといったような本というか、そんな本です(笑)。啓蒙主義のひとつの核心は、サロンのような社交の場を舞台にした対話あるいは会話だといわれます。この本の発端も、『万物の黎明』とおなじく、対話が地球のあちこちでグローバルに交わされていたシーンです。それが初期啓蒙への反動とともに、いわば「内攻introjection」する。たとえば、現在のイスラエルによるガザの虐殺をサポートするハーバーマスの「対話的合理主義」も、革命性を失うどころか、ヨーロッパの「侵略」を支援する武器とすら化した「内攻」した「対話」の蒼白い影にすぎなかったのかもしれないと考えちゃいますよね。

「社会」のダイナミズム

Q　『万物の黎明』では、「文明」という概念が重要だと述べられていましたね。

この概念は、これまでのグレーバーのテキストでは副次的にしかでてこなかったとおもうんですよね。

訳者あとがきですこしふれましたが、かれらが意気投合するにあたっては、理論的指向性の共鳴もあって、その交差点に「文明」の概念があるとおもいます。それで、この交差点にあらわれるのはまたもやマルセル・モースです。でも今度は『贈与論』のモースではなく、あまり知られていない「文明論」のモースで。ウェングロウは、『文明論』の第一章のエピグラフにマルセル・モースのテキスト(「国民論」)の一節を掲げています。このテキストは、いまでは、岩波文庫で訳されているのでかんたんに読むことができます。エピグラフはこうです。

「わたしが関心をいだいている観点から見ると、文明の歴史は一つひとつの社会が蓄積した多様な財や知が社会のあいだで流通してきた歴史である。……社会というものは、いわば文明という風呂のなかにどっぷりと浸かっているものなのだ。社会は借用で生きている。社会は借用の可能性によって定義されるよりも、むしろ借用の拒絶によって定義される」[19]

モースのこのテキストは『万物の黎明』の第5章、全体のなかでもとても大事で、とりわけ濃密かつ含蓄に富んだ、「分裂生成」を論じた章でふたたび引用されます。直接に引用された箇所は「社会は借用で生きている。社会は借用の可能性によって定義されるよりも、むしろ借用の拒絶によって定義される」のフレーズだけですが、そこではエピグラフのようにほのめかすだけでなく、モースの議論をダイレクトに参照しています。

「特定の文化にあてはまることは、等しく文化圏――あるいはモースが好んだいいかたをすれば「諸文明」――にもあてはまる。既存の様式、形式、技術のほとんどは、つねにほとんどだれもが潜在的に利用できる可能性がある。だから、これらもまたつねに借用と拒絶の組み合わせによって生まれてきたはずである。重要なことに、モースの指摘によれば、この過程は多くのばあい、きわめて自覚的なものであった。モースは事例として、他国の様式や習慣を取り入れることについての中国の宮廷における論議を好んでとりあげている。たとえば、周王朝のある王による議論がある。この王は、フン族（満州族）の装束の着用を拒み、戦車を好んで乗馬を拒んでいた廷臣や封臣に対して、儀式と慣習、芸術と流行のちがいをていねいに教え込もうと骨を折った。「社会はたがいに借用しあって生きているが、借用を受け入れることよりも拒絶することでみずからを定義している」とモースは述べている」。

社会は拒絶によってみずからを定義している。ここが『万物の黎明』全体を理解するための鍵で、すでにそこでモースは通常の世界史のイメージを逆転してるんですよね。かれらはそれを、つぎのようなパースペクティヴに継承発展させています。小集団の小テリトリーが、文明の展開を画する数々の契機をへて――農耕革命、都市革命、産業革命などなど……ハラリだと最初に認知革命がやってきますが――拡大していくといったプロセスが逆転し、流動的な相互交通を通してきわめて広域を「社会」の単位としていた（後期）旧石器時代の人類が、中石器時代、新石器時代、そして青銅器時代以降を通して、徐々に縮小していった、といったような。「大陸哲学」になっちゃいますがドゥルーズとガタリの語彙を借用すれば「なめらかな空間」を生きていた人類は、時代をくだるにつれて、狭隘な「条里空間」に封じられるようになっていく、というヴィジョン。もちろん、かれらはこのような物言いにもはらまれる歴史の直線的（タテのり）ヴィジョンではなく、複数の社会組織を往復というか解体創造する能力と、それをただひとつの社会組織のうちに「閉塞」させる傾向の葛藤を主軸に据えた、いわば「振幅的（ヨコのり）ヴィジョン」をとるので、逆の必然性の議論にならないよう、注意が必要ですが。

今回翻訳したウェングロウのインタビュー（「原初的自由」）にもあるように、かれらは、この点は続編でもっと展開しようとしていたようで、そこではオーストラリアのアボリジニの歓待の義務によって広域に分散する半族システムをつなげていくシステム、それによって人の柔軟な流れを可能にするシステムをかれらの言葉で「ウーナン wunan」と呼ぼうとしていたようです。この社会というか「原社会」とでもいうべき広域の流動的システムについては、北アメリカの植民地化以前のトーテムシステムと親族関係の研究や、あるいはもっと興味深いことに、近年の小規模狩猟採集社会にかんするゲノム解析をもとにしたおどろくべき発見を手がかりにしながら議論されています。分裂生成論である第5章の一つ手前、更新世末期から完新世開始以降の人類史の展開を考える鍵となるポイントを並べた第4章ですね。この章では、この広域のシステムが「文化圏」というべき境界の形成によって「閉塞」の片鱗を示していく、そのロジックがとくに中石器時代を舞台にして分析されます。そして、ここで「原社会」と呼んでみたものがモースでは「文明」と呼ぶべきものと、すくなくとも近い位置づけをもっています（ただし、文明それ自体はすでにひとつの境界をもっていて、ときには「文化圏」と等しいものとして語られることもあります）。モースは、まさに「文明」と題されたテキスト（講演原稿）で、こういってます。

「じっさいのところ、間民族的な諸現象が織りなす基底があって、そこからさまざまな社会が分離してゆくのです。種々の文明が織りなす基底があって、その上でさまざまな社会が個別化を遂げ、みずからの特異性と個別性を身にまとうようになるのです」[20]。

Q　社会はそのなんというかダイナミックな交通のプロセスである基底の個別化なのですね。

　ここはモースを論じるところではないので、かんたんな言及にとどめますが、文明を主題にすえたかれのテキストの主要なものは、一九一三年にデュルケームとの共著論文からはじまって、一九二〇年に先ほどの「国民論」、そして一九二九年のこの「文明」が、ふつうあげられるんですよね。この展開のプロセスを追うと、第一次大戦直後の時代的文脈、帝国の解体（つまり国民国家化）、そして国際連盟、社会主義インターナショナルなどといった文脈が強く影を落としていることがわかるんですよ。つまり、モースのヴィジョンは、社会主義と「ナシオン」（ネーション）とインターナショナリズムの交錯のうちにあるのです。が、それを超えてここで重要なのは、『万物の黎明』でも強調されていますが、モースが「伝播主義」に対して独特の批判的スタンスをもっていたことです。伝播主義とは、最もかんたんには文化の変化や発展を、その文化の諸要素の伝播のうちにみいだすという見解のことですが、この見方はこの時代にはとても勢いをもっていたんですよね。

モースは伝播主義を批判しましたが、しかし、その批判はやがてそれにとってかわることになる構造や機能的連関を重視するようなやりかたとは異なっていて、伝播主義は伝播主義に不足しているといったようなやりかたでした。

Q　伝播なんてめずらしい出来事ではないということですよね。

そうそう。『万物の黎明』ではそれを咀嚼してつぎのようにいってます。「過去の人間は（現在以上に）大いに旅をしていた。とすれば、遠方への一、二ヵ月にわたる旅の立ち寄り先で、かご細工、羽毛枕、車輪のようなものが常用されていたとして、そうした物品をだれも知らないということは考えられない」。モースは、それどころか「太平洋地域全体が、かつては単一の文化的交通の領域であり、一定の間隔で航海者が横断していたと確信ていた」らしいのですよね。「すくなくともゲームにかんしては、日本、ニュージーランド、カリフォルニアなど、太平洋に接するすべての土地を、事実上、単一の文化圏として扱うことができるとしていた」。マジか、と。ある隣接した文化に大事な点でちがいがあるとします。かんたんにいえば、それは「到達していなかった」とするのが伝播主義。モースの「ハイパー伝播主義」は、「到達していたが拒絶した」とするのです。これは構造論的説明も機能主義的説明を超えています。たとえば、モースの注目した事例として、アラスカのアサバスカ族があります。かれらは、イヌイットのカヤック〔一人乗りのカヌー〕がじぶんたちのボートよりも環境に適していることがあきらかであるにもかかわらず、それを採用することを拒絶していました。そして、イヌイットのほうも、アサバスカ族のスノーシュー〔かんじき〕を採り入れることを拒んでいたのです。だからこの文化的差異は、環境からも社会構造からも機能からも説明できないんですよね。ここにかかわっているのは、いわば「主体性」ですから。アクターが可能性を想定しながら、それを受容したり拒絶したりする判断であり、ここにはつねに、なにがしかのモラル、美意識、政治（これらはしばしば折り重なっていますが）があるのです。

こうした種々の文明の織り成す基底から、借用と借用の拒絶によってひとつの境界をもった「社会」があぶくのように生成しては消失していく。このようにモースは考えていました。モースはこの「社会」を「ナシオン」と等値したいのですが（ひとつの理念として）、そこには先ほど述べたような、当時の社会的・政治的文脈があり、さらにはモースの「政治」があります。そこまでつきあう必要はないとおもいます。で、「ナシオン」をとりあえず取り去れば、そこには『万物の黎明』がみいだす「原社会」のなめらかな空間が拡がります。グレーバーは、ウェングロウとの共同作業がはじまって最初期に、「拒絶としての」という論文を書き、ウェングロウをも参照し

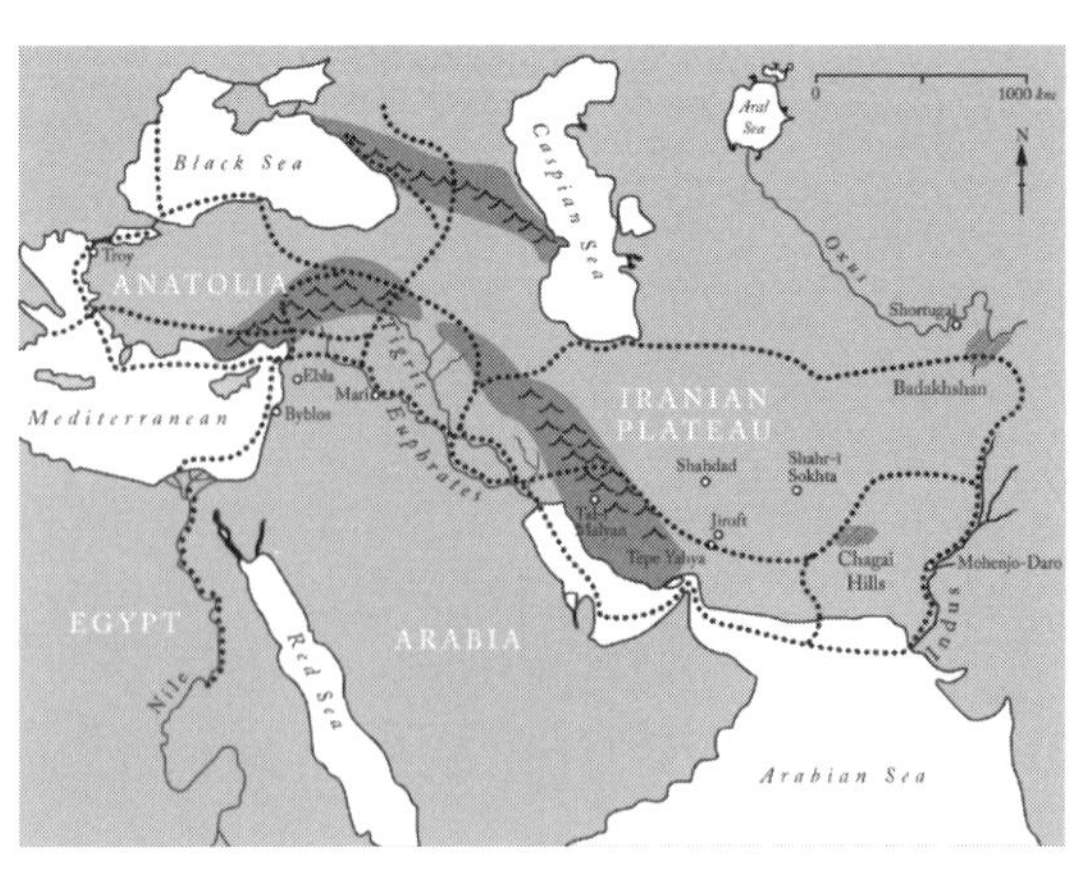

図　紀元前二五〇〇年頃のアフガニスタンから地中海にいたるラピスラズリ街道（Wengrow, What Makes Civilization?, p.35）[21]

ながら、この借用の拒絶としての社会の議論を練り上げていきます。そこにもちろん、ピエール・クラストルの「国家に抗する社会」の議論も埋め込まれるのです。

Q　なるほど。

しかし、もともとこのような広域のダイナミズムを捉える発想は、ウェングロウの考古学からきてるとおもうんですよね。そもそも文明って、こういう広域を表現する概念ですし。『文明論』でウェングロウは、「文明の衝突」論を念頭におきながら、「遭遇」という発想を批判しています。複数の文明、たとえばエジプトとメソポタミアの文明が孤立していて、たまに（交易や戦争というような機会に）「遭遇」する、こういった（3・11以降にとりわけ不吉な含意を帯びてきた）発想です。そうではなく、かれは「エジプトとメソポタミアの初期社会は、通常、たがいに孤立して研究され、紹介されているが、実際には共通の「文明の大釜」から生まれた」といいます。たとえば、『文明論』で、ラピスラズリという美しい青い石、基体としてのラピスラズリが、アフガニスタンから以上のように分布をみせながら、[21]差異をはらみながらも聖なる意味を帯びていることに注目します。かれはこういいます。

「青銅器時代のラピス街道はたんなる物質的資源の運搬路ではなく、バダクシャンの鉱山とナイル河口を隔てる四〇〇〇マイルの山、砂漠、平野を横断し、異質な集団の間に意味と価値を広める水路でもあった」。ここにかれはモースのいう「借用」のプロセスをみるのです。

Q　グレーバーはそういえば、「アナキスト世界システム論」の構築をよく口にしていましたが、あれはどうなったんでしょう。

じぶんもいつも気になってたんですよね。『負債論』の後半は、その部分的実現なのかな、晩年にはそれは消えていたのか、それともウェングロウとの共同作業を通して、さらに発展させようと考えていたのか。どうなんでしょう。もともとイエール大学でウォーラーステインと親しくしてて、さらにウォーラーステインの弟子であったユーゴスラヴィアの歴史家アンドレイ・グルバチッチとも仲よしで、たしかもともとこのグルバチッチとのコラボとしてその世界システム論を構想してたと記憶するんですが。いずれにしてもグレーバーは、にもかかわらず広域を中核、半周辺、周辺のような概念を駆使して組織的に捉えることはしていません。ひとつには人類学が、ひとつの比較的小さな社会に、しかもその生活基底に密着することからくるのがあるとおもいます。たとえば、J・C・スコットは、あのゾミアの議論を広域の中心と周縁のダイナミズムで展開していて、この着想をピエール・クラストルに帰しています。でも、クラストル自身が、帝国（インカとその後継）と周縁の遊動する狩猟採集民、あるいはその中間の焼畑農耕民との重層的関係のなかでその力学をえがいたことはおそらくないとおもうんですよね。[22] いずれにしても、この広域を考えることを可能にしたのが「文明」概念だとおもいます。

　それで、グレーバーとのコラボの最初期に、ウェングロウは『文明論』でもふれられていたある議論を、グレーバーの影響のもとでさらに発展させて論文にしてるんですよね。考古学的文脈を理解しているわけではないので、どうしても読みは浅くなりますが、そこであげられている地図から、ここでの文脈で必要最小限、そのアウトラインを示唆したいとおもいます。[23]

　下の地図は、前三〇〇〇年紀後半から二〇〇〇年紀初頭にかけて確立された（青銅器時代です）、金属と金属財の消費に対するあたらしい社会的態度を、「供犠的」「記録的」な二つの儀礼経済として比較対照したものです。すでに資本蓄積と大規模な商業の中心地となっていた中核都市に対して、その周辺の高地には、金属、しばしば洗練された金属製品が意図的に廃棄されたものが発見される現象があります。そこはたいてい、戦略的に重要な鉱物が集中する高地地帯（「ユーラシア金属原生ベルト」沿い）へのアクセスも支配している河川ルート沿いに集中している

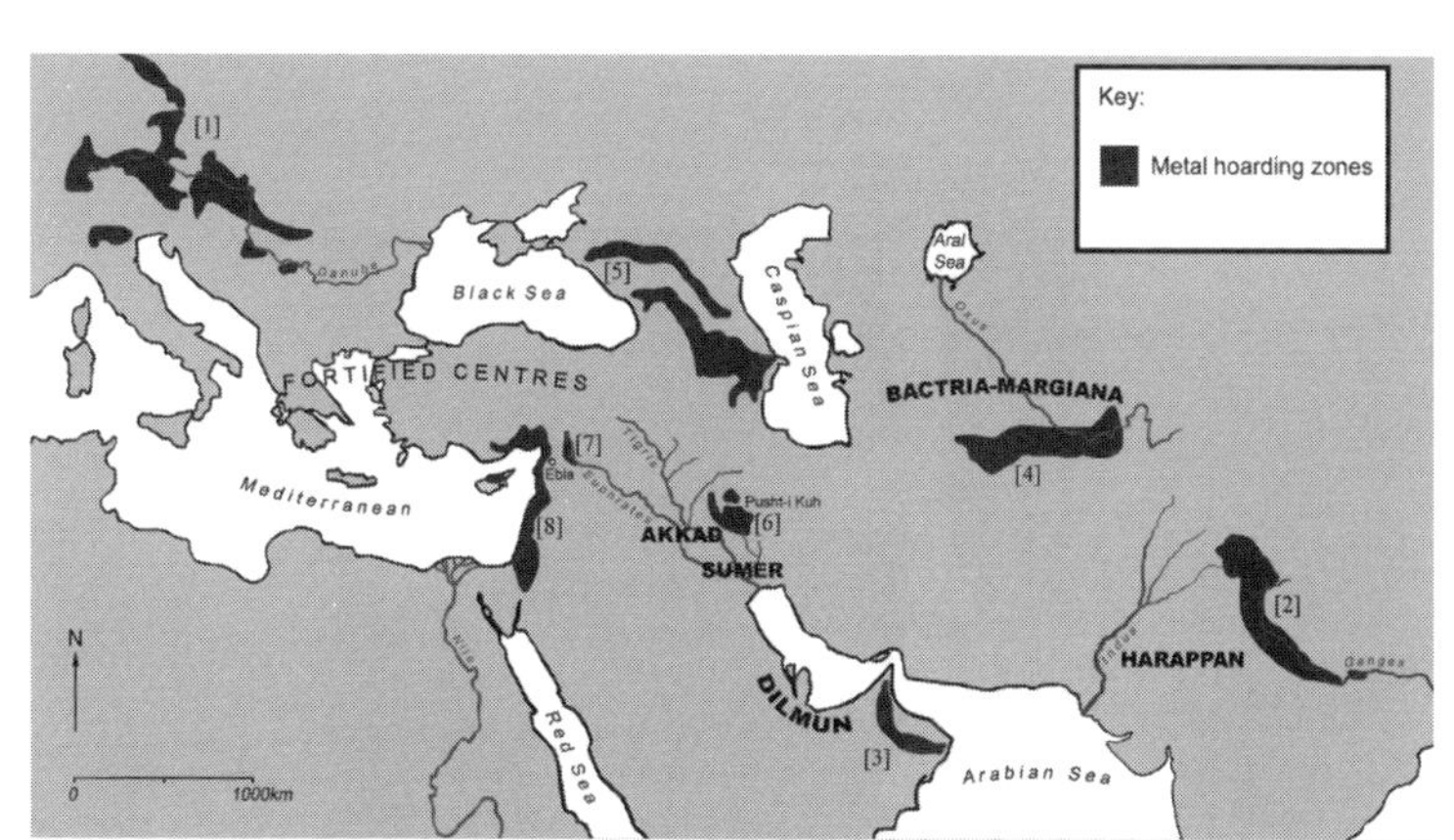

図　ユーラシア（CA.2500-3000BC）における「供犠」経済と「記録」経済の分離

らしいのです。ここにウェングロウはポトラッチの痕跡をみます。これはよく知られたことですが、北アメリカのたとえばクワキウトルの派手で奇異なポトラッチの儀礼にヨーロッパ人たちは仰天したわけですが、その時期はとりわけポトラッチが破壊的形態をとっていたのですよね。そしてその富の破壊をともなう供犠の儀礼は、資源地域（鉱山や森林など）や主要な連絡ルートに集中している。つまりどういうことかというと、とりわけ派手な競覇的形態をとると一般にイメージされるポトラッチは、ヨーロッパからの物資の大量の流入とそれがもたらすあたらしい社会の再組織、とりわけ交易ネットワークの再編のなかで従属的周縁化を強いられる動きにたいするかれらの否定的反応だったのですね。ちょうどこの時代にも似たようなことが起きていたのではないかと、ウェングロウはいいます。いずれにしても、交易によって諸文明の境界を長距離にわたって横断した同一のマテリアルの分布が複数の異質な文化（都市社会と英雄社会）に分岐（分裂生成）していく、借用と拒絶の力学の沸騰をかれはこの広域の諸文明の大釜にみていくのです。『万物の黎明』ではそこから一歩すすんで、都市文明からではなく、この英雄社会との相互作用のなかから、これまで「国家」といわれてきたものの形成をみるべきである、というんですよね。

Q　こうした広域の諸社会の織り成すダイナミズムが、考古学から由来する「文明」概念によってひらかれた、という感じでしょうか。

　そうですね。で、それは、なぜこの世界が「閉塞」したのか、という問いへのひとつの応答でもあった。

　でも、かれらの思考にはつねに両義性があるというのを忘れてはならないですよね。たしかにまず、この分裂生成は、だれかに歓待してもらえるということをあてにしながら複数の社会を往来できる可能性をいっぽうで縮減します。インタビュー（「原初的自由」）にもあるように、ここでは第一の自由への制約がみられます。ただもういっぽうで、『万物の黎明』が提起するもうひとつ（オルタナティヴ）の「文明」のありようを、分裂生成のただなかにみいだすこともできるんですよね。たとえば、第5章の北アメリカ太平洋岸部の北西海岸とカリフォルニアのあいだの文化の中間地帯にかかわる議論ですよね。北西海岸とカリフォルニアの二つの文化圏はさまざまな意味で対照的です。かたや、動産奴隷制、貴族と平民のあいだの階層化、浪費的、派手な儀礼、仮面への嗜好などを特徴としています。かたや、平等主義的、禁欲的、慎ましい儀礼、真正性への嗜好などを特徴としている。経済的要因でも環境的要因でも、けっしてこの差異は説明できません。かれらはそこで、北西海岸に隣接する地域に居住しているチェトコ族のみずからの由来を語るある物語を引き合いにだしています。それによれば、かれらは元々好戦的な移民で、そこにやってきたとき、先住民であるウォギーズという人びとを奴隷にします。ウォギーズはさまざまな技術に長じていました。チェトコの祖先たちは、このウォギーズを奴隷にして、かれらを奉仕させる。それでかれらはなまけものになってしまう。あるときウォギーズは逃げだしましたが、かれらはぶくぶく太って動けないため、追いかけることもできなかった。ここではだれかを奴隷にすることがみずからを堕落させることが戒められています。つまりそこでは、「強力な倫理的・政治的次元がひそんでいる」。かれらが奴隷制をもたないとしたら、かれらがそれを「望ましくない」とみなし、意識的に拒絶したからなのです。それだけではありません。二つの文化圏の中間地帯には、このように意識的な奴隷制の採用の拒絶の痕跡が多くみられるのです。

Q　第5章の構造はそうなってるんですね。

ひとつには、そうですよね。カリフォルニアと北西海岸の分裂生成のうちに働いている人間のモラル的選択、あるいは政治的意識の次元を、その狭間の「破片地帯」のうちにみいだすといった意図ですね。ここでも『万物の黎明』の中核をなす、「人類の幼年期」との決別というテーマ、初期の人類は「愚かであった」という根深い神話――ホッブズとルソーが悪と善という点から同一のフレームを形成している――との決別という論点がくり返しあらわれてる。実際、第5章の結論部分ではこういわれています。「わたしたちが意図しているのは、このような文化諸形態を形成した人びとを、みずからが構築したり拒絶したりする社会的世界を省察することのできる知性ある大人として扱うこと」だ。

さっきいった『ロスト・ピープル』で「歴史的人間」として考えようとしたテーマがかたちをかえてあらわれてますよね。人間を自動人形におとしめるやりかたには二種類ある。ひとつは、文化的差異をともなった人間的事象を経済的要因や環境的要因によって規定されるものに還元すること。もうひとつは、文化的差異を言語的恣意性に還元してしまうこと（そうなると「わたしが語るのではなく、言語が語る」流の決定論におちいってしまう）。かといってかれらは、人間がすべて自由自在に決定できるといっているわけではありません。かれらの考える歴史的社会のなかでの人類の自由な「政治的自己意識」の働く余地について、出典ぬきに、マルクスの言葉が引用されてます。「われわれはみずからの歴史をつくる。とはいえ、じぶんの選択した条件のもとにおいてではない」。蛇足だとおもったので訳注もつけませんでしたが、マルクスの『ルイ・ボナパルトのブリュメール一八日』の有名な一節ですよね。

『万物の黎明』には、このような奴隷制のような暴力的支配の組織法を拒絶して、別の道をとろうとする事例が無数にあがります。これまでの支配的文明観は、光の背後に闇を抱えていました。たとえば、これはウェングロウの言葉ですが、初期文明というとき、その多くはファラオのエジプト、インカペルー、アステカ・メキシコ、漢民族の中国、帝国ローマ、古代ギリシアなどのように、一定の規模とモニュメント現象をもつ古代社会のことを指しています。「これらの社会はすべて、権威主義的統治、暴力、女性の苛酷な従属によって維持されていた、深いヒエラルキー社会であった。犠牲は、この文明の概念の背後に潜む影である。世界秩序の理念、天命、飽くなき神々からの祝福など、つねに手の届かないもののために、自由や人生そのものを犠牲にするのだ」。進歩史観は、光を享受するには犠牲はつきものである、という発想でそれを受け入れさせる。『万物の黎明』はそうした支配的文明史に「対抗歴史」をぶつけるものです。先ほどふれたオーストラリアや北アメリカの「歓待地帯(ホスピタリティ・ゾーン)」もそうですし、ここでのウォギーズの物語もそうですし、動物の所有をケアと等しくみていたアマゾン人、チャタルホユックの「女権的」とみまがわんばかりの平等主義的リトルタウン、「コムギの奴隷」と転じるのを拒絶した遊戯農耕、あるいはアドニスの庭、古代エジプトのより民衆の福祉に配慮した政治がおこなわれた「暗黒時代」、チャビン・デ・ワンタルの知による支配、ポヴァティ・ポイント、北アメリカの先住民たち、地中海のミノア文明などで、このもうひとつの文明について、かれらはcivilisationの語源にさかのぼりながら、こういってます。

「「文明」という言葉は、ラテン語のcivilisに由来しているが、これは実際には自発的連合による組織化を可能にするような政治的知恵や相互扶助のもつ諸性質を意味している。いいかえれば、文明とは本来、インカの廷臣とか殷の王朝ではなく、アンデスのアイリュ連合やバスクの村落が示すような諸性質の類型を意味していたのである。相互扶助、社会的協働、市民的活動、歓待(ホスピタリティ)、あるいはたんに他者へのケアリングなどが真に文明を形成しているのだとすれば、本当の意味での文明史の叙述は、いまはじまったばかりなのだ」。

リスト化すると、おおよそこうなるでしょうか。

文明A　ヒエラルキー、(シリアス)王、官僚制、シリアス農耕、階級、搾取、奴隷制、家父長制など

文明B　相互扶助、自発的連合、遊戯農耕、ホスピタリティ、協働、民衆集会、平等主義など

先ほど述べたように、文章はほとんどだれが書いたか区別できなくなってきたといってるので、あまり二人のどちらかに帰属されるのも意味がないともおもうのですが、『万物の黎明』について、文明についての言明を述べている箇所は、もともとウェングロウの

テキストであることが多いんですよね。この一文も、『文明論』の二〇一七年版むけに書かれた序文やこの時期前後に書かれたみじかいエッセイにほとんどおなじものをみいだすことができます。でも、どれも力点がよりモース的というか、『文明論』新版の序文は、参考になるかもしれないので、あげておきます。

「しかし、文明の定義には、ラテン語の語源（civilis）に近い別の方法があり、それは、社会が自発的な連合のプロセスを通じて自らを組織する方法を指す。この場合、文明を定義するものは、政治的な単位（王国、カリフ、帝国など）でもなければ、技術的な成果（文字、数学、天文学、記念碑的な芸術や建築、精巧な冶金、鋤、帆など）のリストでもない。むしろ、民族、言語、信仰体系、所属テリトリーのちがいにもかかわらず、モラル共同体、つまり交流と相互作用の拡大された場を形成する社会の能力を指している。その意味で、中東における「文明」は、初期の君主政や帝国よりもはるかに深い歴史を持っている」。

でもこの文明Bの系列を十全にみいだすためには、先ほどからでている人間観そのものを変えなきゃならないし、それは時間感覚そのものを変えなきゃならないんですよね。かれらがあたらしく考案しようとするパラダイムを最もよく示してくれるのは、とくに、第8章、第9章の都市を論じたところです。ここでとりわけ重要視されているのは、「スケールの問題」です。わたしたちの根深いおもいこみであり、支配的文明史観を支えているのがこれですね。つまり、小規模社会は単純だから、自己組織、直接的合意形成、自発的統治が可能だけれども、社会の規模が拡大化すると、それは複雑化して、どうしてもトップダウンの管理が必要だ、だから国家の登場も必然である、とするような発想とつながってる。でもこれは完全にまちがいだ、と。それはとりわけ近年、あきらかになってきたいくつかの事例によって示唆されている。都市としかいいようがない大規模な集住ゾーンであるのに、そこに権威主義的統治の痕跡がみあたらない、ウクライナのメガサイトとか、メソアメリカのテオティワカンとかです。

Q　テオティワカンは、マヤの近隣にあって、一時期は世界最大規模の都市であったにもかかわらず、途中で王権へのありがちな展開を放棄して、公営住宅をつくりはじめた、みたいな都市ですよね。

そうそう。第9章で主要に論じられる事例ですが、これまでの都市革命のようなやりかたでは説明できない、逆転現象がみられるのですよね。つまり、スケールがでかくなりました、複雑になりました、だったら、広域に影響力を拡大させて、集権化とかヒエラルキーの強化とか、文明につきものの現象があるはずだ。でもそのような段階をたどることなく、いわば「逆（というかリアルというか）都市革命」と起こした事例ですよね。そこでなにが起きていたのか、それを、メソアメリカのもうひとつの伝統、ここでいえば華々しい王権の影にひそんでいた文明Bの伝統の存在を、初期のコンキスタドールたちの記録をひもときながら裏づけようとする章ですよね。ちなみに、訳者あとがきで言い損ねたのでここでコメントしておくと、タイトルの「ありふれた風景にまぎれて」のHiding in Plain Sightという表現ですね。あれはいっぽうで、あとがきでも述べたように、そうしたアステカ周辺の諸社会の「オルタナティヴ」な文明の存在を書き留めた、でもずっと図書館の迷宮に埋もれていたセルバンテス・デ・サラサールの『ヌエバ・エスパーニャ年代記』のことをいってるわけですが、他方、もっとふつうにはメソアメリカや南アメリカの森林のなかからかつての都市遺跡が発見されるとき（すごくみつかりにくい）に使われるフレーズでもあるんですよね。

それはいいとして、第9章は直前の第8章と（初期都市論として）ひとつのブロックを構成しているのですが、その第八章の最後に事例としてあがるのは中国の陶寺遺跡で、これが紀元前二三〇〇年頃から発展をはじめた殷以前の都市的集落で、めざましい社会階層のもろもろの痕跡、巨大な城壁、道路網、防御された大規模な貯蔵エリア、工房や暦を刻むモニュメントの宮殿的建造物のまわりへの集中など、あきらかに文明への道をたどっていったのに、二〇〇〇年頃に突如としてそれが崩壊したようにみえる。そしてそれは、町が首都機能を喪失し、「無政府状態（アナーキー）」にあった証拠とみなされている。つまり「暗黒時代」に突入したと。でも実際にそのあと、その集落は拡大をみせている。「崩壊というよりも、厳格な階級制度が廃止されたあとに、むしろ繁栄を謳歌した時代であるようにみえる」と。ここでかれらもいってますが、ホッブズ的世界観が身についていると、ヒエラルキーの崩壊、すなわち人がたがいにむしりあう、社会の崩壊に直結しちゃうわけですよね。つまりこれまで文明Bの系列が優勢になると、それは「暗黒時代」とか「混沌状態」とされ、不可視化される傾向にあったということです。

ただここで注目したいのはそこではなく、この中国における「逆都市革命」をブリッジにして、第9章のテオティワカンへ議論がむかうという、議論の道筋です。中国はユーラシア大陸で、テオティワカンがメソアメリカ。この逆都市革命は、その後も後一〇〇〇年前後の北アメリカで随一の王国カホキアの光芒にもみいだされる。つまり、それが紀元後にも大規模に起きているのはアメリカスなんですよね。ユーラシアでも起きるにしても、その規模には及ばず、しかもそれ以降も、つまりヨーロッパ人との遭遇が起きる時期でも、アメリカスの先住民社会は「逆転」の影響下にあったわけですよね。

『万物の黎明』には、アメリカスの特権性のようなものがみられます。第二章と第一一章はアメリカスが舞台ですし。最初この本を読んでおどろいたひとつが、それがユーラシアとの比較に根ざしているという点ですね。つまり、ユーラシアではある時期から、おそらくヤスパースのいう「枢軸時代」（前五〇〇年頃）あたりからさまざまな事象の連動が起こりはじめる。だからユーラシアをみていると歴史が「必然」的段階に支配されているようにみえてしまう。ところが、その拘束性を解除してくれるのが、完新世以前にユーラシアとほぼ隔絶してしまったアメリカスとの比較なんですよね。そんなこと考えたことあります？　考古学はすごいなあ、とちょっと素朴な感銘を受けてしまいました。グレーバーは比較について、『負債論』の二〇一四年版あとがきで、「……わたしには、そのような壮大な比較研究の試みこそが、いまの時代に必要とされている」として、その理由のひとつをこういってます。なぜそれが必要なのか。「わたしたちの集合的想像力が崩壊してきていること。あたかも、近年の技術の進歩と高まる社会的複雑性が、わたしたちの政治的、社会的、経済的可能性を拡張するどころか、縮小させていると信じるよう、わたしたちがみちびかれているかのようなのだ。それらは人々の視野（ヴィジョン）を解き放つかわりに、いかなる種類の予見的政治（ヴィジョナリー・ポリティックス）をも不可能にしてきた。だから人類史の幅広い拡がりを取り込む試みこそが、人間が過去においてどれほど多くのやり方で政治的、経済的生活の構成を基礎づけてきたかを必ずやあきらかにし、そうすることでわたしたちの未来への視座の拡張のための一助となってくれるだろう」。

Q　さて、長くなりましたが、時間もなくなってきましたのでここでひとまずむすびということで……。

このあたりで強制終了ということで。ちょっとシリアスになってしまいましたが、この本はこれまでの人類史あるいはそれを支える人類像って、陰鬱なホッブズとかルソーから現代のハラリとかダイアモンドにいたるまでなんでこんなつまんないんだ、つまんないとおもってるからほんとにつまんなくなるんだよ、みたいなモチベーションがひとつにはあるんですよね。これを読むと、最初のほうでもいいましたが、なんて人類はおもしろいんだ、という感覚がわいてきますよね。もちろん、学問的にはさまざまな反発もあるし、これから修正もされていくでしょうが、かれらもいうように、この試みはほんとの端緒にすぎないわけで、これとおんなじではないにしても、だれかがやらなければならなかった。おそらくこれから時間をかけて、大枠としてはかれらの提起する方向に変わっていくと、わたしも信じています。

注

1 Graeber, David and Marshall Sahlins, *On Kings*, Hau Books, 2017（『王権論』以文社、近刊）

2 Giovanni Da Col, David Graeber, Foreword The return of ethnographic theory,nHAU: *Journal of Ethnographic Theory* 1 (1), 2011.

3 クリス・グレゴリー（藤倉達郎訳）「私たちの夢の偽硬貨とはなにか?」以文社ブログ、二〇一三年（https://www.focaalblog.com/2021/12/09/chris-gregory-what-is-the-false-coin-of-our-own-dreams/#:~:text=The% 20 false% 20coins% 20 are% 20the,dream% 20is% 20not %20a% 20fantasy）

4 David Graeber, *Pirate Enlightenment, or the Real Libertalia.* Farrar, Straus and Giroux, 2023.

5 *Lost People.* Bloomington: Indiana University Press. 2007.

6 *Direct Action: An Ethnography.* Edinburgh; Oakland: AK Press. 2009.

7 David Graeber, *Oppression, in Possibilities: Essays on Hierarchy, Rebellion, and Desire*, AK Press, 2007（『ポッシビリティーズ』河出書房新社、近刊）

8 Christopher J. Lee, David Graeber, Africanist, 2020 (https://africasacountry.com/2020/09/david-graeber-africanist）

9 David Graeber, Are You An Anarchist? The Answer May Surprise You!, 2006（https://web.archive.org/web/20091202090253/http://nymaa.org/surprise_anarchist）

10 「人間はずっと人間を誤解してきた：人類についてのあらゆる定説を覆す話題書『Dawn of Everything』」（https://wired.jp/membership/2022/09/10/david-wengrow-dawn-of-everything/）

11 D.Wengrow and D. Graeber, How to change the course of human history(at least, the part that's already happened), in *Eurozine*, 2018（https://www.eurozine.com/change-course-human-history/）

12 David Wengrow, Prehistories of commodity branding, *Current Anthropology*,49 (1): 7–34, 2008.

13 *The Archaeology of Early Egypt: Social Transformations in North-East Africa, 10,000–2650 BC*, Cambridge University Press, 2006.

14 *What Makes Civilization? The Ancient Near East and the Future of the West*, Oxford University Press, 2010.

15 *The Origins of Monsters: Image and Cognition in the First Age of Mechanical Reproduction*, Princeton University Press, 2014.

16 Carlo Severi, *The Chimera Principle:An Anthropology of Memory and Imagination*, HAU, 2015.

17 David Graeber, Foreword Concerning mental pivots and civilizations of memory, in Carlo Severi, *The Chimera Principle:An Anthropology of Memory and Imagination*,HAU, 2015.

18 たとえば、ピエール・アド（小黒和子訳）『生き方としての哲学』法政大学出版局、二〇二一年。

19 モース（森山工編訳）「国民論」『国民論他二篇』岩波文庫、二〇一八年、一八七頁。

20 Les civilisations: Éléments et formesdans M. Mauss, *Œuvres. 2. Représentations collectives et diversité des civilisations*, Editions de Minuit, 1974.（森山工編訳「文明——要素と形態」同前）

21 紀元前二五〇〇年頃のアフガニスタンから地中海にいたるラピスラズリ街道(Wengrow, *What Makes Civilization?*, p.35)。

22 拙稿「断絶のパッション——ピエール・クラストルと「クラストル効果」」ピエール・クラストル（酒井訳）『国家をもたぬよう社会は努めてきた』洛北出版、二〇二一年を参照せよ。

23 David Wengrow, 'Archival and sacrificial economies in Bronze Age Eurasia: an interactionist approach to the hoarding of metals.' In T. Wilkinson, D. J. Bennet and S. Sherratt (eds), *Interweaving Worlds*. Oxford: Oxbow Books, 2011.

原初的自由

デヴィッド・ウェングロウ
酒井隆史・訳

人類学者デヴィッド・グレーバーと考古学者デヴィッド・ウェングロウの『万物の黎明』は、わたしたちの社会的過去をみつめ直し、神話による束縛から歴史認識を解き放とうとする試みである。わたしたちに染み込んだ支配的説話（ナラティヴ）には、イデオロギー的な働きがある。それは、資本主義の支配するこのシステムを、何千年の一直線上の発展の目的論的帰結であるかのようにみせかけ、それによって現状を自然化するのである。

　このようなナラティヴは、こう語る。社会の複雑化がヒエラルキー的構造を要請するのだ、あるいは、競争や闘争を好む人間本性ゆえに市場の支配は必然である、あるいは、わたしたちの古い先人たちは社会の仕組みを批判的に考えることなどできなかったのだ、など。

　グレーバーとウェングロウは、問題の一端が、国家、市場、農耕などの起源探しへの、わたしたちの固執にあると指摘する。たしかに、わたしたちは、あらゆるものがあらゆる場所で、突如として、進歩や文明にむかって突き進むようになる断絶の地点を、いつも歴史的記録のうちに特定したがっている。それに対し、かれらは、過去に対するわたしたちのまなざしが、どの時点ですべてがおかしくなったのか（あるいは、政治的信念によっては、どの時点ですべてがよくなったのか）をみきわめようとする関心によって、きわめて長期にわたって歪められてきたと主張する

　グレーバーとウェングロウの考えでは、わたしたちは、もっとよい問いをもとめなければならない。たとえば、「社会的不平等の起源」をもとめるのではなく、そもそもそのような問いを生みだす条件を特定しなければならない、というのである。そこでみいだされたのは、国家や資本主義へと必然的にむかっていく活気に乏しい過去ではなく、ほとんど無尽蔵の能力を示唆する、動きに富んだ記録である。人間は、その能力によって、自己意識をともなった社会的・政治的実験やたえまない再発明をおこなってきたのである。かれらの著作は、人類が歴史的記録のなかでひんぱんに社会的組織を再形成してきたという証拠をもとにして、わたしたちは暴力的でヒエラルキー

的な社会秩序を解除することができるという深い信念に裏づけを与えているのだ。

『万物の黎明』は、広大なスパンの時間と空間を移動する、巨大な作品である。グレイバーとウェングロウは、この広範囲に及ぶアプローチを用いることで、学問的な専門分野の硬直した境界を横断し、概念的な開口部を拡張しようとする。過去にはどのような調和のとれた組み合わせがあったのだろうか？　どのような社会的オルタナティヴがわたしたちの認識からはこぼれ落ちていたのか？　このような可能性を提起することさえ、挑発である。もちろん、この種の著作を書くには無数の落とし穴もある。『万物の黎明』は、わたしたちの社会形態がなぜこれほどまでに閉塞してしまったのか、わたしたちはどのようにしてこうした社会形態を覆すプロセスを開始することができるのかについて、多くの答えを与えてくれてはいない。

しかし、ウェングロウが序文で述べているように、本書は四部作の最初の作品となることを意図していた。つまり、はるかに長大な探究のための端緒にすぎなかったのである。しかし、デヴィッド・グレーバーが二〇二〇年九月に五九歳で急逝したため、この願望は悲劇的にも断ち切られてしまった。『プロテアン*Protean*』誌は最近、共著者であるデヴィッド・ウェングロウに『万物の黎明』について、そして、過去についてもっとよい問いを立てることが、もっとよい未来をえがくためにいかに役立つかについて、話を聞いた。

［編注――このインタビューは論旨を明確にするために、若干の編集をくわえている］。

クリントン・B・ウィリアムソン（以下CBW）　この本の原動力のひとつは、歴史の展開をめぐる支配的ナラティヴ、つまり神話の衣をまとったストーリーから脱却することにあるようにおもわれます。（農耕、国家、都市、不平等などの）起源探しにとらわれるのではなく、遠い過去のアーカイヴにあらわれる、支配的な物語とは別のつながりやパターンをえがくこと。あなたがたは、このような作業を開始して、わたしたちに染み込んでしまった視野狭窄と決別しようとされています。このような起源にかんするナラティヴにはどのような弊害があるのでしょうか？　そして、そのようなナラティヴの残滓が、わたしたちの集団的過去の歴史的・政治的理解にどのように制約をかけているのでしょうか？

デビッド・ウェングロウ（以下DW）　あなたのご質問には、ちょっとおもいあたる節があるんですよね。そういえば、何年か前に同僚から、おまえは起源というものにこだわっていると指摘されたからです。わたしの前著のタイトルは『モンスターの起源』というものでした。で、そのとき、わたし自身の研究の多くが、ものごとの起源を探るものであることに気づかされたんです。このプロジェクトは、あなたのいうように、まさにそのようにはじまりました。わたしとデヴィッド・グレーバーは、当初、社会的不平等の起源にかんする研究の一翼を担おうとしていたわけですが、プロジェクトのかなり早い段階で、それがまちがった問いであることに気づきました。それが、わたしたちの研究の成否を分かつ瞬間だったのです。というのも、それは同時に、二つのことにつながっていたからです。つまり、「起源」という問いが自明の問いではないことをいったん受け入れるならば、どうして「起源」という問いが重要になったのかを理解する必要がでてくるのです。

それに、一八世紀半ば、ルイ一四世の絶対王政フランスは、世界史をみても、きわめてヒエラルキー的できわめて身分化された社会的条件の下にありました。そこで、はじめて不平等の起源が問われたのですよね。とすれば、とりわけそのような問いは自明とはいえないのです。だから、なによりもこの問い自体のうちに解明すべきなにかがある、ということに気づかされたのですね。同時に、これはプロジェクトがはじまって二、三年目のことだとおもいますが、わたしたちはすでに狩猟採集民についての研究をかなり深めていて、このテーマにかんする文献をかき集めてみると、二〇世紀半ば以降に奇妙なことが起こっていることがわかったのです。

その触媒となったのが、有名なシカゴのシンポジウム「狩猟者としての人間Man the Hunter」（このシンポジウムをまとめた本が有名です）であるようにおもわれました。このシンポジウムをきっかけに、狩猟採集民研究の専門家たちはいったんすべてを白紙に戻し、より厳密でデータにもとづいたアプローチでもって再出発したかのようなのです。人類学では「狩猟採集民の研究が本格化したのはこのときで、重要なのはそれ以降である」と教えられ、学生にもそう教える傾向があります。しかし、実はそれ以前にも膨大な量の研究があったんですよね。このことは「産湯とともに赤子を流す」といったことわざをいささか彷彿とさせます（クロード・レヴィ＝ストロースは「狩猟者としての人間」シンポジウムをまとめた本にとても悲痛な短いあとがきを寄せているのですが、そこでこのフレーズを使っています。「赤ん坊を産湯の水といっしょに捨てないでほしい。というのも、わたしたちの前には起源という概念全体に疑問を投げかけている歴史的・民族学的資料が大量に積み上がっているのだから」）。

いいかえれば、これでわたしがいいたいのは、「狩猟者としての人間」シンポジウムから生まれたひとつの生活様式としての狩猟採集の像は、それ自身の基準からしても、きわめて選択的なものであったということです。それは、私有財産の概念を強く否定した平等主義的集団に焦点をあてたものでした。そしてそれは、狩猟採集民の研究を、ほとんどアグレッシヴなまでに平等主義のほうに押しやったのです。不平等、あるいは個人差、創造性、才能などですら、その痕跡をすべて排除しなければならない、と、なったのです。これは、専門家ではない研究者のあいだに、奇妙な影響をもたらしたとおもいます。つまり、そうした人たちが、そのような文献を人類史の幅広い総合的研究に取り入れるようになりますよね。その結果、一八世紀の時点まで全体を押し戻すことになり、狩猟採集という生活様式が、文明という装飾をいっさい排除したかのような像になってしまったのです。こうして、ふたたび、起源を問うことができるようになります。それで、私有財産の起源はなんなのか、国家の起源はなんなのか、と。

　このプロジェクトの最初の数年間で、デヴィッドとわたしは、すくなくともわたしたち自身が納得するかたちで、気がつきました。以前の文献に立ち返ってみると、そこにはこうした問いがないのです。というのも、そこには、あきらかに農耕社会ではないが、こうしたもの［私有財産や国家］をすべてもっている――とはいえ、つねにもっているわけではない――という記述があるのですから。ですから、わたしたちがいっしょに最初に取り組んだのは、季節性という概念のリハビリだったのです。狩猟採集民だけではありません。多くの社会が、年に一度、あるいは二度、社会構造を転換しているのです。

　たとえば、北極圏のイヌイットには、一年のうち、基本的に夏の短い時期に、大きなグループが狩猟・漁労・採集の小バンドに分散する時期がありました。そして、そのような小バンドのなかで、父親たちは家父長となりました。父親たちは息子や娘、妻たちに対して大きな権威をふるうようになった。そして、実際に財産がとても重視されました。道具や武器に個人の［所有物という］しるしをつけることもあった。しかし、長い北極圏の冬になると、人びとは人口構成と社会的組織法を完全に再構成し、大規模な集合的ウィンターハウスに集まるようになる。そこでは、そのような財産のルールは消え去り、それを取り巻く道徳的厳格さも消え去ることになります。そして、人びとは性的パートナーもふくめ、あらゆるものを共有するのです。

　つまり、このような［私有財産やヒエラルキーのような］発想（コンセプト）に精通していながら、そのような発想に縛られてはいいない社会の例がここにあるのです。そういう発想のほうが縛られているのであって、社会はというと、そのような発想に縛られることはありません。おなじようなことを述べた文献はあります。そのなかに、ブラジルのマトグロッソ北西部のナンビクワラ族にかんするクロード・レヴィ＝ストロースの論文があります。いまではだれも読まない論文です。そこでかれは、ナンビクワラの首長は、時期に応じてすくなくとも二人存在しなければならないというすばらしい議論をおこなっています。つまり、この集団は、実際に狩猟採集と農耕のあいだを往来しているんですね。ここでもまた、小グループにおいては、ヒエラルキーの色が濃くなります。しかし、農作業に従事し、村に一時的に定住する季節になると、そのような強制力は失われます。その結果、首長は（レヴィ＝ストロースがいうように）ちょうど現代の政治家のような存在になる。かたや、季節に応じて、あるときは、事実上ミニチュアの福祉国家としてふるまわなければなりません。つまり、物資を支給し、みなが幸福であることに気を配り、外交官であることを主な役割としなければならない。それとともに、遊動的狩猟採集の小バンドに分離したときには、まったく逆のことをしなければならない。かれは意思決定者でなければならないのです。

それで、ふたたび、国家の起源について考えてみましょう。北米のグレート・プレーの先住民のようにバイソン狩りを重心としながら複数の社会が入れ替わるようなケースはどうでしょうか？　バッファローがやってくる数カ月間、かれらは本格的な強制力をもつ警察を任命します。マックス・ヴェーバーがgewaltmonopol［暴力の独占］と呼んだものです。この人たちは、だれかを鞭打ちすることができました。処罰としてだれかの所有物を奪うこともできました。監禁することもできる。狩猟を危険にさらすようなことをすれば、殺害することもできます。狩猟は食料の供給源であると同時に、皮革の供給源でもあり、人びとが一年中それに依存している資源です。つまり、一年のうちの短期間は、古典的な社会学の定義にしたがうなら、国家のようなものが存在することになります。しかし、それ以外の期間には、国家のようなものはありません。ですから、これらの二つのポイントが合流することで、わたしたちは起源にかんする問いから、そうではない、あまりなじみのない問いへと完全に移行することができたのです。

CBW　この作品のタイトルは、ほとんどありえないほど大きなスケールを含意しています、その時間的範囲は、必然的にlongue durée［長期持続］の方法論をその上限まで引き伸ばすことにもとづいている。それは、必要性と実験性の双方の産物です。また、テキストの地理的範囲も同様に大きい。このような探究の様態、このような時空を横断した大規模な比較分析にはどのような利点があるのでしょうか、また、このような距離で作業することの落とし穴をどのように回避しようと試みられたのでしょうか？　類推を延長させすぎると無効化してしまう、そのようにならないようにどのような工夫をなされたのでしょうか？

DW　そうですね、興味深いです。これまであまり考えたことがなかったのですが、あなたが「長期持続」という言葉をお使いになったので、もしわたしたちがやってきたことを「アナール学派」の言葉で比較したり、枠にはめたりするとしたら、ブローデルの「長期持続」にかんする三つの要素すべてに近い点があるとおもいたいところです［ブローデルは、時間を三つの要素に区分したが、それが、長期持続、出来事、コンジョンクチュールである］。そう、かれがコンジョンクチュール［複合状況、変動局面］と呼ぶもの――複数の構造の強度の高い歴史的合流の契機であって、それは、さまざまな持続的帰結をもちます――の事例には、事欠きません。一例として、わたしたちは、あるところで、この興味深い偶然の一致を検討しています（はたして、それは一致［といえるようなもの］か？［という問いは残りますが］）。中国からメソアメリカまで、世界中の多くの独立した事例において、ひとつの歴史的コンジョンクチュールがみられます。いっぽうでは、君主政や恒久的な王朝的君主政の登場と、この種の儀礼的暴力の爆発とが密接に関連しているようにおもわれます。この本の「なぜ国家は起源をもたないのか」と題された章では、非常に手の込んだ王室儀礼が、突如として、信じがたいほど暴力的になることについてふれています。ときに何百人もの人びとが儀礼的に殺害された考古学的な証拠が残されているのです。これは、アフリカ、東アジア、メソポタミアなど、さまざまなケースで独立してみいだされるパターンです。ブローデル的な意味で、これは持続的効果をもたらすとおもわれるコンジョンクチュールです。

　しかし、この本には、ブローデルのいう意味での出来事もあります。そして、しばしば、いろんな個人もあらわれます。わたしたちは、気づくと、ちょっとした寄り道をしてるんですよね。最大の例は、フランスの貴族であるラオンタン男爵とウェンダットの政治家カンディアロンクがいっしょになったストーリーでしょう。ですから、この本が純粋に長期持続の研究であるという評価には、わたしはいささか反論したいのです。すくなくとも、わたしたちは、まさにあなたが指摘するような問題を避けるために、そのような異なる解像度［のレヴェル］のあいだを行き来してみようとしたのだとおもいます。もし、このような非常に粗い抽象化レヴェルにずっととどまっていると、議論そのものがいささか抽象的なものになってしまうでしょう。

CBW　この本で最も興味深かったのは、あなたが〈先住民による批判 Indigenous Critique〉と呼んでいるものの概要です。これは、啓蒙主義の遺産についての考え方を根底から覆すものです。この「ヨーロッパに対する先住民による批判」は、アメリカ大陸の先住民の現実的・物質的・政治的組織と思想を啓蒙思想の展開の中核的触媒として位置づけることによって、啓蒙思想を歴史的に文脈づけるオルタナティヴな方法をわたしたちに提供するものです。それにくわえて、啓蒙思想のうちに埋め込まれた反動的な傾向のいくつかを理解する方法も与えてくれます。

DW　ほんと、おかしな話ですよね。だって、これは新事実でもなんでもないですから。啓蒙思想、つまりヴォルテールやディドロ、モンテスキューの著作を読むと、こんなことが書いてあります。「自由と平等についての考え方は、先住民からえている」と。つまり、わたしたちはなにかを発見したというわけではないのです。わたしたちがここでおこなったこと。それは、現代の思想史家たちが、ヨーロッパの著述家たちが［はっきりと］述べていたことをほとんど一様に否定するようになったのはなぜか、その理由の解明です。そしてそれは、先住民の包括的かつ肯定的評価である「高貴な未開人」という概念と大いに関係があるようにおもわれました。

ところが、一七世紀の旅行者の記述や宣教師の報告のどこにも、このような概念はみあたりません。それらは、もっと両義的です。実際には、それらは、しばしば、きわめて否定的なんですよね。もし高貴さのようなもの［貴族性］nobilityについて言及されているとすれば、それはたいてい地元の男性が狩猟にでかけることに関連してのことでした。狩猟はそこではかなり貴族的活動、つまり高貴なふるまいとみなされていたのです。ルソーのうちにすらみあたりません。ルソーの『人間不平等起源論』には、高貴な未開人［という観念］はあらわれないのです。この高貴な未開人という考え方は、先住民の生活様式をけしからんとおもっていた人たちによって考案され、広められたようです。一八世紀初頭の啓蒙主義に属するものではありません。それは、先住民にかかわるようなものをすべて憎んでいた人びと、一九世紀のヴィクトリア朝時代の生物学的レイシストや優生学者によって広められたものなのです。

これにかんして重要な議論をおこなっているのが、ター・エリンソンTer Ellingsonです。［エリンソンによれば］英国民族学協会の一派が、非難の論法をおもいついたんですね。「しかし、あなたの未開人の見方はロマンティックだね」みたいな。それは、近代ヨーロッパ社会は先住民に学ぶものがあるなんて主張をする人間を排除し、抹殺するための方法だったのです。今日、ヨーロッパ人といわゆる「未開人」の対話のようなものにむけられる「高貴な未開人」という［ステレオタイプに対する批判的］議論は、たしかに、〈他者〉を過度にロマン化するレイシズムにただしく対抗しようとする歴史家たちからでたものだとおもいます。実際には先住民の声はそのようなものではない、と、かれらは指摘します。ヨーロッパ人の著述家たちが、そうでもしなければ問題になりかねない、社会的・政治的に体制転覆的である見解を伝えるために、架空の先住民の人物を使ってでっちあげたものなのだ、と。ここにみられるのはとても逆説的な状況です。レイシズムやステレオタイプに対抗するための戦略が、異文化間の意見交換の可能性を完全に排除してしまうのですから。そして、西洋哲学やヨーロッパ哲学を、外部との通路なき完全に封印されたものとみなす考えを強化することになるのです。こうわたしたちは考えています。

この本で〈先住民による批判〉と呼んでいるものは、わたしたちが発見したものではありません。ずっとあったものなのです。文献のなかにあるのです。ヒューロン・ウェンダットの歴史家ジョルジュ＝シウイGeorges Siouiのような、先住民系の現代の学者の著作のなかにもあります。そして、先住民による批判がヨーロッパ思想に与えた影響についての考察は、何十年も前から文献のうちにあちこちにあらわれているのです。わたしたちの本がそれをより多くの読者に伝えるのであれば、それはとてもうれしいことです。しかし、シウイが『アメリカ先住民の自伝 *For an Amerindian Autohistory*』を公刊したときに、そこでカンディアロンクやラオンタンについての議論をぜんぶやっていることに、人びとが注目してくれていたら、わたしたちはもっとうれしかったでしょうね。それに、かれだけではないんですよね。ですから、わたしたちは、実際にはこれまで周縁化されてきた既存の研究に光を当てようとしていることを、わきまえているつもりです。

CBW　これまで何度かふれられてきましたが、ウェンダットの哲学者であるカンディアロンクは、この本のなかでの重要人物です。なぜかれは、この〈先住民による批判〉の構築と伝達にとって重要な思想家なのでしょうか？

DW　そうですね、これは本当に偶然の産物（セレンディピティ）なんです。たまたま、この一人の人物の生涯について、独立した、裏づけとなる証言がいくつもあるのです。そのなかにはイエズス会によるものもあれば、現在のカナダ五大湖地域、つまりヨーロッパ人が当時ニューフランスと呼んでいた地域の、フランス植民地政府の一員によるものもあります。かれが、ウェンダットの主要人物であったことはあきらかです。カンディアロンクは、一七〇一年のいわゆる「モントリオール大和平 Great Peace of Montreal」の調印者の一人です（ウィキペディアで調べると、かれのマークがあります［次ページ図は、その一七〇一年の和平条約の複写の一部。5がカンディアロンクのマークである］）。有名な人物でした。しかし、なぜイロコイ語やアルゴンキン語の話者である同時代の政治家のなかで、幸運にもかれについてとくに多くのことを知ることができるかというと、ラオンタン男爵という一風変わった人物との関係のおかげです。

　ラオンタン男爵は、非常に多彩で波瀾万丈な軍歴をもっていたようです。かれは、フランスの小貴族で、フランス政府の官僚主義的性格を嫌って、いわゆる新世界に渡り、財を成してふたたび貴族となり、冒険の旅にでました。そして、かれは本当に冒険をしたんですね！　なかにはあきらかにつくり話もあります。この人はじぶんの物語が大好きだったんです。しかし、カンディアロンクのばあい、かれ以外にも多くの人物、そして多くのことがらが絡んできます。とくに、当時の総督は、フロンテナックというかなり不愉快な人物であったようです。フロンテナックはいっぱしの論客を自認していて、一七世紀末の数十年間、マキナック砦周辺でおこなわれていた小さな討論会、つまり啓蒙サロンにカンディアロンクを主賓として招いていたようです。そして、カンディアロンクはかれがこれまで出会ったなかで最も賢明な人物であったという重要な証言があるのです。かれは、偉大な戦士であり、戦略家であり、外交官であっただけでなく、すばらしい知性をもっていたのです。

ラオンタンは最初、アムステルダムに戻りますが（その時点で、かれは無一文の浮浪者のような状態でした）、アダリオという名でカンディアロンクとの『珍奇なる対話』を出版します。これでかれは、一躍有名人になりました。

そして、ハノーファーの宮廷界にもぐり込んで、ライプニッツの知己をえた。ライプニッツがだれかに宛てた手紙に、こんなくだりがあります（二人ともラオンタンの本に夢中だったんですね）。「そういえば、アダリオって知ってるよね、実在の人物なんだよ！」。つまり、フロンテナックとラオンタンがいっしょになって、このような議論や討論を書き留め、体系化したと考えるのに、まったく無理はありません。かれらがあちこちで協力し合っては、独自の文学的装飾を施した可能性は十分にありえます。しかし、カンディアロンクのようなウェンダットの政治家であれば、まさにそのような議論を展開したと考えることも十分に根拠があるのです。そして実際、それらはまったくつじつまが合っています。

『イエズス会書簡集』全七一巻に目を通し、このための一次調査のほとんどをおこなったのは、主にデヴィッド・グレーバーでした。カンディアロンクのフランス人男性同士のふるまいに対する批判（当時、植民地ではほとんどが男性でした）は、『イエズス会書簡集』における記述ときわめて密接に共鳴しています。たとえば、東部ウッドランド地帯の諸集団がフランス社会の競争への執着ぶりにぞっとしていたことを示す記述もあります。かれらは、お金に対する執着心だけでなく、同胞

Les Gens Du Sault
Vous n'ignorez pas vous autres Iroquois que nous ne soyons attachez a nostre pere nous qui demeurons avec luy et qui sommes dans son sein, vous nous envoyaste vn collier il y a trois ans pour nous inuiter a vous procurer la paix nous vous en enuoyasmes vn en reponse, nous vous donnons encorre celuy cy pour vous dire que nous y auons trauaillé, nous ne demandons pas mieux qu'elle soit de Durée faites aussy de vostre costé ce qu'il faut pour Cela,
Les Gens de la Montagne
Vous auez fait assembler icy nostre pere toutes Les Nations pour faire vn amas de haches et les mettre dans la terre, auec la vostre, pour moy qui n'en auoit pas d'autre, ie me rejouy de ce que vous faites aujourd'huy, et j'inuite Les Iroquois a nous regarder comme leurs freres

1701年の和平条約の複写の一部

を見殺しにしてやまないその姿勢にもぞっとするものを感じていたのです。かれらはまた、ヨーロッパの植民地の町にホームレスがたくさんいるのをみて憤慨しています。もちろん、先住アメリカ人の代表者のなかにはヨーロッパを訪問した人たちもいて、パリをはじめとした当時のヨーロッパの都市の状況を経験していました。そして、ヨーロッパ人は信じがたいほど競争的であるいっぽうで、つねに身分に応じて支配被支配の関係をつくり、命令に服従していることに、いささかのおどろきをおぼえたようです

　これらは、ラオンタンの記述にかぎったことではありません。何度もくり返しあらわれる批判や観察なのです。そして、いま、本当に有益な研究は、（本書の範囲を超えていますが）これをもっと深く掘り下げることだとおもいます。わたしたちが〈先住民による批判〉と呼んでいるものは、本当に表面をひっかいただけだとおもいます。数多くの沈潜した知的伝統があり、たいてい偶然に保存された文書や非常に脆弱な資料の糸にぶらさがっているのです。ですから、わたしたちは、このケースでは、現在わたしたちが啓蒙と呼んでいるヨーロッパ思想の重要な分岐点でなにが起こっていたかを腑分けしようとしているのです。しかし、そこにはもっと大きなストーリーがあり、サハラ以南のアフリカやオセアニアなどにも同様のものがあるはずです。

CBW　この本を貫いているのは、きわめて多様な人びとがどのように自由を育み、保持しようとしたかという考察です。あなたがたは、移動する自由、服従しない自由、社会的関係を創造したり変化させたりする自由という「三つの原初的自由」について詳しく述べられています。あなたがたはどのように、このような独特の自由の認識にいたりつかれたのでしょうか？　そして、この自由は、この本におけるコミュニズムの記述とどのようにむすびついているのでしょうか？

DW　三つの自由は、わたしたちが本書を通じておこなってきた経験的な観察をまとめようとしたものです。というのも、ある時点で、あたらしい概念を提案しようとしなければならないことに気づいたんですね。そうしないと、ことはバンド、部族、首長制、そして国家にいたるという「新進化論的」図式へと、信じられないほどの粘り強さで戻っていくようにおもわれたからです。だから、独断的な態度をとることなく、すべての可能性をさらったなどとうそぶくこともなく、概念をうちだしたかったのです。第四の自由や第五の自由も、きっと発見されるでしょう。しかし、わたしたちがこの三つの概念で表現しようとしたのは、カンディアロンクのような人物が自明とみなしていたようなことすべてです。だれもが（現代人のほとんどすべてがそうであるような）従順に訓練されている、そんなわけではない社会で育ったような人たちのことです。ルソーのように、自由な社会とはなにかをめぐって純粋な思弁にふけっていた人にはただ推測する

ことしかできない、具体的な経験をすることはできなかったであろうものばかりです。

この本のなかでくり返し、あるいはパターンとして浮上してきた三つのことがらは、まず、目的地に到着したら必ず受け入れられるという確信のもとに、じぶんの環境から離脱できる、脱出できることの重要性です。なぜなら、わたしたちが考える自由（コミュニズムについての質問に戻りますが、それはデヴィッド・グレーバーが基盤的コミュニズムと呼んだもので、実際は相互扶助を指しています）、これが誤解されてしまうと、つまり、これらの自由を、離脱できる、脱出できるだけで、「必ず受け入れられるという点で、それに」対応するケア行為のない自由だけで提示すると、現実にはミクロ・ファシズムに似たものに帰着してしまうからです。「そう、命令に服従するな、好きなところにいって好きなことをやろう」。これらは実際には、支配、あるいはミクロ支配の形態なんですよね。他者への配慮や責任をいっさい排除した自由です。まさにルソーのような思想家がわたしたちにあてがう自由とおなじようなものです。なぜなら、いわゆる自然状態における人類は、まったく社会ではなく、他者に対する社会的責任をもたず、孤立して生きている人びとであるからです。つまり、かれらは自由ですが、完全に孤立しているんですね。社会的自由とはなにかという実質的な観念がないのです。

本書では、社会的自由、つまり、他者への責任を除去しない自由が、実際にどのように機能するかを示す具体的な証拠があるケースに注目するように努めています。第一の自由を例にとってみましょう。歴史上も考古学上も、人口統計学的にきわめて小規模で断片的な集団が、きわだって大きな地域連合にしたがっているという事例があります。北アメリカでは何世紀にもわたって、このようなことがおこなわれてきました。こうして、クラン・システムや、人類学者がトーテム・システムと呼ぶものができあがったのです（これはもうひとつのオーストラリアでの事例にもいえます）。これらのシステムは基本的に歓待のシステムであり、それによって、人びとは生まれ育った集団、あるいは言語集団からすらも離脱し、多くのばあい、実に遠くまで移動することができます。おなじクランのだれかが、受け入れてくれ、食べさせてくれ、そしてまた、どこか別のところに送りやる義務があることをよく知っているからなんですよね。もちろん、これがきわめて重要なのは、生まれ故郷で迫害や支配に直面したようなとき、脱出するのが最も自然なことだからです。しかし、そのためには、どこかに受け入れてくれる人がいなければうまくいきません。

つまり、第一の自由は、このような歴史的にきわめて重要な現象を支えています。ところが、これにはあまりよい名称がないんです。「歓待地帯（ホスピタリティ・ゾーン）」と呼ぶこともできます。考古学者たちは、「相互行為圏（インタラクション・スフィア）」などのような、奇妙なジャーゴンじみた名称をあてています。しかし、重要なのは、それらが非常に大規模であり、自発的なものであるという点です。強制や暴力によってむすびつけられているわけではない。帝国などのようなものではないのです。それは人びとが連合を形成した事例です。つまり、第一の自由である「離脱する自由」は「歓待」によって支えられているのですよね。

　第二の自由である「服従しない自由」は、参加型民主主義の基礎となるものです。カンディアロンクたちは、それによってヨーロッパ人たちに名高かった。東部ウッドランド地帯の言語に精通した観察者たちは、村の広場で人びとがあれこれ議論している時間の長さを指摘しています。まさに、首長は命令を下すことはできても、実際にだれもそれに従う義務はなかったからです。こうなると、だれかをみんなでやる計画に参加させるには、相手を説得する必要がありますよね。それが、とても洗練された討議の文化を大いに活性化させた。そしてそれが、歴史的な記録として残っているのです。カンディアロンクのあらわれる文化的環境は、そのようなものでした。そう、これは「服従しない自由」ですね。そしてこれもまた、じぶんが迫害されることなく、ちゃんと議論してもらえ、耳を傾けてもらえるという意識に裏打ちされている。

　第三の自由は、これまでの二つの自由の上に成立するものです。まさに、社会的現実の網の目をすこし破って、なにか別のことを試してみる自由です。季節による切り替えがその事例のひとつであることはあきらかですが、これもほんの一例にすぎません。そのようなプロセスを展開するやりかたは、あきらかに何通りもあるのです。しかし、わたしたちは、第三の自由が、実際には第一の自由と第二の自由によって支えられていることを示そうとしました。そしてまた、わたしたちが失ったようにおもわれるのも、これですね。わたしたちの苦境は、ここにあります。いまの気候変動サミットにむけられた怒りに満ちた言葉をみてみれば、そのことはすぐにわかります。たんなる財政政策や二酸化炭素排出量の微調整にとどまらない構造的な変革となると、ほとんど麻痺状態となるのです。

　もし、わたしたちがなにかを失ったとしても、それはルソーが考えたようなものではありません。平等ではない、ということです。というのも、平等というのは、かなりあいまいで疑わしい概念だからです。そうではなく、そのなにかとは、まさに遊びながら別の社会的組織法を試してみることのできる、この能力だとおもうのです。ですから、この本の相当部分で、わたしたちは、このあたらしい問いに取り組むわたしたち自身のプロセスを再現しようとしているのです。その答えは、たいていほんの予備的なものにすぎず、独断的なものではありません。わたしたちはつねに、これからも書きつづけるつもりでいました。これはなにかの終わりではなかった。基礎を固めているのであって、よりよい問いを立てようとする試みをおこなっているのです。そのためには、「いいね、この問いはもっと役に立つかもしれないな」とおもえるまで、膨大な量の草刈りと邪魔な蜘蛛の巣を取り除く必要があるのです。

CBW　あなたがたは結論で、こう述べられています。このような著作において総合に到達することは困難である、なんとなれば、発見されたこれらのつながりや重なりを明確にするための言語を欠いているからだ、と。あなたがたは、このような語彙体系の困難をどのように解決しようとされているのでしょうか？

DW　解決したとはおもっていませんが、わたしたちが提案するこれらの概念は、そのプロセスを開始する試みです。つまり、三つの自由「のような概念」――わたしたちはまた、三つの支配の基本形態を指摘しています――の狙いは、「国家」のような用語にとってかわることです。書評のなかに、本書が国家と国家なき社会の対立という観点で全体を組み立てていると、かなり奇妙な（わたしにとっては）批判がありました。でも、この本の最も長い章は「なぜ国家は起源をもたないのか」というタイトルでしょう。だからこういう批判は、いささか奇っ怪ですよね。

この本は、よりよい問いを投げかけ、人を目的論的思考法の罠にかけるようなこうした用語法のいくつかを別のものに置き換える試みなのです。つきつめていえば、わたしたちがめざしていたのは（そして、もしかしたらたちがそこに到達していたかもしれないし、わたしがこれから到達できるかもしれないし、わたしたち以外の人が、よりうまくやるかもしれませんが）、「すごく広大な地域的歓待ゾーン really big regional hospitality zones」のようなものにかわる言葉を探しているのなら、実際にそれを実践していた人たちがどう呼んでいたかを調べ、そのまま使えばいいじゃないか、ということです。人類学には、タブー *taboo* やマナ *mana* といった言葉がその学問用語の一部となったという偉大な歴史がありますよね。しかし、これらの言葉は、実際にそれがなにを意味しているのか知っていた社会から、わたしたちの語彙に入り込んできた先住民の言葉なのです。

そうそう、たとえば、わたしたちが取り込もうとしていた概念のひとつに、オーストラリアで使われているウーナン *wunan* という言葉があります（この言葉の表記法はさまざまですが、最も普及しているのがこれだとおもわれます）。この言葉はまさに文明を的確に表現しています。とはいえ、進化の一段階としての文明という、わたしたちにはおなじみの進化論的な意味合いではありません。それは、歓待や庇護（アサイラム）のような基本的規範とする文明であって、それがきわめて広範囲にわたる諸集団をむすびつけているのです。だから、こういうのがよいでしょう。すなわち、たいていラテン語やギリシア・ローマの概念にルーツをもつ（中世における多数の媒介者を介して）帝国の言語を、実際に置き換えてみること。わたしたちが使っている「家族」という言葉も、歴史的・語源的には、家内奴隷や動産奴隷をまったく自明としていた社会まで遡るのです。デヴィッド・グレーバーはこのようなやりかたをとても愛していました。『負債論』という本のなかでみごとにそれを実践しています。まるでフュステル・ド・クーランジュFustel de Coulanges［フランスの近代的史学を確立したとされる一九世紀のフランスの歴史家］に戻ったかのように。いわば考古学以前の考古学ですよね。そこでは用語や語彙、語源が主題なのです。そのうえで、それを現代の考古学と組み合わせることで、本当におもしろいものが生まれるのです。

CBW あなたがたの著作は「社会の歴史のなかで、参照する枠組みが変化し、それゆえ真の変化が可能になるときを意味」するギリシア語の「カイロス」の概念についての考察でしめくくられています。「神話と歴史、科学と魔法の境界線があいまいになり、基本的な原理やシンボルが変容するその結果、真の変化が可能になるときである」。気候変動による災害の脅威が遍在するいま、わたしたちの集団的生活を再編成するために、凝結した権力様式から解き放たれる必要は切迫しています。同様に、この危機は、どうすればわたしたちは共に生きることができるかについて、スケールの大きな考えをもつ必要性を提示しています。このようなとき、過去をふり返ることで、わたしたちの革命的想像力をどのように拡大できるのでしょうか？ どのように未来の構築のための闘争のあらたな道を切り開くことができるのでしょうか？

DW その質問に対するかんたんな答え。それは、わたしたちはメタナラティヴ［物語を支配する物語］を考察しなければならないということです。たんに、それを批判するためだけではありません。社会進化の必然性（あるいはそうみなされてきたもの）のいくつかを捨て去るためです。あなたはスケールの話をしましたね。人間の社会的可能性に対するスケールの影響という問題に取り組むことは、とてもとても大事なことです。そして、わたしの専門分野である考古学の現代的証拠を用いて、人類史の不回帰点としてしばしば提示されてきたもの（農耕の影響、都市生活の影響）に疑義を投げかけはじめると、証拠ベースの説明は実際にはそれを裏づけていないことがわかります。歴史上の重要な契機の多くが、最終的に現在のような資本主義や資源搾取といった特殊形態につながる一方通行の道にわたしたちを追い込んだと考えられている。でも、まったくそうではないのです。それらは、人類史において、実験的な、そしてしばしば遊び心に満ちた、きわめて長期にわたる期間であったことが多いのですから。

では、そのような広範な歴史を扱い、必然性が必然でないことを示すと、なにが残るのでしょうか。決断をくだす人びとです。その決断は、いわゆる歴史の法則に拘束されることがないため、無力なものではありません。決断に力が与えられる（アンプリファイド）のです。それらは、実際にはわたしたち一人ひとりが、毎日、この特殊なシステムをつくっているのだという認識にもとづく、重要な決断、道徳的な決断、倫理的な決断、自由な決断、そして、選択となるのです。

［ところが］わたしたちはそれを内面のお話しにしてしまいました。わたしたちはそれを家庭や家族のうちに封じ込めてきました。ですから、この本が、わたしたちの［手の届かない］頭上で衝突しているようにみえる不透明で抽象的な諸力を取り除き、マイクロ・スケールな人間的諸関係に力を与え／を増幅（アンプリファイ）させ、それらが閉塞感を支えるにあたっていかに重要な役割をはたしているか、したがって、閉塞を打破する可能性を保持しているか、ということをすこしでも伝えることができればとおもうのです。これが、ラージ・スケールが、かくも重要な理由なのです。というのも、そのような前提をそのままにしておくと、それ以外のすべての要素を減退させてしまうからです。そして、いわゆるビッグ・ヒストリー（わたしの嫌いな言葉ですが）ができあがり、あなたがたを小さく感じさせてしまう。わたしたちはその逆をいこうとしているのです。ビッグヒストリーであることはまちがいない。でも、読者がみずからを小さく感じさせないようにしたいのですね。それができたのなら、この一冊目でわたしたちが達成したかったことは、おおよそはたしたことになるとおもいます。

"Primordial Freedoms: An Interview with David Wengrow."
Published in Protean Magazine, March 2022.

史遊び

『万物の黎明』の一書評

ダニエル・ゾラ　今政肇・訳

記事は当然のこと、じつに多くの書物がめったに許されるべきではない罪を犯している。勢いをつけて新しい扉を開き始めた矢先に、まるでそれ自身が他の扉を閉じたように、自らも突然の終わりを迎えるのだ。もちろん、作家や、研究者でさえも、社会変革の青写真を示すことはもちろんのこと、すべてのことに答えを示すことがその役目ではない。しかし、批判理論の伝統に連なる多くの者が余りによく知っているように、数々の大きな問いに対する代替的な答えが、支配的な物語によってもたらされるもののほかにも現実に存在するということを示すことによってのみ、これらの問いは読者にとって意味のあるものになるのだ。デヴィッド・グレーバーには、この精神を的確に捉えたよく引用される言い回しがある——

「世界の究極の隠された真実とは、それが私たちの作るものであり、それと全く同じように容易く作り直すことができるものだということだ」

『万物の黎明』は、デヴィッド・グレーバーとデヴィッド・ウェングロウによる、いわゆる「先史時代」と「先史時代」の集団に関するスタンダード・ナラティヴに対する野心的な改訂であり、そこには開けっ放しにされた扉や、暫定的にではあるにしても嬉々として探検された部屋がたくさんある。本書はその六〇〇頁強の最後の頁に到るまで読者に進軍命令を出さないかもしれない。

それでも本書は、我々の祖先の多くが、自分たちの社会の内外から、自分たちの社会に代わるものを徐々に作り上げていった方法について、数え切れないほどの刺激的な例を示している。著者たちの主な使命は、資本主義リアリズムとでも呼べるかもしれないものによって作り出された歴史の語りに挑戦する好奇心、憤り、そして道具の数々を読者に与えることである。未来をこじ開けるための私たちの過去への旅。それにしても、この本は次のような発言で満ちている——

「自由と決定論のあいだの目盛りをどこに設定するのかは、おおよそ好みの問題になるのである。本書の主要なテーマは自由である。だから、ふつうよりいささか左にダイヤルの目盛りを合わせる」

　このプロジェクトの賭金を考えると、「好み」という言葉は、これらの物語の語り口には、驚くほどの慎重さがあることを示唆している。著者たちが実際に行っているのは、ほとんど何も分かっていないと彼らも認める時代（および、より知られている時代）について推測する権利を取り戻すことであり、そうすることを神話作りの練習として彼らは提唱しているのだ。本書はスタンダード・ナラティヴのことを神話作りであると述べている。人類の物語が、初期人類社会の体系化されていない生から不平等とヒエラルキーが必然的に発展し、ヨーロッパ文明の金メッキの檻に行き着くという物語であるという考え方である。本書は、トマス・ホッブズ、ジャン＝ジャック・ルソー、A・R・J・テュルゴーをはじめとするヨーロッパの啓蒙主義者たちや、殊にユヴァル・ノア・ハラリ、スティーブン・ピンカー、フランシス・フクヤマ、ジャレド・ダイアモンドをはじめとする啓蒙主義の現代の唱導者たちを、非科学的で、反人間主義的な神話の作り手であることを暴こうとしている。

　ヴァルター・ベンヤミンが、歴史は勝者によって書かれるものであり、文明のあらゆる記録は野蛮の記録であると主張するのに対し、グレーバーとウェングロウは、ある根本的な記録を書き直そうとする。しかし、ベンヤミンが被抑圧者であるプロレタリアートの名の下に、逆撫でするように書いているのに対し、グレーバーとウェングロウは「自由」の名の下にそうしているように見える。『万物の黎明』において、自由が一体何を意味するようになるのかが、彼らの解放プロジェクトの賭金を決定するのだ。彼らの物語はスタンダード・ナラティヴの神話にあるような不平等の起源を語るものではないという著者の主張が、その土台を築いている。

　自分たちが既知の世界の支点にいると考えていたヨーロッパの啓蒙思想家の多くにとって、不平等と階層に関する問題は、偶発性、また、それにともなう差異を理解する方法だった。抽象的な啓蒙思想が概念的に一貫していて洗練されているだけでなく、ヨーロッパ社会の大部分に受け入れられていたのならば、それらはなぜ世界中で共有されていなかったのか？　なぜ植民地化計画が必要なのか？　ヨーロッパ文明が必要とされるためには、大多数の人類の運命の相違を、啓蒙思想に至る（あるいは、啓蒙思想から遠ざかる）過程における一連の失敗として読み解く必要があった。スタンダード・ナラティヴとは、言い換えれば、ヨーロッパ至上主義の否定の否定である。グレーバーとウェングロウにとって、この物語を逆転させ、差異と偶発性を支持する唯一の方法は、人間の歴史の基礎として自由を再び主張することである。

本書の大部分は、「遊戯農耕」と「遊戯王国」に関する記述に費やされている。つまり、それ以前の社会が、そうした活動を確立された生活様式からの実験的な回り道として、どのように行っていたかということである。例えば、ジェンダー区分による儀式や季節ごとの儀式（一年の他の時期には狩猟採集民であるものたちが「カーニヴァル・キング」や「メイ・クイーン」になる）や、あるいは単なるのんびりした好奇心（古代ギリシャの庭園）のために。言い換えれば、革命の必要なしに、短期間で世界を作っては解体するということだ。スタンダード・ナラティヴにおいて、文明（と不平等）の足がかりとして農耕と王国が重要視されていることを考えれば、歴史的記録を構成するこれらの目的論の形式に特に必然的なものは何もないという強力な議論になる。そうした延長線上において、本書、及びある種の自由を再発見しようとするその試みは、「遊戯歴史」（play history）のプロジェクトとみなすことができる。

このことを把握している書評はほとんどないようだ。一般に、それらは最初の数章の議論を先住民の観点からの啓蒙主義の回復のようなものとして要約しようとするか、あるいは故デヴィッド・グレーバーの追悼記事として機能するかのどちらかである。この本の長さが批評の少なさの一因だとすれば、同じような長さの本を書いている現代のスタンダード・ナラティヴの支持者に対する批評の少なさについても同じことが言える。このようなビッグ・ファッキング・ブック（ＢＦＢｓ〔ビーエフビーズ〕）を年に数冊以上読む規則正しい読者はほとんどいないだろうし、ましてやそれらの書物の権威に疑問を呈するような読者や、締め切りに追われながら各ＢＦＢの主張を繰り返すだけの書評であっても、プロである書評家の権威に疑問を呈するのに労力を割く読者などほとんどいないだろう。

公平を期すために言っておくと、人類学と考古学についてＢＦＢｓにならない有意義な本を書くのは難しいかも知れない。しかし多くの点において、そのような本の長々と続く解説的な性格のために、書き手も読者もほとんどがスタンダード・ナラティヴの「真面目な歴史」をデフォルト設定にしてしまうのだ。

だからこそ、『万物の黎明』のような逆転発想の書の文体や構造を分析することが非常に重要なのだ。グレーバーとウェングロウの戦略は、スタンダード・ナラティヴとその啓蒙主義の起源にこれでもかと矢を放つことで、ある種の自由への扉を開くことである。しかし、彼らは人類がその自由をどのように使うべきかを示唆するのに十分な射程と脱出速度を持つ、ひとつの物語を提供しているわけではない。そのかわり、本書はあらゆる大陸、あらゆる時代にちらばる諸社会についての精魂こもった話芸に満ちており、その語りはディテールと、ユーモアと、狡猾さとを兼ね備えており、一方では乾いた学術的言語にも、他方では極論にも陥ることなく（大部分は）語られている。ネイティブ・アメリカンが西洋文明を批評した軽蔑と雄弁について読んだとき、そして、いかにこの批評がヨーロッパの劇場で劇化され有産階級の正当性が失墜したのかを読んだとき、私は笑わずにはいられなかった。

その文体は、フィクションでいうところのパスティーシュであり、より正確には、歴史上の引火点を従来の理解から一転させる転用（detournement）である。［図や見出しなど］たくさんの道標が付けられた書にしては、論旨がどこに向かっているのか、あるいは、より大きな論点は何なのかを追うのは、時として困難な場合がある。というのも、本書の著者たちは、他の作家ならば何か根底にあるイデアのために結論に飛びつきそうな瞬間に介入し、別の道筋を示したり、ゆっくりと元の軌道に戻ったりしているように見えるからだ。これらの運動は、人間の行動や決断の複雑さと単純さの両方を脱神秘化する効果がある。一種の共同体的精神分析としてのウェンダットの夢解釈の実践に関する記述に続いて、著者らは、イロコイ諸族の行うよく知られた異部族間の儀式と外交の起源が遠い昔に忘れ去られた交易帝国に由来するという説に対して、そのような戦略は単により以前の時代の儀式と外交から生まれただけかもしれないと示唆することで応答している。

ミニ・チャプターのタイトル「ここでは、世界で最も有名な新石器時代の町での生活が実際にどのようなものであったかが考察される」や「意味論的な罠と形而上学的な蜃気楼について」などは情報を伝えるものだが、それ以上に一八世紀の論考の調子をからかっているようである。著者たちは、大きな物語を語るかわりに、人間の主体性に居場所を与える歴史的想像力を通じて、多くの小さな物語に尊厳を与えるよう私たちをいざなっている。たとえば、第4章に述べられていることの大筋は、東アフリカのヌアーの人々の間では、女性も男性も同程度の独立性と地位を保持したが、それは婚姻までのことでその後はやや既視感のある形の家父長的な関係に入ったということである。しかし、婚姻後も女性は普通に幽霊や、社会的に「男性」と宣言されうる他の女性と「結婚」し、自分の地位を取り戻したりしたのだ。同様に、著者たちは、視覚的シンボルの創造と破壊が、生態系の変化の証拠というよりも、シンボルと情報を掌握することがはたして社会的権力の基盤であるべきなのかという特定の集団の信念を表す表現かもしれないという、いくつかのケースについて述べている。逆に言うと、それらの多くは暴力と、裏切りと、残虐の物語である。人間的な、あまりに人間的な。

「遊戯歴史」という語りの様式が、私たちの祖先が行使した自由と主体性にどのようなものがあったのかを最も明確に私たちに明らかにするのは、分裂生成の概念の執拗な適用においてである。もし、ある生態学的・人口学的条件が、ある文化的・政治的システムの出現の土台となるのであれば、分裂発生は、それらが同時にそのようなシステムに対抗して自らを定義する集団の出現の条件にもなることを説明するため、全く異なる社会的システムが隣り合わせに存在することを可能にする。グレーバーとウェングロウが分裂生成のプロセスに読み取ったのは、直線的な進歩の概念——それは相異なる政治体制が、多様な文化的宇宙の中で対応関係を持つのではなく、段階に沿って競争することを概して前提とする——への強力な反論である。たとえば、彼らは、私有財産関係を守り、借金を避け、労苦を讃える独特なユロックの採集民を、放縦なポトラッチ儀式を組織し、厳格なヒエラルキーとパトロン関係を守っている、より目立った北西海岸の諸社会と対比して、「カトリックの倫理」に対する反動として発展した「プロテスタントの倫理」の歴史的類似であると述べている。プロテスタントやピューリタンのように、支配的な集団から周縁化されればされるほど、かれらの信念と実践はより急進的で顕著なものとなり、その結果、意識的な自由の行使から生まれた社会システムは驚くほど首尾一貫したものとなった。ユロックの例は、グレーバーやウェングロウにとって興味深い引き立て役になっている。というのも、現代のアナーキスト的価値観とは相反する自由を象徴しているからだ。しかし、後述するように、例外こそが核心なのである。

分裂生成の概念と、フロイトの「小さな違いのナルシシズム」という概念、そしてスラヴォイ・ジジェクの過程が対極として現れるというヘーゲル的概念との間には、明らかな親和性がある。ヘーゲルが——彼が啓蒙主義思想家でなければ何であろうか——すでに社会におけるさまざまな集団が互いを否定しあう方法と完全に適合する歴史的進歩の形式をすでに明確にしていたことを考えれば、この本が批判理論の伝統と対峙しないことはもどかしい。ある程度は、本書はこのようなプロセスを全体性の文脈で読むというモダニズム的なアプローチを回避している。マルクス主義者ならば、分裂生成はそれぞれの社会の「土台」である生産様式を考慮しない、一方的な「上部構造的」あるいは「観念論的」分析だと主張するかもしれない。グレーバーとウェングロウは、近代資本主義関係による全体性に先立つ分析の領野を作ろうと試みているが、それはある部類のマルクス主義が認める本源的な否定と分化の領域でもある。

偶発性の領野を確保しようとして、時にグレーバーとウェングロウは、自分たちの主張を大げさにしている。スタンダード・ナラティヴの真の驕りは、著者らが主張するように、起こったことはすべて事前に予測できたはずだという理念ではない。そのような理念は、未来について予測を立てようとする私たちの現在の試みによって反証されたとして、かれらも正しく退けているところである。その真の奢りは、それが重層的決定なのだという主張である。つまり、歴史が「前進」するのは、何かひとつの出来事を超越した諸力によってもたらされるのであり、たとえ物事がその通りに起こったのではないとしても、その反事実的な現実は、それでも私たちの現在地と同じような地点に到達するのだ、ということである。事実を言えば、何らかの重層的決定の主張なしには歴史理論を構築することは不可能である。というのも、そのような理論は蝶の翅の気まぐれに左右されうるからである。

明らかに、スタンダード・ナラティヴは、(ヨーロッパ)文明の発展そのものが、空間と時間を超越した一種の力として重層的に決定されているという考えに過度に依存している。グレーバーとウェングロウは、文明の発展についての説明として、主権的権力(暴力の支配)、行政的権力(情報の支配)、カリスマ的権力という三つの異なる形態の権力の類型論を提唱した。今日の国家は、著者たちが「第三次」社会と呼ぶものであり、そこでは暴力の統制、情報の統制、カリスマ的権力がいっしょくたにトップダウン構造で行使されている。しかしながら、この概念化は、このような統制の諸様式が蓄積されればされるほど、社会がより脆弱で暴力的で矛盾に満ちたものになることを示すために用いられるが、それは特に、第一次社会(一つの権力形態のみが優位)と第二次社会(二つの権力形態が優位)の間の変化においてである。

このようなもろさを踏まえて、グレーバーとウェングロウは、そのような構造の引力に抗してユニークな歴史的因果の連鎖を引き起こす人間の能力に信頼を置いている。本書のさまざまなストーリーは、歴史を通じて人々が自らの運命を決めるために使ってきた三つの主要な自由、すなわち命令に背く自由、立ち去る自由、社会形態を作り変える自由を軸にして合流する。権力の三つの形態と三つの自由の間に決定的な関係は設定されていない。著者たちは、歴史を作るのは私たち人間だが、それは私たち自身が選択した状況においてではない、というマルクスの考え方を引用している。逆に言えば、自由が重層決定的な諸力に対する例外を保証することができないのならば、自由という概念は意味をなさないように思われる。

好ましくないほど硬直した構造に対して人類が抵抗し、それを避けた例外を概説することの累積的な効果は、考古学と人類学という学問分野が、それぞれ異なる社会的な過程を混同することによって、歴史的記録を歪めている度合いを明らかにすることである。都市形成、ヒエラルキー、暴力に満ちた戦争、官僚化、農業、生産と採取のあり方の変遷、宗教、言い換えれば、近代における歴史物語の典型的な構成要素は、一つのパッケージとして発展したというよりも、採用されたり、拒否されたり、組み立てられたり、切り離されたり、再構成されたりした。しかし、著者たちが示すように、こうした学問を盲目にしているのは、例えば、階層や官僚制を中心に構成されていない都市は、都市として考慮にすら入れられないということだ。それどころか、「形成期ペルー」、「後古典期マヤ」、「先王朝時代エジプト」といったこねくり回した用語を作り出し、これらの物語を裏付けるのであり、それらのすべてが、ヨーロッパの啓蒙主義や資本主義に向かうという、歴史の目的論的な動きを前提としているのだ。

この循環論法は、啓蒙主義から今日まで生きながらえている、事実上、反人間主義的な物事の理解の仕方に囚われている。グレーバーとウェングロウは、「先史時代」の部族をヒッピーや暴走族ではなく類人猿と比較するハラリを追及しているが、このような傾向はホッブズやテュルゴーの著作にも容易に見られるものだ。もし「初期の」人類が自然の気まぐれとかれら自身の「進化的」性向に縛られていたとすれば、現代社会は例外なのであり、これらの諸力の上に複雑な構造と思想が抱き合わせになって、数千年後にヨーロッパ文明を生み出したというわけだ。ハラリの言葉を借りれば、小麦が世界に広がるために人間を「家畜化」したのと同じように。つまり、富、平和、不平等が不可分であるという文明のファウスト的盟約を受け入れることによってのみ、現在の社会を人類の運命を再編成する支点と見ることができる。

この重層的決定に対して、グレーバーとウェングロウは、人と思想の移動、そして諸社会を変革するための移動の自覚的な利用が、例外ではなく常態であったところの（「先史」を含む）人類史の風景を描く。この連続性を主張するとき、『万物の黎明』はその神話作りの力を最大限に発揮する。サパティスタは、「カースト戦争」を戦ったマヤの反乱勢力の末裔として描かれる。機織りや小規模園芸における女性の仕事は、今日私たちが農業と見なすものの真の祖先かもしれない。それは、その領域が家内的であったにもかかわらずではなく、そうであったからこそなのだ。アメリカ先住民の諸社会は、啓蒙主義時代のヨーロッパで知られていたどの社会よりも相互扶助、平等主義、リベラルな言説といった近代的な概念を体現しそうになっていた。著者たちがマルセル・モースの仕事から借用した、技術に対する拒絶の数えきれない事例に、一九世紀のラッダイト運動が含まれることはもちろんのことだろう。ここで神話が原初的な原動力の復活として理解されるとすれば、それは私たちがかつて文明化されていなかったからではなく、植民地化と近代資本主義が私たちの自由を阻む障壁を築いたのであり、神話がそれを乗り越えようとしているからである。

本書が先住民解放のアジェンダに沿うものである限り、こうしたオルタナティブな動きの連続性を描き出そうとする試みは、あらゆる出自的背景を持つ読者に自分たちの文化的遺産と力の感覚を与えるものである。ウェングロウとグレーバーは、いわゆる「オーストラリア」に関する植民地主義的神話への批判には取り組んでいないが、『万物の黎明』はここに明確な示唆を与えている。『ダーク・エミュー』と『ヤング・ダーク・エミュー』を著したブルース・パスコウBruce Pascoeのプロジェクトは、先住民の土地管理の歴史を利用して、新たな「農業革命」を呼びかけようとする明確な試みである。[1]しかし、英語版『ダーク・エミュー』の副題「農業か事故か」は、無主地terra nulliusという植民地支配者の法理学の条件を額面通りに受け入れてはいないのだろうか？　同書における明らかな緊張は、この二項対立がパスコウの説明を歴史化することとの代替物として使われているという事実から浮かび上がってくる。実際、パスコウが記述した時代の土地管理技術は、私有財産制のもとで使われることを想定したものではなかった。もしパスコウが、これらの技術をエコロジカルな問題に応答する複雑な構造や技術の開発であるという説にあれほどまでに労力を費やさずに、第三の選択肢、つまり、これらの技術は土地を使った一種の実験であり、それ自体が知識や関係を構築するものだ、という構想を抱いていれば、問題は生じなかっただろう。グレーバーとウェングロウが指摘するように、問題はその概念自体にある。というのも、決定的な「農業革命」はどこにも存在せず、むしろ何千年にもわたり、さまざまな方向を向いた小さな革命の連続だったからだ。

スティーヴン・ミューキーStephen Mueckeは、『ダーク・エミュー』をめぐる議論に対する『オーバーランド』誌の回答の中で[2]、同様の指摘をしており、パスコウの神話作りの形式を「もう一幕の白人旦那の魔術whitefella magic」と表現し、『ダーク・エミュー』は、所定の一連のステップを経て文明が進歩するという植民地主義者の見方を再現しているに過ぎないという、サットンとウォルシェによる本書に対する批判を受け入れている。とはいえミューキーは、先住民の歴史的連続性を追求する方法として、このような形の神話作りを正当化している。しかし、この継続性は具体的にどのような形をとるべきなのだろうか？　ミューキーが提案するように、それは人間以外の生命との親和性、人間中心主義から異種間会議への転換であるべきなのだろうか？　一見、これは「存在論的転回」を明確に批判し、独特なヒューマニズムを支持している、グレーバーやウェングロウの立場とは相反するように思われる。しかし、どちらの立場も根本的に共通して保持しているのは、自然の物象化の拒否、あるいは文明や文化がそこから生まれ、その後自らを解放する根拠としての「自然状態」の拒否である。自然からの自由はなく、自然の中での自由があるだけであり、それとともに、新たな時代ごとに世界を再創造する想像力がある。

「ニューヨーク・レビュー・オブ・ブックス」誌でクワメ・アンソニー・アッピアが主張しているように、『万物の黎明』の事実に関する主張の一部に間違いがあったとしても、その引用文献のいくつかをたどれば、その数多くの矢のうちのいくつかは間違いなく真実に当たるだろう、というのが簡単な反応である。学部で人類学を専攻した程度でしかない私は、そのような主張を仲裁するにはふさわしくない。しかし、本書には、このプロジェクトを不可欠なものにする、より複雑な概念的層があり、それがこの本をかけがえのないものにしている。すなわち、それは私たちの過去についてのあらゆる発見を私たちが現在目にしている諸構造の派生的なものであると考える歴史主義から離れて、考古学的記録を、私たちとともにまだある思弁的な諸世界と、それに付随する根本的に異なる諸世界観の証拠であると見なす歴史主義への転換である。たとえそれらの諸世界がユートピアでないとしても。おそらく、本書が人類学と考古学に与える最も大きなインパクトは、本書が明らかにしようとしているような多重性によって、実際には世界が定義されていなかったことを示す立証責任をスタンダード・ナラティヴの側に戻していることにある。

その結論において、『万物の黎明』が強調しているのは、多くの社会で、儀式的な遊びの領域が科学的な実験室として、おそらく危機や社会変革の時などにおける従来とは異なる課題に適用可能かもしれない知識の貯蔵庫の役割を果たしていたということである。本書を「遊戯歴史」の一形態と考えれば、二〇二一年に著者たちが私たちにどのようにアプローチしてほしかったのかがわかるだろう。より端的に言えば、最近デヴィッド・ウェングロウは、これらの物語がいかに社会の脱炭素化にインスピレーションを与えるかについて、ガーディアン紙に寄稿している。協力者を亡くした空白の中で、今や彼がこの課題に取り組まねばならないことは痛ましいことである。

グレーバーとウェングロウは、本書の末尾の近くでこう記している――

「いまここで、このような見方を採用して、ミノアのクレタ島やホープウェルを、国家や帝国へと必然的につながる道の気まぐれ(ランダム)な凹凸ではなく、別の諸可能性、すなわち選択されなかった道とみなすとしたらどうだろう?」

彼らはそのような視点を、ヴァルター・ベンヤミンやアラン・バディウと非常に似たような形でメシア的な時間観に結びつける。すなわち、そのような道の数々が私たちとは無縁のものになったのではなく、特別な緊張の瞬間に、私たちの歴史と再び交わるかもしれないという観点である。実際、グレーバーとウェングロウの研究は、決して社会科学の革命ではなく、批判的な神話作りのプロジェクトにおいて彼らが孤立している訳ではない。それは彼らの意図することでは決してなかった。彼らは、新石器時代の諸部族が支配しようとするのではなく、いかに「自然の力を曲げたり、なだめたり、おだてたり、あるいはだましたり」したか述べている。生きている私たちの歴史を書き換える、またはその道筋を示すことにさえ挑戦しようとする人々にとって『万物の黎明』は見るに悪くない場所である。

注

1　ブルース・パスコウ、友永雄吾訳、『ダーク・エミュー　アボリジナル・オーストラリアの「真実」：先住民の土地管理と農耕の誕生』明石書店、二〇二二年（Bruce Pascoe, *Dark Emu: Black Seeds: Agriculture or*

Accident? Magabala Books Aboriginal Corporation, 2014)

2 "Whitefella magic: a Posthumanist Take on the Dark Emu Debate", Overland, August 10, 2021 (https://overland.org.au/2021/08/whitefella-magic-a-posthumanist-take-on-the-dark-emu-debate/)

"Playing with history: a review of The Dawn of Everything."
Published in OVERLAND, December 2021.

黎明の閃光

ブレーキング・ドーン

デヴィッド・グレーバーとデヴィッド・ウェングロウの人類新史

サイモン・ウー　今政肇・訳

デヴィッド・グレーバーとデヴィッド・ウェングロウが『万物の黎明』で提唱している人類史の目覚ましい書き換えの主要な提案のひとつは、先史時代の祖先は単純で無思慮な石頭ではなく、むしろ自意識のある、独特な個性を持った社会組織者であり、「政治的諸形態のカーニヴァル・パレード」を経験しながら生きてきたということである。今日、私たちは、かれらの活動を「アナキスト」、「コミュニスト」、「権威主義者」、「平等主義者」といった言葉で表現するかもしれないが、そのような言葉では実際の事例が持つ風変わりさを表現することはできない。例えば、その中心に権力も農業もない大都市（ギョベクリ・テペ）、大陸にまたがる部族国家（カホキア）、公営住宅プロジェクト（テオティワカン）、四季折々に水平主義と専制政治の間を行き来する人々（ナンビクワラ、ウィネベーゴ、ヌアー）などである。考古学者のウェングロウと、今は亡き人類学者／アナーキスト活動家のグレーバーは、四万年もの間、人々はさまざまな形の平等な社会構造と不平等な社会構造の間を行き来し、階層を築き、そして解体してきたと指摘する。国家を持たない社会の人々は、現代の人々よりも政治的自意識が低いどころか、むしろかなり高い方だったのだと、著者たちは主張する。どうして私たちは閉塞してしまったのか。

「旧石器時代の政治」を受け入れることは、グレーバーとウェングロウにとって、人類が長い間、自分たちをどのように組織化するか実験してきたという事実から力を引き出すことであり、社会変化の道筋は直線的なものではないということを意味する。まさしく、この本の最も大胆な主張のひとつは、私たちの現状を目的論的にとらえることに反対する姿勢である。人類の最初の三〇万年という過去が、私たちが平坦なものにしてしまったものに比して、変化に富み、暴力的で、希望に満ちていて、これらの全てが実に興味深いものであり、未来についても同じことが言えるかもしれないという主張である。その前提は爽快であり、その意味するところはまだ検討され始めたばかりである。グレーバーとウェングロウが諸資料から導き出した壮大な結論は、クワメ・アンソニー・アッピアのような学者たちの厳しい目に晒されているが、私はそれが本当に重要なことだとは思わない。気候による終末、政治の分極化、社会の崩壊が目前に迫っている中で、本書の楽観主義はそれ自体で挑発である。

ここ数十年、芸術とコミュニティ活動の境界線を曖昧にするような作品が急増している芸術界に、このような書物は何をもたらすのだろうか？　美術史はユートピア思想に満ちているが、『万物の黎明』は、この衝動を「関係性の美学」や「社会的実践」といった用語が生まれる何千年も前の、社会再編成の長期持続longue duréeに再文脈化する。もちろん、ブロンクスにおけるトーマス・ヒルシュホルン、クイーンズにおけるタニア・ブルゲラ、パレ・ド・トーキョーでのティノ・セーガルなど、アーティスト養成プログラムや小規模な暫定的プロジェクトを、氷河期の遠い祖先と直接比較することはできない。プレスリリースや、展示キャプションや、批評に見られるようなラディカルな主張の割には、今日の最も野心的な社会実験は、伝統的な芸術活動とはかけ離れたところで起きているという意見の一致が広がっている。二〇一一年のオキュパイデモ、最近の相互扶助の取り組み、そして全米に広がるストライキや組合運動の波は、非営利団体や美術館、ビエンナーレが展示する制度的に認可された芸術よりも、ウェングロウやグレーバーの先史時代の祖先の世界作りと共通点が多い。しかし、おそらく私たちは、より大きな時間的、地理的、学問的足跡を持つ関係性の芸術の歴史を考えるべきだろう。このような先人たちを芸術家と呼ばないのは、かれらの創造する力についてというよりも、人間の想像力を解釈する現代的な枠の限界についてより多くを物語っている。社会的実践とは、近年パッケージ化されているような現代芸術の洗練されたサブジャンルではなく、人間の政治活動の活力源である、と著者たちは示唆する。

今日、芸術の領域を資本主義的生産のための一種の研究開発部門として、あるいは実際の革命の沈滞した「体験経済」のシミュラークルとして見るのは簡単だ。しかし、『万物の黎明』を読むと、政治的意識とは芸術的意識であると感じられる。この見方によって、私たちは芸術作品を「人工の諸地獄」ではなく、別の生き方への小さな窓として、新たな楽観主義をもって見ることができる。グレーバーとウェングロウは、「複雑な象徴的人間行動」、つまり私たちが「文化」と呼ぶものの最初の証拠を一〇万年前のものだとしている。彼らは、彫刻や洞窟壁画や土塁を、創造的表現の証拠としてだけでなく、それらを生産するために必要だった社会形成の移り変わりの証拠としても頻繁に引用する。例えば、ギョベクリ・テペの二〇〇ものそれぞれ独特な動物彫刻柱を作るために熟練・非熟練の労働力が大規模に動員されたことや、あるいは、ミノア・クレタ島の美術に母系制の痕跡があり、権威的な人物を表した視覚的表現はすべて女性の描写だったということである。しかし、芸術に対する本書の深い意味は哲学的である。著者たちは、現在の状況を必然的なものとして提示しようとする支配的な歴史記述に関連して、「ここでみてとれるのは、やはり強力な近代の神話なのだ」と述べている。「このような神話は、人々の発言内容に影響を与えるにとどまらない。それ以上に、ある種のことがらを不可視にしてしまうのだ」。グレーバーとウェングロウの生業は、芸術家のそれと同じように、新しい物的証拠に基づいて反－神話を作ることなのだ。

本書はまた、人間の活動のより広範な分野である「遊び」の中に芸術を位置づけている。新石器時代の創造性のすべてが生産的な目的に向けられたわけではない。すなわち土器は、新石器時代のはるか以前に、芸術や小像figurinesの制作のために発明されたのであり、調理や貯蔵用の容器となったのはのちのことである。またギリシャ人は蒸気機関を発明したが、それは神の力を想起させるよう神殿の扉を開けるためだけだった。さらに中国の科学者たちが火薬を発明したのは、花火のためだった。「このように、歴史のほとんどにおいて、儀礼的遊戯の領域は科学的な実験室であり、かつ社会にとっては、実際に応用できようができまいが、知識や技術の宝庫でもあった。」

遊びのヒューリスティックは、「遊戯王」や「遊戯警察」などの社会形態の分析にまで及んでいる。たとえば、現在のルイジアナ州にあるナチェズ族の社会では、（神聖なる王として知られていた）偉大なる太陽the Great Sunが、寺院に隣接する土で敷かれた巨大な広場に位置する小屋からなる王族の村で無限の権力を振るっていた。しかし、王の権力は彼の近辺に限られていた。王族の村の外では、その臣民は王の代弁者の命令に従う気がなければ、単に無視するか、独自の交易や武装集団を保ち、王の命に反する外交方針をとりつつ近隣の豊かな地域に移住することもあった。遊戯という要素は、ナチェズの実践していた一種の儀式化された敵対の中にも見受けられた。ナチェズの平民は王を待ち伏せし捕らえて殺そうとするふりをしては、そこに戦士ごっこの一団が王を救いに参上するということを毎年、行なっていたのだ。この臣民の革命ごっこと君主の主権の間の緊張関係は、ヨーロッパによる侵略の際に、フランスとの同盟を選んだ地区とそうでない地区の間の現実の敵対関係へと膨らんでいった。現在のモンタナ州とワイオミング州のマンダン・ヒダサ族とクロウ族の間では、バッファロー狩りを巡って緊張感が生じる夏の時期に、全的な強制力を持つ警察組織が設立された。涼しい冬の間は、臨時の「署長」や「警察」はすべての権限を剥奪され、これらの組織は完全に解体されたのだ。この主権は一時的なものである代わりに現実味に欠けることはなかったが、社会的な実験、あるいは「遊び」への集団的な志向が、自覚的な政治的変容のほとんど絶え間ない流れを可能にしていた。

『万物の黎明』による人類史の書き換えは、いわゆる正典やその直線的な進歩の物語を見直そうとする美術機関による最近の取り組みと似通っている。その点で、「先住民による批判」に関する序章は不可欠であり、啓蒙主義の伝統に対するアメリカ先住民の思想の影響を汲み上げている。本書は、あるカナダ駐在のフランス貴族によって一七〇三年に書かれた影響力のある文章の中で、ヒューロン＝ウェンダット族の政治家カンディアロンク（アダリオという仮名で知られた）が述べたヨーロッパ社会の評価に焦点を当てている。「わたしは六年間、ヨーロッパ社会のありさまを観察してきましたが、かれらのおこないが非人間的でないとは、いまだいささかもおもえません。」ラオンタン男爵は対談相手の言葉を引きながら、ヨーロッパ的な構成、その競争的な性質や、財産への執着がもたらす悲哀と苦渋を批評している（ウェングロウとグレーバーは、「西洋」に本当の意味があるとすれば、それは財産権を社会権力の唯一の基盤とみなす法的および知的伝統にあると主張する）。アダリオは続けて言う。「お金の国に住みながら魂を生き長らえさせることができる、このような考えは、湖の底で命を長らえさせることができるという考えと変わるところがありません」。著者たちは言う。アダリオは、ほぼ完全にカンディアロンクに基づいていると信じる確かな証拠があるにもかかわらず、長い間、実在の人物ではなく、小道具や修辞上のキャラクターと考えられていた、と。グレーバーとウェングロウのように、カンディアロンクを「アメリカの知識人」

とまで呼ぶことは、言葉のレベルでの革命であり、ヨーロッパ文明とアメリカ文明の接触が始まった当初から、峻厳な知的論争が行なわれていたことを表明するものである。そして最終的に、本書の「人間的であること」へのこだわりをどう受け止めるべきだろうか。多くのアーティスト、学芸員、学者が、自分たちの仕事のなかで「人間を脱中心化」しようと躍起になっている今、『万物の黎明』は、人類が何であったか、何であるか、そして何になりうるかという、問いの束を再構成するという（はるかに困難な）仕事を私たちに促している。本書の結論において、グレーバーとウェングロウは、「どのようにして私たちは閉塞したのか」という最初の問いを、別の問いに言い換えている。すなわちどのようにして最終的に暴力と支配にもとづく関係が正常化されるようになったのか。著者たちによる人間の大らかな復権はこう示唆している。私たちに必要なのは、人間という概念を超越することではなく、むしろいにしえの者たちを記憶することなのかもしれない。

"BREAKING DAWN: David Graeber and David Wengrow's new history of humanity."
Published in ARTFORUM, January 2022.

◉エッセイ

狩猟民の知的能力の高さに憧れる私はバカなのだろうか

角幡唯介

辺境を旅をして、そこの民と生活をともにしたことのある者なら誰もが知っていることだが、文明人はおそろしく生活能力が低い。そして泣きたくなるほど知恵がない。

私がそのことを痛感するようになったのは、グリーンランドのイヌイットとつきあうようになってからだ。十年前からシオラパルクという最北の村をベースに北極の氷原を旅するようになった私は、この村で橇犬の調教や、旅に必要な道具を作るようになった。

よそ者が自分の村に来てなんやかんややりはじめるわけだから、村人は私に、そんなやり方じゃダメだと色々お節介をやく。そしてことあるごとに「イッディ・ニヤコ・アヨッポ」と言った。お前は本当に頭が悪いという意味だ。

実際に私も、オレって本当に頭が悪いなぁ、と思うようになった。それまでは自分は現場能力の高い、何でもできる人間だと自信があったのに、何もできない無力な人間だと思い知らされたのである。

頭の良し悪しというか、そもそも私と彼らでは思考の組み立て方がちがう。氷に閉ざされた北極では樹木が育たない。資材の入手が限られているため、歴史的に彼らは創意工夫をこらしてゼロから必要な道具を製作しなければ生きられなかった。だから彼らの思考回路は固定観念や常識にとらわれず、自由だ。

　文明人は何かを作るときも、習性としてまずひな形やマニュアルを参照しようとする。最近はＤＩＹが流行っているが、多くの人は動画を参考にしてその通りに作ろうとするだろう。でも、そういうやり方はイヌイットに言わせれば「ニヤコ・アヨッポ」だ。なぜなら自分の頭で考え、ゼロから作り出していないからである。

　彼らはマニュアルを良しとせず、まず目の前の事物、事象に向き合う。道具を作るときも素材の性質を真剣に検討する。それが木材であれば、目の前のその板材の木目や柾目（ますめ）の強度を分析し、世界でたった一つしかないその木材に適した作り方を考える。

　先入観にもとらわれない。たとえばフライパンひとつとっても、われわれにはフライパンだという固定観念があるので、テフロンがはげて焦げつくようになったら捨てる。しかし彼らにはそれをフライパンではなく金属の板だと見なせる融通無碍さがあるため、フライパンとして使えなくなっても別の素材として流用できる。

　要するにこれは世界との向き合い方のちがいなのだと思う。

　マニュアルや設計図にすがるわれわれは、世界を均質なものとみなしている。道具なら道具、動物なら動物、なんでもいいが、事物を同種でまとめて、その種類に共通したやり方を発見すれば、どんなものにも機械的に適用できると考えている。設計図があればいちいち個別に考えなくても、だいたい同じ品質のものができて効率がいいと思っている。

　だがイヌイットは世界を均質なものと見ていない。同じ種類の事物でも、一個一個のモノの性格はバラバラで、流れる時間も一瞬一瞬がつねに新鮮なのだ。だから道具を製作するときも、狩りをするときも、そのときどきの最適解をいつも見つけなくてはならない。こういうやり方なので社会全体の生産性は落ちるかもしれないが、個々人の能力や知恵はわれわれと比較にならないぐらい高いのである。

　この世界認識は、一頭一頭の獣をいつも相手にする狩猟民独特のものであるにちがいない。

　やがて私は古の狩猟民のことを夢想するようになった。

モノにあふれた二十一世紀のイヌイットでさえこれなのだから、後期旧石器時代の狩人の知的創造性はいかばかりであったろう。彼らのことは本で読むぐらいで、正直あまり詳しく知らないのだが、でも憧れるし、もし生まれ変われるのであれば、二万年ほど前のカスピ海沿岸あたりでみんなと一緒にマンモスを追いかけたい。冗談抜きでそう思う。そこはいったいどれほど自由な思考の漲る世界だったのだろう？

しかし、こういう話を辺境の民と接したことのない文明人に話すと笑われるのである。

なぜか？ それは、原始の人は現代文明人より知的に劣っているという偏見があるからだ。そしてその偏見の正体はもちろん本書で粉砕の対象とされている社会進化論的な歴史観である。

人類の社会は素朴で単純なステージから複雑なものに発展してきた。現代社会の閉塞は必然で、遅かれ早かれこうなった――。このあやまった常識が脳内の油汚れとしてこびりついているので、自分たちはスマホがなければ何にもできないくせに、狩猟民を劣っているとみなし、それを是正できないでいる。

私はこの本を読んですっきりした。脳内の油汚れがさらに除去され、新しい希望に満ちた人間像を手に入れたような気がする。

年が明けたらまたグリーンランドに出発だ。きれいになった頭で今年も海豹（あざらし）や白熊をおいかけて旅をしよう。

（探検家・作家）

まあるいピトビトは泥団子の何万年

鳥居万由実

獣を追いかけるには獣の気持ちになれとピトはうなる
目の周りを赤土で染めて　体中に泥を塗りたくれば
筋肉はうねり盛り上がる
黒曜石の矢じりみたいに獲物を求めて鈍く光る
仕留めたノロジカのはらわたから上がる湯気
背骨に沿ってナイフを入れていけば
かじかんだ手が血と脂で温まっていく
乾季のピトの目は三角形
焚火に投下すれば爆発するドングリ
知っていたか、と長老が唇の脂をぬぐいながら語る
「ある日ピトビトは泥団子から生まれたんだ」

雨季はパン種のようにそこらを甘く膨らませていく

太陽のシャワーは気怠げに降り注ぎ
筋肉の溝を雨粒が流れ落ちるにつれ
ピトの体はやわらかくまるくなっていく
乳房が垂れ下がり　尻が誇らしく膨らむ
まなざしの中にも水たまりがやどり
ぽちゃぽちゃとピトピトは群を離れていく
やがて木陰の小屋で　船の上で
子どもに乳を飲ませるピトもいる
貝殻の虹色が反射するネックレスを交換し
子どもらと壁に手形をつけて遊ぶ
渦巻き模様を土器と皮膚に刻んで
葉巻をくゆらせ別世界の夢を見ながらまぶたを痙攣させる

騾馬(らば)が洪水の匂いに鼻をぶうぶういわせている
河の氾濫が春を告げ、呼びかわす声はどこまでも水面を伸びていく
子どもを背負ったピトらは歌いながら穀粒を泥に撒く
ねっとりした肥沃な泥に足を埋めれば
魚と太陽と海藻の匂いが立ちのぼってくる
泥をすくって藁と混ぜる　牛の糞と砂と小枝とこねて
草の匂いがこうばしい泥壁のできあがり
天井からはしごで入る壺のような家
壁に白い漆喰を塗って　星の間に見えた幾何学模様をなすりつける

イノシシやアカシカの予言の合間に子どもらが赤黄の手形を付けて回る
家が古くなったら、貝殻や祖先の骨と一緒に泥で埋めて
家の上に新しい家をつくる
孫の孫の孫が生まれる間に、ピトビトの家は丘になる
屋根の上に寝転がって日向ぼっこする
彼方の山脈と向き合って、どこまでもそびえていく

風が火の粉を運んできた
家の一つが大きく育ち　ぶるぶる頭を振って立ち上がって砦になった
そいつはみずからを王と呼んだ
王は巨大な太鼓の中にピトビトを放り込み、豆のように炒った
あるピトビトは豆の姿のまま転がり逃げて行き　そこで再び芽を出した
他のピトビトはバチバチ弾けて獣になった
無数の獣はごわつく毛皮と沸騰する舌で王を引き倒し
すりつぶして地面に埋めた

ピトビトは泥団子になって見知らぬ土地まで転がっていった
新しい世界で何もかも始めからやり直そうと

大鷲がおこぼれ求めて旋回する下には
菌類のサークルのようなピトの大集落
もう何千年も重なり続けた木の年輪

水車の踏み車みたいに　ピトが生まれ死に　動き回るにつれ
何かが家々を回転していた
毛皮コートのお下がりが、山羊の搾乳当番が、森の入り口の見張り番が
ナッツとスローベリーが、ウイキョウの薬が、猪肉と酒のスープが、
手から手へと渡された
回っているかぎり、水は尽きなかった　釣瓶をたぐっては皆喉を潤した
ピトらの手の中でこねられ魂は土にこもる
呪物にこめられた魂は季節ごとに溶岩として噴出し
山脈のように陽気な乳房とお尻で　移ろいやすい「時」を虜にした
「時」はこうしていつまでもピトビトの元にとどまった
この円形の拡大家族はこの世の果てまで続くかに思えた

しかしいつか時は破れた
王は何度も地の底から甦った
何回でもピトは離散した
数えきれないほどほどき、また結び、すべて最初から始めた
気付くといつからだろう、
王は復活した
今度の王は長生きだ
薄い雲のように透明で　地球の表面すべてに行き渡っていて
しかも王などいないかのよう
雲の合間を徘徊しているのがジェット機から見えることもあるとか

ピトはスーツに体を挟まれネクタイで首を絞めていた
乳房やお尻はショーケースの後ろで飾られていた
黒曜石を磨いていた手はスマートフォンの画面をこすっている
デジタルの数字を飼いならし繁殖させる　目に見えぬ王のために
それでもある朝気付く時が来る
枕元のデジタル時計の文字盤が
何万年も前に粘土板に刻んだ言葉で呼びかけているのに
「従わない自由」「離脱する自由」「新しく始める自由」をまだピトは持っているだろうか
ある日ピトは泥団子から生まれたから　いつでも形を変えて遊ぶのが好き
祖先の笑い声が血管の中で騒ぎだす
足の裏は春の氾濫の泥を感じたくてうずうずしている
鼻孔は海辺の微生物豊富な風を　耳は内なる獣の遠吠えを恋しがっている
ある日ピトはハイヒールを放り出す　スーツを引きちぎる
そして遥か遠くで自分を迎え入れてくれる
同族（クラン）を探しに出発する
そしてここからが新しい物語の始まり

＊執筆にあたり『万物の黎明』に登場したチャタルホユック、ネベリフカの文明、ナンビクワラ族の慣行などを参照しましたが、空想であり正確な考古学的知見に基づくものではありません。現在、瀬戸内のある島に住んでいますが、村上海賊を想起させるような自治的空気を面白く思っています。物々交換、時間や食べ物、住まいのシェア、自給自足の遊戯農耕など、実験的な試み・空気があります。今個人的に希望を感じられるのは、そうした草の根レベルの自由な生活実験です。『万物の黎明』を読んで感じたのは、そうした傾向との共鳴と、可能性の再認識でした。

（詩人）

なんというアブダクション！　なんというファビュラシオン！

白石嘉治

昨年の一二月一五日、アントニオ・ネグリが亡くなった。その翌日に『万物の黎明』出版記念イベントが訳者の酒井隆史をまねいておこなわれる。[1] 会場からコメントがもとめられる。酒井はネグリ＝マイケル・ハート共著の世界的ベストセラー『〈帝国〉』の訳者でもある。彼はことばをえらびながらこたえる。かつて丹生谷貴志の訳出したネグリ＝ガタリ共著『自由の新たな空間』に感動したこと。そしてネグリたちが一九七〇年代に展開した「アウトノミア（自律）」運動は、当時の「オペライズモ（労働者主義）」という思想に裏打ちされていること。つまり資本はなにもつくりだしはしない。資本のイノベーションも、労働者の運動にたいするリアクションにすぎない。歴史をうごかしているのは労働者である。若かったグレーバーもまた、こうした「オペライズモ」の転倒をくぐりぬけてきたはずである、と酒井はコメントする。

たしかに『万物の黎明』では、近代の「啓蒙」の起源における転倒がつまびらかにされる。ヨーロッパ人たちが「啓蒙」を発明したのではない。彼らにとって「自由」は厭うべき無秩序にすぎなかった。「自由」にねざす「啓蒙」は、彼らが大航海時代に接した先住民たちからつたえられる。労働者が資本をつきうごかすように、未開の「自由」がヨーロッパに「啓蒙」をもたらしたのである。

だが、はっきりさせておかなければならない。ネグリにとっては、労働者も資本家も〈帝国〉というグローバル化した資本によって実質的に包摂されている。だから革命とは、労働者が資本家にとってかわって〈帝国〉をとりしきることである。革命は労働者の「自律」＝「アウトノミア」の実現にほかならない。それにたいして、グレーバーはそうした包摂をみとめない。包摂はつねに不完全な形式にとどまる。近年の人類学者エドゥアルド・ヴィヴェイロス・デ・カストロが先住民たちの行動や思考を神話のなかに封じこめていると批判する。神話であれ資本であれ、われわれをつつみこむことなどできない。なぜなら、われわれは「自由」だからである。

もちろん、今日にいたる資本の圧迫にたいして、大学は自治をとなえつづけてきた。大学の「アウトノミア」ともいえるのだろうが、あらためて問うべきは戦略じたいのあやうさである。じっさい学生も教員も、みずからの本分である勉学や研究にいっそううちこんできたのだろう。だが、そうした「自律」のいとなみへの没入は、資本にやすやすとすくいとられる。美術批評家グリーンバーグのとなえた「自律」概念にもとづく現代アートがそうだったように。あるいは、昨年の末にいったん解体を宣言したサパティスタ民族解放軍の自治を思いうかべてもいい。

「自律」と「自由」のあいだに、くさびを打ちこむ。『万物の黎明』は、そのために読まれなければならない。たとえば、ネグリが亡くなる二日まえの一二月一三日、改正国立大学法人法が参議院で可決された。この法律がもくろむのは、資本による大学の包摂である。だからこそ、その卓越したエージェントであろうとした筑波大学長は、おどろくべきことに、みずから終身学長となることを宣言したのだろう。

『万物の黎明』の語る「フィクション」が「自由」とむすびついていることに注意しよう。問われているのはフィクションの「自律」ではない。フィクションがもたらす「実質的自由」である。フィクションにのみこまれるのではない。われわれがフィクションをつくり、そこに権力を封じこめる。たとえば、先住民たちのなかにもヒエラルキーにとりつかれる者もいただろう。だが、そうした事態は「演劇的なもの」によって解きほぐされたという。富の蓄積も、服従をしいる権能となることはない。それは祝祭というフィクションをつうじて消尽されてしまう。

こうした「自由」をもたらすフィクションは、ドゥルーズが『哲学とは何か』で語った「ファビュラシオン（仮構作用）」といいかえられるはずである。[2] フィクションの「自律」は、演繹と帰納の循環へと閉じていく。全体から部分がひきだされ、部分は全体のもとにおさまる。それにたいしてファビュラシオンは、仮説発想とも訳される「アブダクション」から生じる。もともとパースの記号学の用語だが、彼が中世ヨーロッパにおける唯名論と実在論の論争に関心をよせていたのも偶然ではないだろう。唯名論では、すべてのものが紐づけられた表象となる。この表象の体制のなかで、部分と全体が循環するフィクションの「自律」も可能となる。

だが、実在論がむきあうのは、紐づけられない徴候である。草むらがゆれる。獲物なのか？　風がそよいでいるだけなのか？　かつてのわれわれは、こうした徴候にたいするアブダクションの連鎖を生きていたはずである。あるいは、こんにちのケアについてもおなじことがいえるだろう。うまくいかないこともあるが、アブダクションをくりかえすほかない。そしてファビュラシオンは、徴候にむきあうアブダクションの実在論的な反復にねざす。だから「自律」することもなければ、われわれを包摂することもない。アブダクションを行使する「自由」において、ファビュラシオンは隷従をしりぞける力能をおびる。

『〈帝国〉』の「自律」から『万物の黎明』の「自由」へ。「自律」の廃墟をファビュラシオンの「自由」の風がふきぬける。すくなくとも『万物の黎明』じたい、みごとなファビュラシオンであるだろう。考古学と人類学の無数の徴候をめぐるアブダクションから、現在の文明とは別様のアレンジメントがうかびあがる。末尾ちかくで、歴史家ホイジンガが肯定されているのもうなずける。彼は暗黒の中世という謬見を払拭した。標的は近代である。グレーバーとウェングロウもまた、先史時代や先住民の「啓蒙」を語る。ただし標的は文明そのものである。なんというアブダクション！　なんというファビュラシオン！　『万物の黎明』は、われわれにふりそそぐ「自由」へのめぐみである。

注　1　日本橋の誠品書店で、アナキズムに通暁している森元斎との対談がおこなわれた。「図書新聞」第三六三六号二〇二四年二月一〇日付（ウェブ閲覧可）を参照。／2　宇野邦一『非有機的生』をめぐる連続セミナー第三回（二〇二三年九月二四日於ＳＨＹ）での小林成彬の報告「副言的叙事詩のために」からヒントをえた。

（フランス文学）

アメリカの小父さん

早助よう子

斜めからの感想で恐縮だが『万物の黎明』を読んで、面従腹背というか、よくもまあこういうエピソードばっかり集めたもんだと本当に感心した。「アドニスの庭」は章タイトルにもなってるくらいだから、みんな好きだと思う。私ももちろん好きだが、もうちょっと見逃しがちな挿話でいうとヌアー族の女性の話も好きである。一四九ページあたり。この人たちは男の支配をまぬがれるために系譜上は男である女とか、亡霊と結婚しちゃうんである。


「おかーさーん、あたし結婚したくないんやけどー」

「ほならあんた、川向こうの＊＊さんトコいちょいで」

「なんで？」

「あの人な、男やと言うことになっとるから、頼んで結婚さしてもらい」

「それや」


……と以上は私の創作だが、この余裕、この明るさ。楽観的で無責任でとんちが効いて素晴らしい。自分が四角四面でクソ真面目、障害の前に仁王立ちになるタイプなせいか、余計にそう思う。

グレーバーというと日本グレーバー受容史には今のところ大きく二つの山がある。最近の山は『ブルシット・ジョブ』の大ヒット、もう一つの山は二〇〇四年の半ば辺りだ。私はその頃二十代半ばで、皆と一緒にグレーバーの奏でる笛や太鼓でピーヒャラどんどん、ヨイヨイと愉しく踊った。懐かしいなあ。当時、私は野宿者運動の片隅に引っかかっていたが、日本に紹介されたばかりのグレーバーの著作はいっとき、私のいた野宿者運動に有形無形の多大な影響を与えたと思う。厳しい業界なので、なんだとう、グレーバーの影響だあ？　思い上がるなあ！　と今にも声が飛んできそうだが、つまり、二、三の人が熱心に導入したんですね。トップダウンじゃない組織づくりの方法とか、人集まりに権力を発生させない小技とか、仕組みづくりとか。それらが実に魅力に富んだ形で、具体的な事例と共にそれはもう面白く紹介されていた。私は彼の著作をほとんど実用書として読んだと思う。寄せ場に脈々とあった自由を求める気風にもマッチした。

特に会議法の一種――合意形成法のインパクトは強かった。合意形成法の魅力、それは素早さである。「じゃあ今から三〇分後にどこそこに集合、緊急事態なのでアレします」みたいなことを二百人いて五分で決定できると言われた。夢みたい。それも仕切るやつがいて、とか誰かの命令に従う、とかじゃなく水平な関係のままで。年長男性活動家の気ままな長広舌に貧血を起こしていたあの頃の私。誰かが話し始めると「いやワシは」と遮ってみんなワシの話にしてしまうから会議といっても時間だけがただ過ぎてなんにもできないのだが、ウブで健気で無知な当時の私は状況に対して手も足も出なかった。そんなところに紹介されたグレーバーの著作は、なんというかもう、すごい味方が現れたという感じ。まさに、小説の世界でいう「アメリカの小父さん」である。ちゃらんぽらんで独り身で、困ってるとき横紙破りな助言をしてくれることでお馴染みの、あれですね。どういう奇特な人が訳したんだろうと思うのだが、巷ではグレーバー未刊行邦訳のデータがこっそり出回っていた。アメリカの先住民の皆に範をとる組織づくりや会議法がドキュメント風に記されていて、失敗例も含めあんまりあけすけに書いてあるので読んでいてドキドキしたものだ。これ本当かな、ニューヨークの人たちみんな怒んないのかな。なにせ海賊版だからどれだけの人が読んだかわからないが、助かった人は多かったと思う。私も「あたしそれ、絶対読みます」と思い詰めた目の若い人に言われて、どうぞどうぞと一回まわしたことがある。あのデータ、もう手元にないけど、なんだったんだろう。

さて先日のこと、若い人たちが、ヴェテラン活動家の皆さんに水ももらさぬほど綿密な糾弾を受けているところに行き合った。十分か、二十分か。千年くらいに私には思えた。終わった後、そっと手招きして「こんなところ、早いとことんずらした方がいいっすよ」と小声で言った。そして「グレーバーの最新刊、読んだ？」と言って下を向いて分裂生成の話をした。こんなふうに通俗使用してしまっては著者たちに悪いが、グレーバーは私にとって、まだまだ「アメリカの小父さん」なのだった。本当に。私のやったことは老婆心としか言いようがないが、この四角四面でクソ真面目な活動家の皆さんを若い人が反面教師にして、すくすくとファシストにでも成長されたらことじゃないすか。ねえ。

本書の話に戻ると、全体に散りばめられつつ、最終章でちょこっとだけまとまって出てきた暴力と支配、そしてケアの抜き差しならぬ関係については、もっともっと知りたかった。現代社会のしょうもないトップダウン型組織はケアかその辺りを起源とすると、二人のデヴィッドは言うんである。なんとまあ。まだ骨子しかなくて、本書のこれはいわば予告で、これから色んな具体的で面白い挿話を交えつつ、いい感じに肉付けされてゆく予定だったのだろう。そしてまた邦訳で枕くらいの厚さの、六千円くらいする二段組の大著が次々と生まれていったのだろう。残念だ。

グレーバーはいつだったかわれわれの路上生活者向けの炊き出し、もとい共同炊事にやってきたことがある。登場があまりにさりげなかったので、印象は薄い。当時われわれは、メシを食いにきた人にアルミ缶を拾って持ってくるよう頼んで、それを売って食費の足しにしていたのだった。大川端の高速下で、連れてこられた風のヨレヨレの服を着たグレーバーは皆に混じり、何かとても楽しげに、ニコニコとアルミ缶を踏み潰していた。それを遠目に見つつ、

「なにがそんなに楽しいんだろう」

と訝しんでいたが、私は、大恩人とすれ違っていたのだった。

（作家）

◉エッセイ

ポスト人新世の芸術における想像力と創造性

山本浩貴

この本の前では何を言っても、単に凡庸な発言になってしまう――『万物の黎明――人類史を根本からくつがえす』は、そんな過激なインパクトを内包した書物だ。この爆発物のような、このうえなく危険な快作を世に放ったのはふたりのデヴィッドであった。ひとりは人類学者のデヴィッド・グレーバー、もうひとりは考古学者のデヴィッド・ウェングロウ。邦訳書も多く日本でも知名度の高い前者は二〇二〇年、わずか五十九歳で急逝した。

彼らの濃密な共同作業が、本書以降も続いていたら……。そんな妄想を逞しくせざるをえないほど、グレーバーの早すぎる死が惜しまれる。デヴィッドらが対話的プロセスを通して紡ぎ出した『万物の黎明』は、今後も古典として読み継がれるべき重要な学術書だ。しかし、これ以上は何も付け加えることがないような「完成された」著作ではない。むしろ、開かれた批判や議論を経て真の輝きを放つ――同書は、そのような本に仕上がっている。

加えて、『万物の黎明』は驚くほど領域横断的な応用可能性を秘めている。その多彩な領域のなかには、当然ながら評者が専門とする文化研究や美術史も含まれる。この意味でも同書は開かれた、常に「未完成な」成果物だと言える。ゆえに肝心なのは、この比類なき贈与を各領域で――あるいは、それこそ領域横断的に――発展させていくことである。日本の読者にとって、そうした書物をグレーバーの思想に精通した酒井隆史の翻訳で読むことができるのは僥倖だ。巻末に収められた酒井の文章（「いまこそ人類史の流れを変えるとき――『万物の黎明』訳者あとがきにかえて」）も秀逸で、この本の理解を促すのに役立つ。そこでも言及されている通り、同書はアートの世界に多大な影響を与えた。もともと、『負債論』や『ブルシット・ジョブ』といったグレーバーの著作に感銘を覚えたアーティストやキュレーターは多かった。『万物の黎明』刊行を機に、アート界でのウェングロウの存在感も急増した。

酒井の文章でも紹介されるキュレーターのサイモン・ウーによる書評は、昨今のアート的文脈における『万物の黎明』の意義を前景化する。彼が邦訳した引用箇所から、特に重要な一文を抜粋する。「多くのアーティストやキュレーター、学者たちが「人間を脱中心化する」ことに躍起になっているいま、『万物の黎明』は、人類とはなんだったのか、なんであるのか、なんでありうるのかという多重化した問いを再定義するという（はるかに困難な）作業にわたしたちを誘っている」。

ウーの書評を受け、酒井はこう問う。「たしかに、本書は、依然としてポストモダニズムの系譜のなかで、「人間」を脱構築したり、生態学的多元性のうちに「人間」を埋め込んだりする作業にいそしむ文化的・知的言説とは、一見して異質である。しかし、それがどれほど異質なのか、根本的な断絶があるのか、あるいは交錯しているのか。その差異のうちに、どのような知的かまえのちがいがひそんでいるのか。それは、どのような重大な意味をもっているのか」。

これは、核心的な問いだ。二〇二二年、評者は『ポスト人新世の芸術』と題された著作を上梓した。同書の目的は、美術史や芸術論の分野で「人間」の存在を相対化すること。その意味で、評者はウーの言う「「人間を脱中心化する」ことに躍起になっている」――それも、現代アートの領域で――学者のひとりである。ゆえにウーの批判、そして酒井の問いに応答する権利と義務があると思われる。

まず、ウーの見解に異を唱える。『万物の黎明』の企ては「人類とはなんだったのか、なんであるのか、なんでありうるのかという多重化した問いを再定義する」ことだ、と彼は述べる。その意見には同意するが、次にウーがそうした企てと「人間を脱中心化する」芸術的試みを峻別するのには違和感が拭えない。そうした試みが最終的に目標とするのは、「人間」と「非人間」の境界を探ることで「人間とは何か」を再考することだと評者は考える。その点で、両者に「根本的な断絶」(酒井)はない——そう評者は認識する。

では、「差異」はどこに。評者自身の反省を込めて言えば、最大の差異は両者の想像力のあり方だ。程度の差こそあれ、評者を含む多くの研究者やアーティストは社会構築主義的な決定論を前提にしている。すなわち、人間の自由よりも外的要因に拘束される不自由に重点を置くのだ。評者としては、こうした決定論を完全に手放す必要はないと今も信じる。だが『万物の黎明』を味読して、人間はもっと自由な存在だと思い知らされた。

「アートは想像力を拡張する」、と頻繁に口にされる。だが、アートに関わる人々は自身の想像力を拘束していなかったか。ふたりのデヴィッドから、そう問われているようだ。決定論でガチガチになっていない柔軟な想像力は、制限のない自由闊達な創造性を伴う。「人間」の問い直しが喫緊となった時代以後の——「ポスト人新世の」——芸術は、非決定論的な想像力とそこから派生する無際限の創造性をもつことができる——グレーバーとウェングロウの『万物の黎明』は、そのことを私たちに教える。あらゆる美術関係者にとって、本書が必読である所以だ。

(文化研究、美術史)

『価値論』から『万物の黎明』まで

社会創造の自由

藤倉達郎

デヴィッド・グレーバーはニューヨーク・マンハッタン南西部、チェルシー地区にある「ペン・サウス」と呼ばれるアパートで生まれ育った。[1] チェルシーは、もともと工場の多い地区で、そのなかには「スラム」と呼ばれるエリアもあった。ペン・サウスは、国際婦人服労働組合（ILGWU）が、住宅協同組合として一九六〇年代に建てた、低中所得者向けの一群の集合住宅である。グレーバーがのちに仲間たちとともに「占拠（オキュパイ）」することになるウォール街までは、地下鉄で二十分足らずの距離である。

　グレーバーの母はポーランド出身のユダヤ人で一〇歳のときに移民してニューヨークに住んだ。一六歳で大学に入学したが、大恐慌の影響で退学し、家族を支えるために下着縫製工場で働いた。アメリカ最大規模の労働組合だった国際婦人服労働組合が一九三七年に制作した『ピンと針（*Pins and Needles*）』というミュージカル・コメディの主演女優として、ブロードウェイの舞台に立ったこともある。この作品は大ヒットし、彼女の写真が『ライフ』誌に掲載された。グレーバーの父はカンザス州出身の印刷工だった。国際労働者同盟をつうじてスペイン戦争に参加し、そこで救急車の運転手をした経験もある。父はスペインから帰国してニューヨークに住むようになり、そこで母と出会った。ユダヤ人ではない相手と結婚したせいで、母は自分の家族から絶縁された。彼女は「社会主義シオニスト」でもあった。アラブ人と共生しながら、パレスチナに新しい理想のコミュニティをつくる、というプロジェクトを支持していた。（しかしイスラエルはやがて極右勢力に支配されてしまった。）[2]

このように両親とも労働運動に積極的に参加していたが、アパートに溢れるほどあった本のほとんどは（労働問題や政治思想ではなく）古代史やSFや人類学に関するものだったという。一二歳の頃のグレーバーは、マヤ象形文字の解読という「変わった趣味（odd hobby）」を持つ少年だった。いくらかの紆余曲折を経たのち、彼はニューヨーク州立大学パーチェス校とシカゴ大学大学院博士課程で人類学を専攻する。労働者の家庭に生まれた自分がなぜ研究者を目指したのか、について彼は、「父が、朝九時から夕方五時まで支配されることにならない生き方を見いだすように［と自分に］強く忠告していた影響があった」（グレーバー2006:9）と書いている。

では、グレーバーは人類学にどのような希望を見いだしていたのだろうか？　アパートが古代史やSFや人類学の本で溢れていた理由について、それは母と父が「資本主義と根本的に異なった構造を持つ世界への関心」を共有していたからだ、とグレーバーは成長するにつれて理解するようになったと言う（2006:5-6）。資本主義が支配的な世界（わたしたちが生きている世界）というのは、どのような前提や実践からできていて、それとは異なる世界はどのような前提や実践からできているのか。そして、わたしたちが、いま生きている世界とは違う世界をつくり出していくためにはどうすればいいのか。これらのことをグレーバーはその生涯をつうじて問いつづけた。ここでは、グレーバーの最初の単著である『価値論』から、最後の著書となった『万物の黎明』まで、彼が考えつづけた、いくつかの問題群についてふりかえってみたい。

「価値」という問い

人類学者ブロニスワフ・マリノフスキーによると、トロブリアンド諸島の人びとは、女性の妊娠に男性は関係していないと述べる。またトロブリアンドの男性は、自分のヤム芋畑を魅力的にすることに際限のない労力を費やし、その収穫の半分は誰にも食べられずに腐ってしまう。食べる分にしても、そのほとんどは自分ではなく、首長や、自分の姉妹の夫の家族に贈られる。これらの実践は、この母系制社会における男性の位置づけと関わっている（『価値論』二二頁）。パプア・ニューギニアのメルパ語話者たちのあいだでは、おもに女性が豚を飼育し、男性が公けの儀礼の場でそれらの豚を他の男性に贈与することによって名声を得る。しかし、だからといってメルパの女性は男性に「搾取」されているとは言えない、と人類学者マリリン・ストラザーンは述べる。なぜならメルパの人びとは、生産物の「所有権」は本来的に生産した人に属するなどという観念を持っていないからだ（『価値論』七二頁）。

このように、人類学者たちは、自分たちの社会とは異なるさまざまな実践を鮮やかに描き、それらがどのような文化的前提にもとづいているのかを論じてきた。それらの著作は、古代史やSFと同じように、いま、ここ、とは「異なった構造を持つ世界」を見せてくれる。しかし人類学理論には足りないところもあった。一九八〇年代までに、人類学は、いかに、異なる社会が、異なる意味の構造を持っているかを説得的に分析できるようになっていたが、それらの構造がどのように変化するのかについては、満足のいく理論を提示できていなかった。人間はそれぞれの社会が前提とする世界理解や規則に従って、社会を同じかたちで再生産するだけではない。人間は個人的・集合的行為を通して、社会のあり方を変えることもある。歴史的変化をも視野に入れた人類学理論を再構築しなければならない。そしてそのような理論は、ホッブズやルソーの「自然状態」の観念や社会契約説よりも、もっとしっかりと人間の現実に根差したものでなければいけない。そのためには「価値」の問題を人類学の中心に据える必要がある、とグレーバーは考えた。人間は歴史的に構築されてきた意味の構造を通して世界を理解する。しかし、それだけではなく、自分や他者にとってより望ましい状態を実現しようとして世界に働きかけもする。「意味」と「欲望」を架橋するのが、価値の理論だ。価値とは望ましいもの、大事なものについての観念で、それが人間の実際の行為を動機づけるようなものである。そこには貨幣価値に換算されるような「経済的価値」も含まれるし、お金には代えられないような「価値／価値観」も含まれる。これらを連続的に捉えるような価値の総合的理論をグレーバーは構築しようとした。

グレーバーはデビュー作である『価値論』において、シカゴ大学の教員であったテレンス・ターナーの議論を下敷きに、価値の総合理論の枠組みを素描している。ターナーは、他の誰もしていなかったようなやり方で、マルクスの価値理論を、ブラジルの先住民カヤポを含む非資本制社会に応用した人類学者である。グレーバーは、ターナーの議論を参照しながら、価値は人間の行為からできている、と論じる。もともと人間の行為からできている価値は、記号を通して、人間に意識される。ここでいう記号とは、たとえば、資本制社会における貨幣だったり、カヤポの長老が村の広場の中央で行なう見事な朗唱だったり、トロブリアンドの島々の間で交換される首飾りや腕輪だったり、パプア・ニューギニアのバイニングの人たちが他者に食事を振る舞うことだったりする。『資本論』の冒頭の文で、マルクスは、資本制生産様式が支配的な社会において、社会の富は「巨大な商品の集合体」の姿をとって現れる、と書いている。ターナーによれば、カヤポ社会においては（長老の朗誦に体現されるような）「美しさ（beauty）」と「支配（dominance）」がもっとも重要な価値として現れる。資本制社会における商品や貨幣にしても、カヤポ社会における美しさや文配にしても、それらの価値をつくり出しているのは、究極的にはその社会の成員である人びとの行為である。そのようにしてつくり出されている価値を手に入れようとして、人びとはさらなる行為へと促される。しかし、どの社会においても、政治の究極的な課題は、価値を手に入れようとする闘争ではなく、なにが価値であるかということ、そのものを確立するための闘争なのだ、とターナー、そしてグレーバーは論じる。そして、究極的な自由とは、価値をつくり出したり蓄積する自由ではなく、「人生を生きるに値するものとするのはなにかを（集団として、あるいは個人として）決定する自由である」（『価値論』一四七頁）。

社会の創造と価値の関係は、『万物の黎明』において、次のように定式化されている――「わたしたちが「社会」と呼んでいるものは人間の相互創造であり、「価値」とはその過程のうちの最も意識的な局面である」（二二九頁）。

マルセル・モースの問い

マルセル・モースは一九世紀終盤から二〇世紀前半を生きた、フランスの偉大な社会学者、人類学者であり、現代の人類学や思想一般にも大きな影響を与えつづけている。グレーバーはデビュー作の『価値論』で、モースの著作を詳細に検討している。『万物の黎明』においても、モースのエスキモー社会の季節的変化（第3章）や、文化的差異の創造（第5章）についての議論が重要な役割を果たしている。しかしグレーバーが『価値論』においてまず最初に注意を促すのは、モースが筋金入りの社会主義者だったということである。モースは協同組合と労働運動を通して、究極的には、賃労働の廃止を目指していた。モースは、フランスの労働者が、自分の労働の生産物が、自分の意思とは無関係に先へ先へと転売されていくことへの強い不満を示すことに言及している。モースがこれを書いたころの賃金労働者には、最近まで農民だったり職人だったりした人びとも多く含まれていた。そしてその人たちは、一日の多くの時間を、他人の目的のために、言われるままに働かされるという仕組みは、「一般的な正義の直感」や「道徳の「根幹」」に反する」と感じたのだ（『価値論』二六九頁）。もちろんこれはグレーバーの父が彼に語ったことと重なっている。モースの政治的姿勢は、英米の人類学者のあいだではさほど知られていなかった。そしてそれがモースの著作に対する理解の不十分さにつながっている、とグレーバーは論じた。

基盤的コミュニズムと自由

モースの著作のなかでもっとも広く読まれ議論されてきたのは『贈与論』である。『贈与論』は、「未開社会」や「古代社会」（つまり非‐近代社会）における贈与と、それに対してお返しをする義務を主題としている。とくにアメリカ北西部やメラネシアの事例で有名な、どちらが相手により多くの贈り物ができるかを派手に競い合う「ポトラッチ」の分析に多くの頁がさかれている。しかしグレーバーは『贈与論』の最初に出てくる「全体的給付」という言葉にもっと注目すべきだ、と言う。「全体的給付」とは、次のようなことを指す。

二つの集団が、お互いにすべてを与え合うことによって、完全な相互依存の関係をつくり出す……それはすべてを含む契約のようなもので、そこでは村の半分が、他の半分に、食料、戦力、儀礼、性交の相手、「ダンス、饗宴、市」、尊敬と承認の身振り、その他、ほぼすべてを依存しているのである（『価値論』二五三―二五四頁）。

モースはさらに、『贈与論』出版から少し経った一九三〇年代半ばに、全体的給付について、オーストラリアのクルナイ族の男が妻の両親に対して負う、無制限の義務を例にしながら語っている（『価値論』二五四頁）。妻の両親は、娘の夫に対して、食物でもカヌーでも、無制限に要求する権利があり、男はそれに応える義務がある。モースは、この全体的給付の関係を「コミュニズム」とも呼んでいる。ある人が自分に必要なものを、直接的な支払いや返礼もなしに入手することが認められているとすれば、それはコミュニズムなのである。これはコミュニズムを、私有財産の撤廃や集団的所有と定義する立場とはまったく異なる。モースにとってのコミュニズムは、アクセスや分配に関わるものだ。さらにモースは、このような全体的給付＝コミュニズムは、わたしたちには縁遠く思われる「未開社会」だけでなく、現代に生きるわたしたちの社会を含むすべての社会の基底をなしている、と論じる（モース2014:63）。それは特定の個人と個人や、集団と集団のあいだの関係のうちに見いだすことのできる、態度や傾向性である。言い換えればそれは「各人はその能力に応じて［与え］、各人はその必要に応じて［受け取る］」というような関係であるとグレーバーは言う。（『価値論』三四二頁：『万物の黎明』五五―五六頁）。コミュニズムをこのように定義することによって、モースは、コミュニズムをいたるところに、「資本制社会」のまっただなかにさえも、見いだすことを可能にしているのだ。グレーバーは『価値論』の一〇年後に出版された『負債論』のなかで、このような基盤的なコミュニズムについて、ふたたび詳しく論じている。そこでグレーバーは、なんらかの目的のために複数の人間が協働しているときは、ほとんど誰もがコミュニズムの原理にしたがっている、と言う。例として、水道の修理をしている人が「スパナを取ってくれ」と頼んだときに、その同僚が「かわりになにをくれる？」などとは言わない（『負債論』一四三頁）。これはその職場がハンバーガー・チェーンだったとしても、金融機関だったとしても同じことである。『万物の黎明』では、溺れそうになっている人がいて、ロープを投げてその人を助けることができるのならば、投げるのがあたりまえだ、という感覚を例として挙げている（五五頁）。

『負債論』（第5章）においてグレーバーは、「コミュニズム」と「交換」と「ヒエラルキー」を「経済的諸関係のモラル的基盤」の三つの原理として挙げている。もちろん、人間社会にとって根源的なのはコミュニズムである。生まれたばかりの人間は、一人では生きていけない。私が生まれたとき、まわりにわたしの世話をしてくれる人たちがいたから、わたしは生き延びたのである。そのように、他者への依存は、人間の初源的な経験である。成長したのちも、わたしたちはほぼすべてのことを他者に依存している。ただ、市場の匿名性によって、わたしたちは自分の生存が、あたかも他者に依存していないかのように思い込むことができるのだ。匿名的な市場のないところでは、そのような幻想をいだくことはできない（『価値論』三四七頁）。

　ではなぜ『贈与論』はコミュニズムとしての全体的給付ではなく、ポトラッチのような贈与交換分析に大きな力を注いでいるのだろう？　グレーバーから見ると、すべての社会の基盤に――「資本主義社会」とよばれている社会の基盤にも――コミュニズムがある、という指摘の方がより重要であり、市場原理主義的イデオロギーに対する、より有効な批判になる。それに比べて、贈与交換は、それが商品と貨幣の交換とは違う、贈与の交換であるとしても、やはりほぼ同等の価値があるとされるものがやりとりされる交換であることには変わりがない。

みずからが出したこの問いに、グレーバーは、それはモースが「自由」について考えていたからだ、と答える。古典的な贈与交換において、贈り物を受け取った側は、贈り手の下位におかれ、その自由は疑問に付される。受け取ったものとほぼ同等の返礼をすることによって、関係は解消され、自由が回復する。さらに深い理由もある、とグレーバーは言う。さきに書いたような開放的な「コミュニズム的」関係は、とても簡単に庇護と搾取の関係へと転じうるからだ。グレーバーは「家族」を例に挙げる。それは基本的な相互的ケアの場でもあるが、往々にして、家父長制のような、支配と搾取の場でもある。そしてパプア・ニューギニア高地や古代地中海などに言及しながら、世帯内での支配や搾取が苛烈であるほど、男性世帯主間の関係が（平等を前提とした）競争的な関係をとる傾向があるのではないか、とも指摘する（『価値論』三四七頁）。

『万物の黎明』は社会的自由の三つの基本形態を提示する。（1）移動する自由（2）服従しない自由（3）社会的関係を創造したり変化させたりする自由、である（一八五頁）。一番目の自由は、二番目の自由を可能にする。誰かの命令に従いたくないときには、そのような状況から離れてしまえばいいからだ。そして既存の支配―被支配関係から自由になることによって、新しい社会関係、さらには新しい社会的価値をつくりだすことも可能になる。ひるがえって移動の自由は、自分がそれまでの生活の場を離れたときに、旅先で自分を歓待してくれる人たちの存在によって可能になる。モースはこのような歓待の空間の広がりを「文明」と呼んだ（『万物の黎明』五八四頁）。グレーバーとウェングロウはまた英語の「free（自由）」という言葉は「friend（友人）」に由来すると言う。奴隷は、自由人とちがって、約束をすることができず、友人を持つことができないからだ。また記録されているうちで一番古い「freedom（自由）」を意味する言葉は、シュメール語の「アマ（ル）ギ」であり、字義通りには「母のもとに帰る」を意味する。それはシュメールの王が定期的に債務を帳消しにし、債務奴隷が親族のもとに帰ることを許していたからである（『万物の黎明』四八六頁）。

このように自由は、ケアや歓待や友情といった、コミュニズム的な関係とともにある。しかし、ケアや庇護が、しばしば人びとを奴隷的な支配と搾取の関係にとり込んでしまう経路について、『万物の黎明』の第10章や第12章（結論）において、さまざまな推論が展開される。

ユートピア的プロジェクトとしての人類学

グレーバーは『価値論』の最終章で、現代の人類学は、西洋の啓蒙思想の流れのなかから生まれてきた、と書いた。しかしグレーバーは、啓蒙思想を、科学的で普遍主義的な西洋近代を基礎づけた輝かしい思想だ、などと言っているのではない。そうではなく、啓蒙の時代は革命の予感に満ちた時代だった、とグレーバーは強調する。自分たちのいまいる社会の秩序が根本的に変わるかもしれない、という（しばしば恐怖をともなう）感覚のなかで人類学は生まれたのだ。人類学はつねに、いまとはちがう在り方への想像力に取り憑かれていた。『万物の黎明』では、啓蒙思想の、さらにラディカルな批判的検討が行われる。グレーバーとウェングロウは、アメリカ先住民たちとヨーロッパ人たちの対話を、啓蒙思想の端緒に位置づける。アメリカ先住民たちがヨーロッパ人につきつけたのは、なぜヨーロッパ人は不自由なのか、という問いだった。アメリカ先住民は、先に触れたような三つの要素からなる基本的な自由を有することは、人間にとってあたりまえだと言う。ヨーロッパ人たちはどのようにして自由を失ったのか？　この問いがヨーロッパで引き起こした衝撃に対する、保守的なバックラッシュが、やがて単線的で決定論的な社会進化論に帰結した、というのがグレーバーとウェングロウの議論である。そしてわたしたちは、（ますます不合理で破壊的な帰結をともなう）巨大な官僚制や現代の資本主義を、「文明化」の必然的な代償として受け入れることを迫られている。グレーバーとウェングロウは、現状が必然的な進化の結果ではないということ、人間はもっともっと遊びごころに満ちた存在であるということを示すために、世界の可能な在り方についてのわたしたちの想像力をふたたび活性化させるために、一〇年以上をかけてこの共著書を書きあげた。

『万物の黎明』はデヴィッド・ウェングロウによって、デヴィッド・グレーバーの記憶に捧げられ、また、グレーバーが生前希望していたとおり、彼の両親であるルース・ルビンスタイン・グレーバー（一九一七―二〇〇六）とケネス・グレーバー（一九一四―一九九六）の記憶に捧げられている。

注

1　グレーバーの自伝的な文章については、グレーバー（2006）所収の「まだ見ぬ日本の読者へ――自伝風序文」および "David's Autobiography" 〈https://davidgraeber.org/about-david-graeber/ accessed 20 January 2024〉を参照。

2　David Graeber, "The Weaponiation of Labour Antisemitism"

(https://www.youtube.com/watch?H6oOj7BzciA accessed 20 January 2024)。

引用文献

グレーバー、デヴィッド（著）、高祖岩三郎（訳） 2006『アナーキスト人類学のための断章』以文社。

グレーバー、デヴィッド（著）、酒井隆史（監訳） 2016『負債論──貨幣と暴力の5000年』以文社。

グレーバー、デヴィッド（著）、藤倉達郎（訳） 2022『価値論──人類学からの総合的視座の構築』以文社。

グレーバー、デヴィッド&ウェングロウ、デヴィッド（著）、酒井隆史（訳） 2023『万物の黎明──人類史を根本からくつがえす』光文社。

モース、マルセル（著）森山工（訳） 2014『贈与論』岩波文庫。

（人類学）

未来の空

多様性の苗床になるための人類学

大村敬一

人類はどこから来て、何者であり、どこに向かおうとしているのか。人類の過去と現在の検討に基づいて、その未来の可能性を探る人類学という学問。「人新世」時代と呼びうる今日の時代状況をふまえてデヴィッド・グレーバーの仕事に向き合うとき、その後輩学徒として今さらながらにあらためて、そうした人類学の任務の重さを再認識し、思わず背筋が伸びるとともに、その重さにひしがれることのない彼の真っ直ぐで快活な探求の姿勢に勇気づけられる。本稿では、そうしたグレーバーの仕事を「人新世」時代の人類学の任務に位置づけて検討することで、彼の仕事が未来に向けて拓いてくれる可能性について考えてみたい。

問いの連鎖を追いかける——人類学を基礎づけるフィールドワークの現実

人類学が人類の過去と現在の検討を通して未来の可能性を探る学問であるとは言っても、地球全体に拡がって目も眩むほど多様な生き方で暮らしている八〇億人もの人類を一挙に調査・研究するわけにはいかない。そのため、人類学者は、たとえば、私の場合にはカナダ極北圏のイヌイト、グレーバーの場合にはマダガスカルの先住民の人びとなど、自分とは異なる生き方で生きている他者の人びとのもとに赴き、その人びととともに生きながら、自らの生き方とその人びとの生き方を突き合わせてすりあわせることで、人類の多様性と普遍性を探りながら、新たな生き方の可能性を拓こうとする。

これが人類学の学的実践を支えるフィールドワークである。そこで他者の人びとの生き方に出会った当初、人類学者は自己の生き方との差異に違和感を覚えて戸惑う。その戸惑いを抱えつつ他者の人びとの間で暮らしながら、そこで感じる違和感を足がかりに、自他の違いをめぐる多様な問いが次々と立てられる。そして、それらの問いが探求されつつ深められるなかで、その人びとの生き方が少しずつ学ばれるとともに、自らに染みついて当たり前になってしまっている自己の生き方が相対化されてゆく。

その際には、生業活動でともに汗を流し、すれ違いや摩擦を繰り返しつつ悦びも分かち合う社会生活に参加しながら、それらの問いを探求する直接参与観察調査や個体追跡調査、世帯調査、社会調査、言語の分析はもちろん、それらの問いをめぐって人びとに教えを乞うインタビューが地道に繰り返される。ときに、かつてその人びとを訪れた先人たちの文献記録や民族誌が参照されたり、あるいは、自己の生き方をめぐって積み重ねられてきた人類学や哲学や社会学などでのアカデミックな議論にヒントが求められたりもする。

このフィールドワークの探求に終わりはない。たしかに、そうした多様な方法を駆使することで、フィールドワークの当初に抱かれた違和感から立ち上がった問いに、曲がりなりにも解が与えられ、民族誌が編まれる。しかし、それはあくまでも暫定的な解でしかなく、ここで詳しく論じるわけにはいかないが、これまで別のところで紹介してきたように（cf. 大村 2015a; 大村&中空編 2024）、むしろ、その解がさらに新たな問いを生み出してしまう。

しかも、かつて一九八〇年代以来、『文化を書く』（クリフォード&マーカス編 1996）を嚆矢に繰り返されてきた「民族誌リアリズム批判」をもちだすまでもなく、フィールドワークの現場で人類学者が実際に経験することができるのは、時空間的に限られた人びととの部分的な社会関係にすぎない。そのささやかな主観的経験から、「民族」どころか、訪れている共同体の全体像を把握することすら不可能である。そのため、フィールドワークの現場では、次から次へと問いが重ねられ、その問いの連鎖を追跡してゆく過程で何がしかの理解に到ったとしても、人類学者が他者の人びとの生き方の全貌を「客観的な真実」として明らかにすることなどありえない。

しかし、そうであるからと言って、フィールドワークに基づいて民族誌を編んでゆく実践に何の意味もないわけではない。こうして連鎖的に生じる問いから問いへと渡ってゆく過程で、他者の人びとの生き方について人類学者は徐々に間接的に理解してゆく。あるいは、単に理解するだけでなく、社会的に適切に振る舞って、その人びとともに生きてゆく方法を身につけてゆくこともできるだろう。こうしたフィールドワークの過程は、遠くおぼろげに霞んで見える天守閣に到達することを夢見ながら、外堀から徐々に攻略してゆく城攻めにどこか似ている。違うのは、この城攻めに終わりはなく、他者の人びとの生き方という天守閣を攻略することはありえないことである。

「近代」批判の学――「近代」の内外をめぐる「問いの合わせ鏡の無限回廊」

ここで重要なのは、こうしてフィールドワークの当初からはじまった問いの連鎖が、他者の人びとの生き方をめぐる問いのみならず、人類学者自身の生き方についての問い、さらには他者の人びとと人類学者自身を含む人類の生き方の普遍性をめぐる問いへと拡がりながら、そこでも終わりのない問いの連鎖を引き起こすことである。そもそも、フィールドワークで追いかけられる問いの連鎖は、自己の生き方と他者の生き方の間の差異に起因する違和感からはじまる。そのため、その問いの連鎖には、他者の生き方だけでなく、自己の生き方に対する問いも必然的に含まれることになる。他者の人びとの生き方が自分にはどうして奇妙に感じられるのかという問いからはじまり、いったい自分はどのような生き方で生きているのか、その生き方で生きているのは何故なのかなど、自己の身に染みついてしまっている生き方が意識化され、その生き方に対するさまざまな問いが連鎖的に拓かれてゆく。そこでは、他者の生き方をめぐる問いと自己の生き方をめぐる問いが、合わせ鏡の無限回廊のように、相互に反射し合いながら無限に連鎖してゆくなかで、他者と自己の生き方への理解が深められるとともに、それら生き方の間の差異にもかかわらず、そこに通底している人類の普遍性が浮き彫りにされてゆく。

ここに、こうしたフィールドワークの実践に基礎づけられた人類学が「近代批判の学」と呼ばれる所以がある。大航海時代以来、ユーラシア大陸の西の端から恐るべき勢いで拡張してきた「近代」の世界が自らとは異なる諸世界と接触する中で育まれ、他の諸科学の成立と軌を一にするかたちで十九世紀末から二十世紀初頭に一つの学問分野として成立したという歴史的経緯からも明らかなように、人類学という学問は、今や全地球を覆うにいたった「近代」の世界の申し子であるからである。そうである以上、その担い手である人類学者にとって、フィールドワークという「問いの合わせ鏡の無限回廊」で問われる自己の生き方は、自己の学的実践を支えている「近代」の生き方に他ならない。そのため、その無限回廊を経巡るフィールドワークの旅を通して、人類学の学的実践では、「近代」にとっての他者たちの生き方と「近代」に生きる自己の生き方を行き来しながら、それらの間の差異をめぐる問いの連鎖を永遠に追いかけることで、他者たちの生き方と「近代」の生き方がともに相対化されつつ、それらへの理解が深められるとともに、それらの間に通底する人類の普遍性に光があてられてゆくことになる。

もちろん、こうした「近代」の内外を経巡る問いの合わせ鏡の無限回廊は、個々の人類学者に閉じられているわけではない。その問いの無限回廊で「近代」の内外を行き来する旅の過程で、その問いに暫定的に与えられる解が民族誌のかたちに編まれて世に問われるたび、その民族誌が他の人文・社会科学者や自然科学者はもちろん、「近代」に生きる人びとや「近代」にとっての他者の人びとに読まれれば、その人びとの間に新たな問いを喚起してゆくことだろう。こうして、人類学者がフィールドワークの現場で抱いた個人的な問いにはじまる問いの合わせ鏡の無限回廊は、民族誌を通して多くの人びとに共有されながら、集合的な問いの連鎖に増幅されてゆく。しかも、そうして集合的に増幅された問いによって、さまざまな人びとが新たな問いをそれぞれに生み出せば、問いの連鎖はさらに多様に分岐しながら増殖してゆくことになるだろう。

「人新世」時代の人類学の任務——人類の未来の選択肢を増やす

ここで重要なのは、こうして「近代」の内外の合わせ鏡によって無限に乱反射する問いの連鎖を追いかけることで、その全貌が「客観的な真実」として明らかにされるわけではないとはいえ、あたかも見果てぬ天守閣を目指した城攻めでのように徐々に浮き彫りにされてゆくのは、「近代」にとっての他者たちの生き方や「近代」の生き方、さらには、その両者を通底する人類の普遍性だけではないことである。

その過程では、「近代」にとっての他者たちの生き方も「近代」の生き方も相対化され、それら過去と現在に実現されてきた生き方とは異なる多様な生き方の可能性がネガのように浮かび上がるだろう。あるいは、すでに実現してきた多様な生き方が組み合わせられたり、ぶつかり合ったりするなかで、これまでにない新たな生き方が多様なかたちで生み出される契機が浮かび上がってくるかもしれない。もちろん、そうして浮かび上がってくる新たな生き方の可能性はあくまでも可能性なのであって、その多様な可能性のうちのどれが「正しい」かなど、神ならぬ死すべき運命もつ私たちには決してわからない。

しかし、少なくとも、「近代」の内外の合わせ鏡によって乱反射しつつ増殖してゆく問いの連鎖を追いかけ、過去と現在の人類の生き方を相対化しながら検討することは、未来に向けて私たちが試しうる生き方の選択肢を増やしてくれるに違いない。人類の過去・現在・未来をめぐる多様な問いに最終的な解を与えるのではなく、むしろ、「近代」の内外の合わせ鏡の無限回廊で無数の問いを乱反射させつつ増殖させてゆくことで、私たちがとりうる選択肢の妥当性と普遍性をあげながら増やしてくれる点にこそ、人類学という学的伝統の醍醐味がある。浜本満（1996）が人類学の学的実践を「冷めた普遍主義としての相対主義」と呼んだのは、これ故である。

ここに、もっぱら近代の論理に従って展開される他の諸科学と異なる人類学に独特な特徴があり、「人新世」時代とも呼びうる今日の時代状況にあって、人類学にその学的伝統の真価が問われている理由がある。二十一世紀に入って提唱された「人新世」というキーワードのもと、人類の活動と地球の活動のもつれ合いが人類の管理と制御を超えていることが再認識されている今日、これまで「進歩」の名のもとに驀進してきた「近代」の生き方の限界が明らかになりつつあるからである（cf. 大村編2023; 大村&中空編2024）。

たしかに、大航海時代以来、ユーラシア大陸の西端に発生した「近代」のプロジェクトは、「自然／人間（社会・文化）」の二元論的な世界を「一つの世界だけからなる世界」（one-world world）として実現することを目指して、人間の他者たちはもちろん、人間以外の他者たちを「近代」の世界に暴力的に併呑しつつ、植民地主義的に支配して管理・制御しながら爆発的な勢いで拡張し、今や全地球を覆うどころか、宇宙にまで進出しようとしている（cf. Law 2011; ラトゥール 1999, 2008; 大村編2023）。しかし、その「近代」のプロジェクトが産業資本制と国民国家体制と科学技術の複合的なネットワークとして建設してグローバルに拡張してきた「近代」の世界も、しょせんは隙間だらけのすかすかなネットワークでしかない。その隙間では、その網の目を稠密にしながらその隙間を必死に埋めて自らの支配と管理を徹底してゆこうとする植民地主義的で暴力的な「近代」のプロジェクトに決してまつらうことのない人間と人間以外の他者たちが、しぶとく息づきつづけている。

それどころか、多様な先住民の人びとや反グローバリズム運動に参加する人びとなど、「近代」にとっての人間の他者たちは、植民地主義的な「近代」の支配と管理から溢れ出しながら、その暴力的な支配と管理と搾取に対してさまざまなかたちで反旗を掲げ、近代の生き方に変革を求めている（cf. 大村編2023; 大村&中空編 2024）。人間以外の他者たちも、この例外ではない。人工的に生み出された大量の汚染物質の地球環境への拡散と蔓延、地球温暖化をはじめとする急激な気候変動、六度目の大量絶滅とまで言われる生物多様性の急速な激減、思いもよらぬ病原体によるパンデミックなどの衝撃的なかたちで、人間以外の他者たちも、「近代」の支配と管理が隙間だらけであるだけでなく、その隙間を埋めて「一つの世界だけからなる世界」を実現することが見果てぬ夢でしかないことを教えている（cf. 大村編 2023; 大村&中空編 2024）。

それでは、どうすればよいのか。近代の申し子として生まれながらも、近代を批判する立場から人類について考えてきた人類学にとって、この「人新世」時代の問いは、その学的伝統のなかで一貫して問われてきた問題であり、「人新世」時代にある今こそ、人類学にはその学的伝統の真価が問われている。「近代」の生き方の限界が知らしめられ、その植民地主義的で暴力的な支配と管理と搾取の論理に見直しが迫られている「人新世」時代にあって、「近代」の内外の合わせ鏡によって乱反射しつつ増殖してゆく問いの連鎖を追いかけ、過去と現在の人類の生き方を相対化しながら検討することで人類の未来の可能性を拓こうとする人類学の学的伝統の重要性は、かつてないほどに高まっているのである。

グレーバーの仕事——暴力をめぐる「問いの合わせ鏡の無限回廊」

デヴィッド・グレーバーは、こうした人類学の学的伝統に忠実に、しかも、その最先端で先陣を切りながら、「近代」の内外の合わせ鏡で乱反射する無数の問いを発することで、すでにマルセル・モースやマーシャル・サーリンズなどの人類学の先達たちが培ってきた「問いの合わせ鏡の無限回廊」をさらに一層豊かにしつつ、未来の選択肢を増やそうと努力してきた人類学者の一人である。とくに、『価値論』（グレーバー 2022）からはじまり、『負債論』（グレーバー 2016）、『官僚制のユートピア』（グレーバー 2017）、『ブルシット・ジョブ』（グレーバー 2020b）、『万物の黎明』（グレーバー&ウェングロウ 2023）とつづく一連の主要な民族誌を通して彼が一貫して追求してきた問いが、人類の社会性にかかわる暴力をめぐる問いであることは、この「人新世」時代にあって重要な意義をもつ。これまでに検討してきたように、「人新世」時代にあって見直しを迫られているのは、これまでの「近代」の生き方に組み込まれてしまっている植民地主義的で暴力的な支配と管理と搾取の論理だからである。

その暴力をめぐる問題の根底にあるのは、まさにグレーバーが『万物の黎明』(グレーバー&ウェングロウ 2023)の先頭でルソーとホッブズを俎上にあげたことに明らかなように、人類の社会性をめぐるアンビヴァレントな条件である。人類の社会性の進化史的基盤について省察した内堀(2009)が指摘しているように、人類は群居性動物であるとしても、個体間の生理的で形態的な差異を伴う厳格な分業的社会構造をもつアリやハチなどの社会性生物と異なって、精確な意味では社会性動物ではなく、それゆえに孤独に生きることができる。しかし、それでも、私たちは現実に社会集団をつくり、一緒に生活しているという事実から考えて、人類には社会集団をつくってともに生活する能力があるのはたしかなことである。ここに、私たちが独りでいると寂しいのに、あまり長い時間、皆で一緒にいるとどこか鬱陶しくなる理由があるのかもしれない。いずれにしても、こうしたアンビヴァレントな条件、孤独でありえつつ他者とつながって社会集団をつくりうるという条件のもとで、社会集団をつくって維持しているのが、人類という生物種の特徴である。

そうした社会性をめぐるアンビヴァレントな条件にあるからこそ、人類が共同体や社会やネットワークなど、何らかの社会集団を生成・維持するにあたっては、ルソーとホッブズが提唱した社会契約をはじめ、何らかの装置が必要になる。相互にいがみ合う相互闘争の状態であろうと、相互に避け合う分散居住の状態であろうと、自然状態においてはばらばらな人間をつなげて社会集団を生成するためには、寂しさへの恐怖や他者への愛という感情的な契機がたとえあったとしても、孤独への性向も同時にあわせもつ勝手気儘な人間を束ねる何らかの人為的な装置が必要なのである。しかも、「人新世」時代という今日の時代状況にあっては、これまで「近代」の生き方が暗黙の前提としてきたような暴力的で植民地主義的な装置に代わる何らかの装置が求められている。

グレーバーの一連の仕事には、こうした問題意識が通底している。主に経済的な領域に焦点をあてる『価値論』(グレーバー 2022)、『負債論』(グレーバー 2016)、『ブルシット・ジョブ』(グレーバー 2020b)でも、政治的な領域に焦点をあてる『民主主義の非西洋起源について』(グレーバー 2020a)、『万物の黎明』(グレーバー&ウェングロウ 2023)においても、それら政治と経済を総合的に扱う『官僚制のユートピア』(グレーバー 2017)にあっても、人類の社会性をめぐる問い、すなわち、社会性動物ならぬ群居性動物たる人類が何らかの共同体や社会やネットワークを生成して維持するにあたって、これまでの「近代」の暴力的な装置、たとえば「社会契約」や「負債」などに代えて、どのような政治・経済的な装置が可能なのかが一貫して問われているからである。

そこでは、マルクスやモースやサーリンズなどの先達たちが培ってきた「問いの合わせ鏡の無限回廊」に響く多様な問いが正面から受け止められる。そのうえで、彼が直接にフィールドワークを行ったマダガスカルの先住民の人びととの暮らしから立ち上がった問いはもちろん、彼自身が「近代」の世界としてのグローバル・ネットワークの隙間で参加した反グローバリズム運動から立ち上がった問い、さらには、これまでに積み上げられてきた歴史文献調査や先史考古学調査の成果を渉猟するなかで立ち上がった問いが、相互に乱反射しつつ次々に発せられてゆく。そうして発せられた無数の問いの合わせ鏡の無限回廊を経巡ることで、人類には暴力的ではない社会性の装置がありうるのか、ありうるとすれば、どのような選択肢がありうるのかという根底的な問題が執拗に探求されてゆく[1]。

未来に向けて――「暴力」から「ケア」へ

この際に重要なのは、『負債論』（グレーバー 2016）と『万物の黎明』（グレーバー&ウェングロウ 2023）に典型的なように、グレーバーの探求がこれまでにない大きな時空間的規模で展開されているため、「近代」の生き方がこれまでになく抜本的に相対化されていることである。

これまでの人類学の探求では、かつての進化主義人類学に対する自己批判から、実証的な調査・研究の対象として人類の現状に焦点があてられる傾向が強かった。そのため、「大分水嶺理論」と揶揄されて痛烈に批判されてきたように、どんなに合わせ鏡の問いの無限回廊を経巡る旅を通して自己と他者を相対化しても、結局のところ、その結果は「近代／非近代」という単純な図式に収束してしまい、人類の現状をただ追認することにしかならない傾向にあることが否めなかった。少なくとも、圧倒的な覇権で地球を覆い尽くした長大なグローバル・ネットワークとしての「近代」の世界に対して、先住民諸社会に典型的なように、そのネットワークの隙間で細々と営まれる小規模な諸世界という現状をいかに相対化しても、その前提になってしまっている「普遍的な近代／個別な非近代」という枠組みそれ自体を崩し、その枠組みを支えている暴力的で植民地主義的な支配と管理の仕組みを解体するのは難しい。

しかし、グレーバーは、大航海時代以前にあっては、少なくとも新石器革命以前の旧石器時代から、人類は

「近代／非近代」とは異なるかたちの枠組みで、しかし、それと同じくらい大規模に、多様な小規模の共同体をつなぐ超広域ネットワークを多様なかたちで生み出してきた可能性があることに注意を喚起する。そうすることで、彼は「近代／非近代」という枠組みそれ自体を相対化し、人類の現状を支えている暴力的で植民地主義的な支配と管理とは異なる多様な仕組みがありうる可能性に光をあてる。

しかも、その人類史においては、そうした多様な広域ネットワークを通した多様な小規模諸社会の間の活発な交流を通してはじめて多様な社会性の装置が生み出されてきた可能性にも注意を促す。そうすることで、「近代」のプロジェクトのように長大なネットワークを建設して拡張し、多様な小規模諸社会が交流する場を提供することと自体には問題はなく、むしろ未来に向けて新たな選択肢を生み出す可能性が潜んでいることも示唆する。暴力的で植民地主義的な支配と管理の仕組みが大きな間違いであることに疑いはないとしても、グローバル・ネットワークの建設と拡張を通して多様な小規模社会をつないでゆく「近代」のプロジェクトの力能それ自体には、新たな可能性が潜んでいるかもしれないのである。

ここで興味深いのは、こうした探求を通してグレーバーが一貫して「ケア」をめぐる問いを発し、そこに暴力的で植民地主義的な支配と管理に代わる社会性の装置を探る端緒が潜んでいる可能性を示唆していることである。労働が何よりもまずはケアであることを強調し、相互にケアし合うことで労働を分かち合いながら社会関係を紡いでゆくことで、社会契約による暴力の独占的行使とは異なる社会の生成・維持がありうるのではあるまいか。あるいは、今や全地球を覆うグローバル・ネットワークが、多様な諸社会が相互に交流するなかで、それぞれに特異な社会性を発明して維持するようにケアし合う「ケアのプラットフォーム」に生まれ変わり、地球上で、あるいは人類が宇宙に進出した未来には太陽系や外宇宙で、人類の多様性が繁茂するための苗床になるような未来があってもよいのではないか。[2] そこは「警官やボスのいない非軍事的世界」（グレーバー 2006: 3）であるどころか、完全に非武装化された軍隊が科学技術を駆使する国際救助隊に生まれ変わり、あらゆる政治・経済がケアを中心に回転する世界かもしれない。

少なくとも、こうした世界が可能だと信じ、「アナーキズムが気違いではないと信じる理由があると感じる」（グレーバー 2006: 3）アナーキストの一人として、私はグレーバーの爽やかなまでに真っ直ぐで快活な問いに勇気づけられるとともに、その問いをいかに引き受けてゆくか、その戦略を練る任務の重さにあらためて身が引き締まる。

未来の空——多様性の苗床になるために

　こうしたグレーバーの一連の仕事は、『負債論』（グレーバー 2016）で彼が発した問いを引き受けることで人類学において培われてきた「問いの合わせ鏡の無限回廊」に参加しつつ人類史を哲学の立場から問うた近藤和敬（2024）が、その著書『人類史の哲学』でドゥルーズとガタリの「内在平面」と関係づけながら紹介している加藤安佐子の一連の作品群、そのなかでも最晩年の作品『未来の空』を思い起こさせる。

加藤安佐子『未来の空』（2015年）※作品のカラー写真については『「人新世」時代の文化人類学の挑戦：よみがえる対話の力』（以文社、2023年）のカバーを参照。

　細やかな差異を孕む無数のストライプが無限に反復するなかで浮かび上がる潜在的な波動のうねり。そこでは、かたちがゆらめきながら生まれては消える無限の生成消滅の運動に包み込まれ、その運動を通して幾重にも折りたたまれてゆくかたちの襞の暗がりに誘い込まれることで、かたちがかたちになる条件それ自体が浮かび上がる。どのようなかたちであっても受け入れられ、むしろ、無数のストライプが乱反射する合わせ鏡の襞によって、どのようなかたちも自ら生成して成長し消滅することが助けられる。そうして無数のかたちが生まれては消えながら、過去と未来が収束する永遠に多様なかたちの記憶が解き放たれつつ畳み込まれ、無限に多様にかたちが繁茂してゆくようにケアするための苗床、かたちの合わせ鏡の無限回廊、そこで未来に向かって溢れるように生まれ出る潜在的なパースペクティヴの空。

　そうした加藤の作品のように、人類学で培われてきた「問いの合わせ鏡の無限回廊」に参加し、そこで次々と問いを発して乱反射させることで、その無限回廊を豊かにしてきたグレーバーの仕事は、その無限回廊に私たち自身も参加してさらに無数の問いを発してゆくように誘い込む。この意味で、彼が発した問いは「ファクト」

でも「フィクション」でもなく、あくまでも徹底して問いを生む問いであり、その真偽によってではなく、さらに新たな問いを生み出して「問いの合わせ鏡の無限回廊」をいかに豊かにし、そこに浮かび上がる選択肢としてのヴィジョンをいかに増大させてゆくのかという生産性によってこそ評価されるべきだろう。[3]

そうして豊かに育まれてゆく「問いの合わせ鏡の無限回廊」から浮かび上がる人類の未来の可能性、それは、その無限回廊を培ってきた人類学の学的伝統と同じように、あるいは加藤の作品のように、「近代」のグローバル・ネットワーク自体が、あるいは人類自身が、潜在的な多様性が宇宙に繁茂してゆくための苗床になることかもしれない。[4] 暴力的に他者たちを併呑してゆくことで自分だけが生き残って孤独に膨張するのではなく、相互に触発し合いながら、それぞれに特異な生命として、あるいは世界として生きて死んでゆくことで、自らも含め、あらゆる生命や世界たちがさらに一層多彩に分化してゆくことに貢献すること、つまり、多様性が萌えひろがるための苗床になり、特異性が生まれ育つための肥やしになること。そうした肥やしとして、グレーバーが発した問いをいかに受け止め、さらに豊かな問いをいかに発し、いかに未来の空を深めてゆくことができるのかが、私たちに託されている。

注

1 そうしたグレーバーの問いをいかに引き受け、新たな問いの連鎖に向けていかに生産的な問いをつないでゆくか。これこそ、私たちが責任をもってしっかりと受け止めるべきことである。しかし、そうは言っても、それはあまりにも大きなテーマであり、ここで詳しく論じることはできない。そこで、せめて私自身の探求の簡単な見通しだけでも示すことで、ささやかながらもグレーバーに対する仁義と礼を尽くすことにしたい。まず、彼の一連の著作で提起されてきた「近代」の制度に対する一連の問いについては、本稿の最後にも触れているように、「多様性の苗床」あるいは「ケアのプラットフォーム」としてグローバル・ネットワークが生まれ変わる必要があるのではないかという問いで応えており（大村 2014, 2015c, 2017; 大村編 2023 の終章; 大村&中空編 2024 の第15章; cf. 近藤2024）、今後も、その問いを深めてゆくつもりである。また、主に『負債論』と『価値論』で「負債」あるいは「負い目」をめぐって提起されている一連の問いについては、イヌイトの生業システムの分析に基づく「シェア」をめぐる問いとして応答し（大村 2009b, 2011, 2012a, 2015b 2021; cf. 近藤 2024）、新たな問いを発する努力を現在も行っている。さらに、主に『万物の黎明』で政治制度をめぐって提起されている一連の問いについては、彼の問いでは「近代的な政治主体」が前提になってしまっている点で問いの深度が不十分であるという認識に立って、カナダのヌナヴト準州でのイヌイトの統治制度の分析（大村 2009a, 2012b; 大村編 2023）、さらにはイヌイトの子育てのやり方の分析を通した「主体」生成をめぐる問いで応答しているが（大村

2016, 2018）、この問いもさらに深めてゆく予定である。

2　この点については、別稿（大村編 2023の終章；大村&中空編 2024の第15章）で詳しく論じたので参照願いたい。

3　こうしたグレーバーの探求に匹敵する野心的で興味深いスペキュラティヴ人類学の実験的民族誌の試みの一つに、大阪大学のアスル・ケミクスィズさんが主宰しているＦＩＣＴ（Fragmentary Institute of Comparative Timelines）がある。こうした実践は未来のヴィジョンを浮かび上がらせる「問いの合わせ鏡の無限回廊」を一層豊かにする苗床として重要であり、今後の展開が期待される。このプロジェクトの重要性については稿を改めて論じたい。なお、このプロジェクトについては、以下を参照願いたい。https://fict.site/（2024.01.08現在）

4　この人類学の学的実践をあらゆる政治的実践に拡張して考えれば、「問いの合わせ鏡の無限回廊」で浮かび上がる選択肢のヴィジョンこそが「コンセンサス」による法であり、そうしたコンセンサスを生み出すために「問いの合わせ鏡の無限回廊」に参加することこそ、「真なる民主主義」ではないかと私は考えている。

引用文献

内堀基光　2009「単独者の集まり：孤独と「見えない」集団の間で」河合香吏（編）『集団：人類社会の進化』二三―三八頁、京都大学学術出版会。

大村敬一　2009a「イヌイトは何になろうとしているのか？：カナダ・ヌナヴト準州のＩＱ問題にみる先住民の未来」窪田幸子&野林厚志（編）『先住民とは誰か？』一五五―一七八頁、世界思想社。

大村敬一　2009b「集団のオントロギー：〈分かち合い〉と生業のメカニズム」河合香吏（編）『集団：人類社会の進化』一〇一―一二二頁、京都大学学術出版会。

大村敬一　2011「二重に生きる：カナダ・イヌイト社会の生業と生産の社会的布置」松井健&名和克郎&野林厚志（編）『グローバリゼーションと〈生きる世界〉：生業からみた人類学的現在』六五―九六頁、昭和堂。

大村敬一　2012a「技術のオントロギー：イヌイトの技術複合システムを通してみる自然=文化人類学の可能性」『文化人類学』77（1）：一〇五―一二七頁。

大村敬一　2012b「マルチチュードの絶対的民主主義は可能か？：カナダ・イヌイトの生業からみる生政治的生産の可能性」松井健&野林厚志&名和克郎（編）『生業と生産の社会的布置：〈いま、ここ〉のリアリティとグローバリゼーション』三四三―三六四頁、岩田書店。

大村敬一　2014「未来の二つの顔：宇宙が開く生物=社会・文化多様性への扉」岡田浩樹&木村大治&大村敬一（編）『宇宙人類学の挑戦：人類の未来を問う』一四七―一八三頁、昭和堂。

大村敬一　2015a「果てしなき問いの連鎖を追いかけて：実践を駆動する力としてのフィールドワーク」床呂郁哉（編）『人はなぜフィールドに行くのか？：フィールドワークへの誘い』二五〇―二六九頁、東京外国語大学出版会。

大村敬一　2015b「宇宙時代の自然=社会哲学：社会生成の装置の過去・

現在・未来」檜垣立哉（編）『バイオサイエンス時代から考える人間の未来』五三―八〇頁、勁草出版。

大村敬一　2015c「人類でなくなるための人類学：受動的な能動性が拓くおぞましくも美しき未来」『現代思想』43 (13)：二二七―二四五頁。

大村敬一　2016「他者のオントロギー：イヌイト社会の生成と維持にみる人類の社会性と倫理の基盤」河合香吏（編）『他者：人類社会の進化』二二九―二五〇頁、京都大学学術出版会。

大村敬一　2017「宇宙をかき乱す世界の肥やし：カナダ・イヌイトの先住民運動から考えるアンソロポシーン状況での人類の未来」『現代思想』45 (22)：一八〇―二〇五頁。

大村敬一　2021「世界生成のシステムのエンジン：イヌイトと近代の存在論の比較からみる存在論の機能」『文化人類学』86（1）：五七―七四頁。

大村敬一　2018「社会性の条件としてのトラウマ：イヌイトの子どもへのからかいを通した他者からの呼びかけ」田中雅一&松嶋健（編）『トラウマを生きる』一七三―二〇六頁、京都大学学術出版会。

大村敬一（編）　2023『「人新世」時代の文化人類学の挑戦：よみがえる対話の力』以文社。

大村敬一&中空萌（編）　2024『フィールドワークと民族誌』放送大学教育振興会。

クリフォード、ジェームズ&ジョージ・E・マーカス　1996（編）『文化を書く』春日春樹他（訳）、紀伊國屋書店。

グレーバー、デヴィッド　2006『アナーキスト人類学のための断章』高祖岩三郎（訳）、以文社。

グレーバー、デヴィッド　2016『負債論：貨幣と暴力の5000年』酒井隆史&高祖岩三郎&佐々木夏子（訳）、以文社。

グレーバー、デヴィッド　2017『官僚制のユートピア：テクノロジー、構造的愚かさ、リベラリズムの鉄則』酒井隆史（訳）、以文社。

グレーバー、デヴィッド　2020a『民主主義の非西洋起源について：「あいだ」の空間の民主主義』片岡大右（訳）、以文社。

グレーバー、デヴィッド　2020b『ブルシット・ジョブ：クソどうでもいい仕事の理論』酒井隆史&芳賀達彦&森田和樹（訳）、岩波書店。

グレーバー、デヴィッド　2022『価値論：人類学からの総合的視座の構築』藤倉達郎（訳）、以文社。

グレーバー、デヴィッド&ウェングロウ、デヴィッド　2023『万物の黎明：人類史を根本からくつがえす』酒井隆史（訳）、光文社。

近藤和敬　2024『人類史の哲学』月曜社。

浜本満　996「差異のとらえかた：相対主義と普遍主義」『思想化される周辺世界』六九―九六頁、岩波書店。

ラトゥール、ブルーノ　1999『科学がつくられているとき：人類学的考察』川崎勝&高田紀代志（訳）、産業図書。

ラトゥール、ブルーノ　2008『虚構の「近代」：科学人類学は警告する』川村久美子（訳）、新評論。

Law, John 2011 What's Wrong with a One World World? Heterogeneities. net (http://www.heterogeneities.net/publications/Law2011WhatsWrongWithAOneWorldWorld.pdf)

（人類学）

グレーバーの人類学が残したもの

松村圭一郎

1 人間の可能性を探究する

世界が壊れつつある。戦争や疫病や災害に底しれぬ不安が渦巻くなか、グレーバーならいかに語り、何を書いただろうか。つい想像をめぐらせてしまう。

人類学者としてグレーバーが残したものとは何だったのか。その評価は人類学内部でも、まだ定まっていない。現代人類学の重要な潮流に「マルチスピーシーズ人類学」や「存在論的人類学」、「STS（科学技術社会論）」などがある。それぞれに代表的な論者がいて、ある種の学派が形成されている。だがグレーバーは孤高の存在で、その仕事はあまりに特異だ。誰にも真似できない。彼の業績を引用はできても、同じ仕事ができる人類学者は、おそらくいない。

だがグレーバーが成し遂げたことが、まったく人類学の本流からかけ離れているかといえば、そうではない。むしろ、一九八〇年代以降、ポストモダン人類学へと一気に傾倒した現代人類学に対して、グレーバーは、それまでの古典的な人類学の豊かな可能性を再提起した。『万物の黎明』は、その総仕上げの位置づけにある。

グレーバーの人類学は、何をあきらかにしたのか。本章では、その観点から『万物の黎明』を読んでみたい。彼の人類学者としての功績を端的に言ってしまえば、人間にはさまざまな社会のつくり方ができる、あらゆる可能性に開かれている、と私たちに教えてくれたことだ。たとえば『アナーキスト人類学のための断章』では、国家なしには生きられないと信じきっている現代人に、国家なき社会についての人類学の研究蓄積からすれば、人間は国家などなくても秩序だった社会を築いてきたではないか、と説いた。

価値とはどう決まるのか。構造主義は、構造のなかの差異の関係によって価値が生じると考え、ポストモダン人類学は、個人の欲望やモノの交換が価値をかたちづくるととらえた。グレーバーは『価値論』で、それらのいずれの立場も批判し、人間の行為の重要性を強調した。価値は人間の行為や創造性によって変えられる。人間は別の可能性を想像できる。それは、人間の文化の構造がこうなっているから、人間の本性がそうだから、と自動的に決まるものではない。

貨幣や負債の起源をどう考えるのか。『負債論』において、グレーバーは、鋳造貨幣が流通する時代と信用貨幣が普及する時代とが交互にくり返す、振り子のように推移する人類史を描き出した。それは、人類五〇〇〇年の歴史が一直線に「発展」や「進化」してきたわけではなく、行きつ戻りつする可変性に満ちていたことを意味していた。

『万物の黎明』でも、そのスタンスは変わらない。人類は未開から文明へと不可逆な進歩を遂げてきたわけではないし、狩猟採集から農業や都市が生まれると、社会のあり方が一変してしまったわけでもない。考古学者デヴィッド・ウェングロウの助けを借りることで、『負債論』よりも長い、数万年におよぶ時間的スパンを射程に入れ、つねに人間があらゆる社会政治体制を試みてきたことをあきらかにした。後戻りできない、必然的な発展の道のりを歩んできたわけではない。その入り組んだ人類の歩みをたどることで、いま現代に生きる私たちにも、いくつもの選択肢があることを示した。

人間性の別のありうる可能性を開く。それは、人類学という学問が、ずっとその草創期から提起しつづけてきたことでもある。だが、かつての人類学は、西洋の近代社会とは異なる非西洋社会の文化から別のオルタナティブを示してきた。その文化相対主義の観方は、もはや有効ではない。なぜなら、異質な文化の存在は、真の意味で私たちにとっての可能性にはなりえないからだ。現代人類学は、別の方向から、文化や構造という固定的な枠組みに規定されない人間性のとらえ方を模索してきた。

グレーバーは、古典的な人類学があきらかにしながらも、明確には意識されてこなかった人類史の暗黙の前提を打破することで、社会変革の可能性を探ろうとした。その意味で、グレーバーの人類学は、現代人類学と問題意識を共有しつつも、独自性をもっている。

世界は行き詰まっている。多くの人がその息苦しさを感じるなかで、グレーバーの人類学は、行き詰まっていると思わせている私たちの想像力の乏しさに揺さぶりをかけてきた。これ以外に進むべき道はない。そう信じ込まされてきた、その前提はそもそも正しいのか？　この問いかけが、グレーバーの人類学が提示する希望だ。『万物の黎明』では、そのさまざまな著作で試みられてきたことが、ウェングロウとの共同作業のなかで、さらに広く深く掘り下げられ、ダイナミックに展開されている。ここでは人類学の視点から、グレーバーの研究のなかで『万物の黎明』がもつ意味と可能性をあらためて確認したい。

2　自由という問い

『万物の黎明』の中心的テーマのひとつが、人間にとっての「自由」だ。本書が提示した三つの人間の社会的自由、（1）じぶんの環境から離れたり、移動したりする自由、（2）他人の命令を無視したり、従わなかったりする自由、（3）まったくあたらしい社会的現実を形成したり、異なる社会的現実のあいだを往来したりする自由、これらがいかに制約され後退してきたのか、それが本書の問題意識の根幹にある。何が人間から自由を奪ってきたのか。グレーバーは、この自由の喪失という問いについて、最初期の著作から「奴隷」という存在に注目しながら考察してきた。

なかでも『負債論』では、奴隷が重要なテーマとして考察されている。奴隷を生み出す原理とは何か。グレーバーは、それを「人間経済」と「商業経済」の対比からとらえようとした。人間は本来、社会関係の網の目のなかに位置づけられており、その関係の束において固有な価値をもつ。完全に等価になることはない。それが人間経済の原則だ。ところが奴隷は、計量可能な存在として貨幣と交換され、所有対象になる。多くの場合、奴隷は戦争捕虜として獲得された。暴力によって社会関係の網の目から切り離されたからこそ、奴隷は交換可能な所有物となったのだ。

人間が社会関係の束から引き剝がされる。それが商業経済のロジックだ。だから奴隷制には、現代の賃労働と興味深い類似がある。主人と奴隷の関係も雇用者と被雇用者の関係も、原理的に非人格的な関係であり、あなたが誰であるかは問われない。「〔奴隷として〕じぶんが売り飛ばされたにせよ〔労働者として〕賃貸しされているだけにせよ、金銭の持ち手が変わるとき、あなたがだれかは重要でない。あなたが命令を理解することができ、そこでいわれたことを実行できるということだけが重要なのだ」（同書五一九頁）。このグレーバーの議論は、人間の自由を奪う契機が、奴隷なき現代においても、なお強固に残存していることを示唆している。

『万物の黎明』で「奴隷」について大きくとりあげられているのが、第5章である。現在のロサンゼルス都市圏からバンクーバー周辺までの太平洋岸の先住民は、狩猟採集民でありながら、多くの人口が定住し、富を蓄積し、なかには動産奴隷を習慣的に奪い合う集団もいた。二〇世紀半ば以降、典型的とされてきた、平等主義的な少人数の集団（バンド）が離合集散しながら遊動生活を送るといった狩猟採集民像とはまったく異なっている。

とくに現在のカリフォルニア州の北西端に住むユロックは、社会生活のあらゆる場面で「貨幣」を用いることで知られていた。ユロックを調査した人類学者のゴールドシュミットは、天然資源や貨幣や財物、漁場、狩猟場、採集場など、すべての財産が「私的に（ほとんどのばあい個人的に）所有されていた」と指摘している。この高度に発達した所有概念には貨幣の使用が不可欠だった。

ユロックのようなカリフォルニアの先住民も、カナダ北西海岸の先住民も、いずれも勤勉で、富を蓄えた者たちは、その富の多くを集団の祭事を主催して還元するよう求められていた。ただし、そこにあるエートスはかけ離れている。富裕なユロックでは謙虚さが求められたのに対し、現在のバンクーバー島周辺に居住していたクワキウトルの首長は自慢好きで虚栄心にみちていた。なぜ隣接する集団でそうした違いが生まれるのか。そこでグレーバーらが提示するのが「分裂生成」という概念だ。それは接触する社会が、互いを区別しようとしながらも共通の差異のシステムのうちで結合することを意味している。

このカリフォルニアからカナダの北西海岸にかけては、おもに北西海岸の動産奴隷制が普及した地域とカリフォルニアのように例外的にしかみられない地域とに区分される。奴隷を使うユロックは、カリフォルニアの先住民では例外的だったのだ。なぜそうした違いが生まれたのか。グレーバーらは、環境条件や人口動態などから説明する議論を検討したうえで、いずれも妥当ではないと指摘する。そして奴隷制が生まれた原因は、社会のあるべき姿について異なる考え方をもつ人びとが政治的な駆け引きを行った結果であると論じた。

奴隷制が北西海岸で普及したのは、野心的貴族が自由な臣下を従属的な労働力として使えなかったことに起因している（つまり集団内が平等で命令を拒絶する自由が確保されていたからでもある）。他集団から奴隷を収奪するという暴力行為の広がりのなかで、沿岸部の人びとは、その暴力から自己防衛する制度を構築するために、互いを反面教師として自己定義するようになった。それが「破片地帯」と表現されるカリフォルニア州北西部の異例なほど細分化された集団構成にもつながった。その「分裂生成」は、奴隷制だけにとどまらない。世帯、法、儀礼、芸術にいたるまで、あらゆる事象におよび、とくに仕事、食物、物質的豊かさなどについて対照的な態度が形成された。こうした動きのなかでカリフォルニアのほとんどの地域で奴隷制と階級システムが拒絶されたのである。

　このアメリカ先住民の奴隷制の普及とその拒絶の事例から、グレーバーらは社会政治体制に対して人間が集団的統制力を保持できる側面を強調している。人間から自由を奪う奴隷制は、歴史の特定の段階で突然はじまり、ある時点で廃止されて消滅したわけではない。それは歴史上、複数の場所で何度も意識的に拒絶され、「廃絶」されてきた。この議論は、文明の発展段階説や環境決定論のように、すでに設定されている要素に沿って人間社会が自動的に規定されるという理解を克服する試みだった。

3　ケアと支配の絡まり

　グレーバーは、人間を社会関係の網の目から引き剥がし、モノのように扱う奴隷という存在から、自由という問いを考えてきた。『万物の黎明』では、そこからさらに議論を進め、この人間をモノ化し、所有物にしてしまう奴隷制の成り立ちに迫っている。自由のために何度も拒絶された奴隷制がたびたび出現し、固定化した背後にどんなロジックが潜んでいるのか。

　奴隷の典型が戦争捕虜である。戦争で捕らえられた人間は、故郷から離れ、それまでのあらゆる親族関係や共同体とは無関係な人に囲まれて生活する。つまり社会関係から切り離された純粋な労働力になる。しかもそれは、人間を働ける状態にまで育てあげる労力をかけずに労働力を獲得する手段でもある。グレーバーらは、「ある意味で、奴隷強奪者は、労働可能な人間の形成のためにひとつの社会が投入した長年のケアリング労働を盗んでいる」と言う（二一二―二一三頁）。

　他集団から人間を収奪し奴隷として働かせる。いわば組織的な暴力で他集団を「食い物」にして、支配層の一部が生存に必要な労働から解放される。北西海岸の先住民の事例は、その奴隷制がおもに狩猟採集に依存する社会で広範に普及した実例だった。この人類学ではよく知られていたはずの古典的な研究は、人間社会を生業様式で分類する発想の限界を示している。狩猟採集から農業へと移行して富が蓄積されるようになり、社会が階層化するという議論が成り立たないばかりではない。近隣の農耕民から徴収された栽培作物を大量に消費する北西海岸の狩猟採集民のような存在を定義できないのだ。

グレーバーらは、奴隷の「捕獲」が独自の生業様式とみなされていたと指摘し、この「捕獲社会」にとっての奴隷制の主目的が、その社会のケアリング労働の内部容量（インターナル・キャパシティ）を高めることにあったと指摘している。奴隷制が生産していたのは、貴族、王女、戦士、平民、使用人といったある種の人間である。奴隷としての捕虜は「他者のケアリング」の役割に捕縛されながら、そうした価値ある特別な種類の人間をつくりだす「非＝人（ノン・パーソン）」だった。グレーバーらは、人間社会における暴力的支配の生成には、このケアリング関係のもつ深い両義性／両刃性が関わっていると論じる。一過性の暴力行為がケアリング関係に変化すると、それが持続的なものになるからだ。

奴隷制の起源は戦争にある。しかし奴隷のおもな仕事はケアリングに従事することだった。最初、それは家内（ドメスティック）の制度であり、支配は家からはじまった。グレーバーらは次のように述べて、人間の自由を奪う奴隷制とケアリングとのねじれた関係を指摘している。「最も粗暴なる形態の搾取は、最も親密な社会的関係にこそその起源を有している。つまり、養育、愛、ケアリングの倒錯としてはじまっているのだ。その起源を、政治組織（ガバメント）のうちにみいだすことはできないことは確実である」（二三六頁）。

この第五章で示唆されたケアと支配との絡まりについては、さらに結論部分で考察が深められている。それは『万物の黎明』のクライマックスのひとつだ。

従来、暴力的な支配は、国家の誕生とともにはじまったとされてきた。しかし『万物の黎明』は、国家が、主権（暴力）、官僚制（知識）、競合的政治フィールド（カリスマ性）という異質な要素の組み合わせから成り立ち、時代や地域ごとに異なる組み合せの「国家」が存在したという立場をとっている。つまり、国家のような政治組織が生まれても、かならずしもそれがすぐに暴力的な支配による自由の剝奪につながるわけではない。

では、いったいどこに問題の根源はあるのか。グレーバーらは、家父長制的世帯と暴力との密接な結合を指摘する。ローマ法の自然的自由の概念は、基本的に個人（暗に男性の世帯主）が自分の財産を好きなように処分する権力にもとづいていた。グレーバーらは、そこで『負債論』でも参照されたオルランド・パターソンの議論を紹介する。すなわち、ローマ法における所有（自由）の概念は、奴隷法に由来するという指摘だ。所有物が人と物との支配関係になるのは、ローマ法において主人の権力が奴隷を権利や義務をもつ人格ではなく、物とみなしたからである。ローマの私的生活は、この私有財産とみなされた被征服者への家長の絶対的な権力によって特徴づけられていた。

私たちが使うfamily（家族）という語は、ラテン語で「家内奴隷」を意味する*famulus*を語源としている。つまり「家族」とは、男性世帯主の家内的権威のもとにあるすべての人間を意味していた。そしてラテン語の「世帯」を意味する*domus*が「支配的であること」や「支配する」を意味するdominantやdominateになるように、自由の剥奪と家族／世帯とは分かちがたく結びついている。

このことを論証するために、グレーバーらは、ヨーロッパの啓蒙思想に影響を与えた政治家カンディアロンクの時代（一七世紀後半から一八世紀初頭）のアメリカ先住民ウェンダット（第二章や第一一章で詳述）の事例に立ち返る。イエズス会の宣教師たちは、ウェンダットに捕らえられた捕虜が残酷な暴力にさらされたことを記録している。しかも、その拷問は、女性や子どもが参加する共同体的なイベントだった。それが驚きをもって観察されたのは、ウェンダットの社会では、子どもを叱ったり、泥棒や殺人などの犯罪者を罰したりするときに、恣意的な権威をちらつかせる手段がまったくとられなかったからだ。

同時代にフランスを訪れたウェンダットは、逆に、そこで目にした公開処刑や死刑の「拷問」に仰天している。それは、フランス人が同族の人間に暴力を行使していたからだ。そこでは、人民が王の暴力の潜在的な犠牲者としてみせしめにされていた。ウェンダットでは、暴力は家族や世帯の領域から明確に排除されていた。家族や家内領域は、暴力や政治、命令による支配が通用しない女性による神聖な統治空間だったのだ。ウェンダットの「世帯」は、ローマのファミリア*familia*とは真逆の意味だったのである。

ウェンダットからみれば、帝政ローマとアンシャンレジーム下のフランス社会は類似している。いずれも世帯と王国が従属モデルを共有していた。家父長制の家族と王の絶対的な権力とがお互いの雛形になっていた。子は親に、妻は夫に、臣民は神から権威を授かる支配者に従わなければならない。いずれも上位者は懲罰を与え、暴力を行使する存在であり、それらが愛情や慈しみの感情と結びつけられていた。恣意的な暴力は、支配と同時にケアとして行使されていたのだ。

一七世紀のヨーロッパの公開拷問は、夫が妻を手荒く扱ったり、親が子を殴ったりする仕組みも愛の表現であるというメッセージを伝達すべく演出されたスペクタクルだった。一方、ウェンダットの捕虜への拷問は、共同体や世帯のなかではいかなる肉体的懲罰も許されないことを可視化するイベントだった。そこでは暴力とケアが完全に分離されていた。グレーバーらは、ケアと支配の結合ないし混濁が、人間が互いに関係し合う方法を自由に再創造（リクリエイト）する能力を喪失したことと関係すると言う。

　グレーバーはシカゴ大の大学院生だったとき、かつて奴隷労働力に依存する王国のあったマダガスカルのメリナで貴族や奴隷の子孫たちと出会った。『万物の黎明』の結論部で論じられたことは、それ以来、一貫して取り組んできた人間の自由についての考察の総まとめともいえる。それは『負債論』のなかで、「人間経済」である結婚をとおした女性の交換に家父長的な支配と「商業経済」につながる暴力の萌芽を見出した視点をより精緻化した議論でもある。このケアリング関係の倒錯という視点がなぜ重要なのか。グレーバーらは次のように言う。「つまり（ケアと支配のこの結合は）、わたしたちがどのように閉塞したのか、そして、なぜ今日、わたしたちがじぶんたちの過去や未来を、より小さな檻からより大きな檻への移行以外のものとしておもい描くことができないのかを理解するために、重要なのである」（五八一頁）。

4　『万物の黎明』が問いかけるもの

グレーバーの人類学は、何をあきらかにしたのか。それは人間性をひとつの説明枠組みに還元する危うさを克服する理論の探究だった。平等主義にしても、国家にしても、発展段階を設定すると、その起源から現在に至るまでの変化が不可逆の経路をたどることになる。ルソーにせよ、ホッブズにせよ、自然状態の人間の本性を措定する議論も、その後の人間性の歴史的変化を逃れられない必然のプロセスにしてしまう。人類が単線的で不可逆な変化をしてきたという想定は、私たちの未来をその必然の道筋に閉じ込め、そこから逸れることを不可能にする。グレーバーの人類学は、この閉塞したビジョンを解き放つ理論の構築を目指してきた。

　現代人類学は、かつて優勢だった文化相対主義のような、人間社会をある固定的枠組みから説明する語り方をのりこえようとしてきた。たとえば、イギリスの人類学者ティム・インゴルドは、『人類学とは何か』のなかで、人間存在を決定論的にとらえる見方への批判を展開している。

　一方に遺伝子の器としての人間という生物学的な観点があり、他方に文化によって規定される人間像がある。いずれも、人間を自動機械のようにみなす観方だ。そこでインゴルドは、自然科学と人文学という二分法をこえて、人間存在を可変性にみちた「生成変化」としてとらえる視点を探究した。それをインゴルドは川の流れに喩える。「刻一刻と変化するこの世界に投げ出された私たちは皆、他者の生の様式に合流し、そして分岐する――むしろ河川デルタの流れのように水流の流れを断ち切り、その時その場からまた進み続けていく―― 以外にないのである。合流と分岐は、生のサイクルが続く間、手を取り合って進んでいく」(同書五六頁)。

インゴルドは、この生のサイクルの合流と分岐について、家族としてともに暮らしてきた兄弟姉妹の生がちりぢりになり、他の異なる生と結びついてあらたな家族が生まれる、という例で説明する。そこでは同一性が分割され、差異が結びつける接着剤になる。この視点は、グレーバーらの「分裂生成」の議論ともつながっている。

グレーバーとインゴルドは、扱っているテーマや研究対象がまったく異なる。だが、そこには人類学が挑んできた問いが共有されている。人間は、ずっと信じられてきたように固定的な本性や歴史の必然性に縛られている存在ではない。これまでもいろんなかたちを試してきたし、これからもさまざまな可能性に開かれている。人間の想像力/創造力の自由をとりもどし、世界が変えられると示すこと。『万物の黎明』の結論部には、こう述べられている。「人類史のなかで、なにかがひどくまちがっていたとしたら――そして現在の世界の状況を考えるならば、そうでないとみなすのはむずかしいのだが――、おそらくそのまちがいは、人びとが異なる諸形態の社会のありようを想像したり実現したりする自由を失いはじめたときからはじまったのではないか」(五六九頁)。

さて、私たちはどんな未来を想像/創造しうるのか。インゴルドは「差異こそが私たちのすべてを結びつける接着剤だ」と述べた。グレーバーとウェングロウは、受け入れられることを期待して移動する自由を第一の原則に据えた。その移動の自由を可能にしていた期待が損なわれると、一部の者による恣意的な権力の行使につながっていく。

いま私たちは膨大な数の難民や移民が国境をこえて移動する世界を生きている。戦争や貧困、災害から逃れる「差異」ある人びとをどう歓待し、ケアし、ともに生きるのか。「家族」がはらむ暴力性に向き合い、その「慈愛」が支配の形式に転換するのをいかに阻止できるのか。『万物の黎明』は人類の遠い過去の話ではない。この本が投げかけた問いは、私たちが生きる「いまここ」に直結している。

(人類学)

自由と歓待

文化人類学的探究

佐久間寛

わたしたち人類の未来が、これまでとは異なるなにかを創造するわたしたちの能力にかかっているとすれば、最終的に重要なのは、そもそも人間を人間たらしめている自由を再発見できるかどうかということになる。

——グレーバー&ウェングロウ

はじめに

『万物の黎明』を読み進めるうちに甦ってきた光景がある。

ニジェール共和国西部の一農村で暮らしていたわたしは、そのとき結婚式の調査を行っていた。この地域で結婚式の担い手となるのは、結婚当事者でも、その近しい家族でもない。結婚当事者の知人、とりわけ花婿が属する年齢集団クラである。彼らこそが新居を準備し、客人をもてなし、花嫁を花婿のもとに送り届ける。わたしは一週間にわたる式の期間、クラの一団と行動を共にし、その様子を記録しようと試みていた。ある夜、クラの全メンバーが長によって人気のない村の外れに招集された。結婚式とは直接関わりのない問題、クラの規則に違反(おおくは遅刻)した者から罰金として徴収してきたお金が多額になったので、その使い道について話し合うためだった。議論の末、大半は共食するための羊の購入費にあて、残額はその場の全員に均等割されることになった。クラの長がひとりひとりに小銭を手渡していった。とるにたりない額ではあった。ただ驚いたのは、その数枚の小銭がクラのメンバーばかりでなく、メモをとっていた人類学徒にまで手渡されたことである。彼がそこにいたのはあくまで調査のためである。クラの一員だったわけでも、金銭に困っていたわけでもない。むしろ、彼はその場のだれより多額の現金を有していた。にもかかわらず、ほかのクラのメンバーと同様に同額の金銭が手渡された。とはいえ驚くのは人類学徒ばかりで、クラの長や周囲の様子にとくに変わった点はなかった。

＊

深い暗闇と、懐中電灯に照らし出された小銭の鈍い輝きと、困惑と喜びの入り交じった感情。すでに二〇年ほど前の出来事の記憶が『万物の黎明』（以下『黎明』）によって呼び覚まされたことには理由がある。この書物の「主要なテーマ」（二三四頁）[1]のひとつである「自由」をめぐるグレーバーとウェングロウの記述が、右に記した出来事と結びついたからである。

本稿では、多岐にわたる『黎明』の議論のうち、とりわけ自由をめぐる議論を文化人類学的視点から考察する。自由は、人類学の主要なテーマであったわけではない。むしろ社会科学全般をめぐって『黎明』が指摘しているように、「人間の行動や理解がみずから統制できない力によって規定されている事態を研究してきた」この学においては、「人間が集団的にみずからの運命を切り開いているようにみえたり、あるいは自由そのものを表現しているようにみえたりする説明は、すべて幻想にすぎないと退けられる傾向があった」（五六五頁）。ところが『黎明』の自由論は、そのすくなからぬ部分が、これまで自由の問題と結びつけられてこなかった文化人類学の議論を独自に取り込むことによって成り立っている。その議論を辿り直し、『黎明』の自由論の革新性と可能性をあきらかにすることが本稿の目的である。この目的からはさらに、自由と密接に関わる課題でありながら、かならずしも『黎明』では十分に論じられていない「歓待」という課題の探求が促されていくことになるだろう。

まず、社会進化論的な人類史の見直しという『黎明』のより中核的テーマのなかに自由の問題を位置づけていく。

一　進化論的人類史の転覆

（1）自覚的な政治的アクターとしての人類

日本語版の副題が示すとおり『黎明』は、「人類史を根本からくつがえす」書物である。これまでの人類史は、「無垢なる平等主義的原初状態から人類が不平等へと転落した」（七頁）というルソー的な物語、あるいはこれとは逆に「ヒエラルキーと支配、そしてシニカルな利己主義」（四頁）を本質とする人類が「短期的な本能よりも長期的な利益を優先」させるために国家機構を整備するというホッブズ的な物語を下敷きにしてきた。一見対照的なこれらの人類史はいずれも、初期人類が粗野で無知で単純で小規模な存在であるという前提を共有している。これに対し二人のデヴィッドが示したのは、「人間を、その発端から、想像力に富み、知的で、遊び心のある生き物として」（一〇頁）扱うというアプローチである。

近年の考古学的研究では、壮大なる埋葬や巨大なモニュメントといった、約三万年前から「社会的階層化」が存在したことを裏付けるかのような発見が相次いでいる。『黎明』が重視するのは、にもかかわらず「身分化した社会の成長を示唆するものはほとんどなく、ましてや「国家」にわずかばかり似たものすらもみつからなかった」（一〇四頁）ことである。結局、初期人類はヒエラルキー的だったのか、それとも平等主義的だったのか。だが、『黎明』によれば、こうして「ホッブズ的タカ派とルソー的ハト派」（九七頁）の歴史観の二者択一に陥ることこそが誤りなのだ。同書が導いた答えは、初期人類が、「別種の社会的組織法のあいだを往復し、モニュメントを建造してはふたたび解体し、ある時期に権威主義的建造物の構築を許しては別の時期にはそれを解体していた」（一二六頁）というものである。初期人類は一箇所に定住することなく、季節的変異に応じて移動をくり返していた。この季節的変異と対応した移動に際し、人びとはあるときはヒエラルキー的な制度をつくりだし、別のときにはそうした制度を解体し、平等な関係性を再構築した。つまり人類は、ヒエラルキー的であると同時に平等主義的でもあった。

『黎明』によると、初期人類にこうした社会組織の再編をくり返すことが可能だったのは、彼や彼女に「じぶんの暮らす政治的世界をつくったりつくらなかったりする能力」（一二六頁）が備わっていたからにほかならない。同書は、こうした人間の能力を説明する上で何人かの先行研究者に注目している。ひとりは、霊長類学・人類学研究者のクリストファー・ボームである。彼によると人類には、「本能的に支配＝服従行動をとる傾向」（九七頁）がある。このホッブズ的傾向は、類人猿の時代から受け継がれた、ある種の霊長類に特徴的である。しかし人類には同時に、「そのように行動しないよう意識的に決定する」能力がある。たとえば、いじめは本能的な行動であっても、いじめに対抗すること——いじめっこを嘲笑したり、その面目をつぶしたり、無視する行動――は他の霊長類には不可能である。こうした行動が生まれるのは、人間が「もしそうしなかったら自分たちの社会がどうなるか」という点を熟慮し、「じぶんの社会のとりうる方向性を意識的に考え、ほかならぬこの道を選ぶべきであるのはなにゆえかを公然と議論する」（九八頁）能力をもつからである。以上のボームの議論をふまえ『黎明』は、「人間であることの本質」は、「自己意識を持つ政治的アクター」（「自覚ある政治的アクター self-conscious political actor」）」（九八頁、cf. 一〇六、一一三頁）だという点にあると主張する。

この点をめぐり『黎明』はさらに、構造主義の祖クロード・レヴィ＝ストロースという、やや意外な人物の議論を参照している。とくに重要なのは、一九四四年に執筆された南米先住民ナンビクワラの首長論である。[2]『黎明』による読解のポイントを要約すると、ナンビクワラ族は競争を避ける傾向があるにもかかわらず、統率者たる首長を任命する。首長は遊動生活を営む乾季には権威主義的に集団を率いることもすくなくないが、定住生活を営む雨季になるとたんなる仲裁者や世話人となり、人びとに命令を強いることはない。彼は、「個人的野心と社会的利益のバランスをとりながら二つの異なる社会システムのあいだを往復する冷静沈着な機転といった特質」を備えた、「あらゆる意味で自己意識的な政治的アクター」（一一三頁）である。このようにレヴィ＝ストロースの議論を解釈した上で、さらに『黎明』は、レヴィ＝ストロースの弟子にあたる文化人類学者ピエール・クラストルの議論によりつつ、南米先住民社会では「首長が首長でありつづけるためには、みなのご機嫌を取らなければならなかった」（一二八頁）こと、「首長がこのような状況に置かれていたのは、首長だけが成熟した洞察力ある政治的アクターだったからではなく、ほとんどの人がそうであったから」であること、初期人類であれ、南米先住民であれ「国家なき社会の人びとは、政治的自己意識にかけて、現代人より劣っていたどころか、現代人よりはるかに高かった」（一二七頁）ことを主張している。

ゆえに『黎明』によるなら従来の人類史の誤りの理由は、たんなる考古学的・歴史学的資料の欠落にあるのではない。むしろ、政治的自己意識（「人間が共に生活するうえでの複数の方法それぞれのメリットを比較衡量すること」（一二三―一二四頁））が初期人類には欠如しているとの臆断こそが誤った歴史観を再生産してきたのである。西欧の社会進化論的な図式において初期人類や南米先住民は、「最善でも、伝統の束縛にがんじがらめの精神なき順応主義者、最悪だと、十全なる意識をともなった批判的思考のいっさいをできない」（一〇七頁）存在、いわゆる「未開人」とされ、それゆえ、「ものごとを別の仕方で想像したり、未来に身を置いて考えてみたりする」（八二頁）能力を欠如させていると考えられてきた。こうした偏見のために、人類の創造的で実験的な歴史過程は、可能性としてさえ検討されてこなかったのだと『黎明』は主張する。

（２）文化圏と分裂生成

『黎明』でくつがえされるのは、進化論的な「未開人」像だけではない。初期人類が単純で小規模な集団しか形成しておらず、農業革命を発端とした技術的発展と人口増大によって複雑化・大規模化していったという人類史の神話でもある。

石器や装飾品をはじめとした考古学的資料が物語るところによれば、最終氷期（前一万年頃）までの人類はきわめて広大なネットワークを構成していた。人はこのネットワークの中を頻繁に往来し、道具、栽培作物、料理、音楽といったさまざまな文化を伝達し合ってきた。このネットワークは地球上にひとつしか存在しなかったわけではなく、多元的で複合的だった。とはいえそれは、個々のネットワークの範域が縮小した中石器時代においてさえ、「現代の国民国家よりは、はるかに広大なテリトリーに拡がっていた」（一四〇頁）。ところが最終氷期の終わり頃から、そうした大規模な関係性が反転し、「ほとんどの人びとの社会的世界がますます偏狭になり、生活や情念が文化、階級、言語の境界線に包囲される傾向を高めていった」（一四〇頁）。つまり、かつての広範かつ複合的なネットワークは、時代が下るにつれて小規模化と内的均[illegible]化を強めていった。

では、こうした過程はなぜ進行したのか。この問いに答えるために『黎明』は、人類学者グレゴリー・ベイトソンの「分裂生成schismogenesis」概念に着目する。分裂生成とは、「他者と自己を対立させながら自己を定義する」（六五頁）人間の傾向を指す。たとえば、社会民主主義的な二者が議論を白熱させるうちにいっぽうは左翼的革命思想家、たほうは右翼的保守思想家になる事態をイメージすると分かりやすい。『黎明』は、ベイトソンが一社会の心理的諸過程を説明するために考案したこの概念を、複数社会間の関係、とりわけ最終氷期の終わりから本格化する人間社会の「文化圏」単位への分割の過程を説明するために用いる。たとえば、肥沃な三日月地帯の遺跡群からは、「低地」と「高地」のあいだに明確な境界線があることが発見されている。これは単なる地理的・生態学的な境界ではなく、芸術や宗教をめぐる文化的な境界でもある。こうした境界がなぜ生じたかといえば、「高地人が捕食的な男性の暴力というテーマをめぐって芸術や儀式を組織するようになればなるほど、低地人は女性の知やシンボリズムというテーマをめぐって芸術や儀式を組織するようになる」（二七八頁）という分裂生成のプロセスが生じたためだったと『黎明』は説明する。

注意したいのは、『黎明』によると文化圏の分裂生成プロセスは、環境への無意識的な対応プロセスなどとは異なり、「自覚された分化」（二七八頁）プロセスだったということである。この点をめぐりグレーバーとウェングロウが補助線として引くのは、マルセル・モースの「文明論」である。同論の中でモースは、オーストリア民族学の伝播論を批判的に検証しながら、文明を右に記した「文化圏」の意味で論じている。モースの議論に独自的なのは、文化伝播が他の文化圏からの借用によってばかりでなく、特定の要素を「拒絶」することから成り立っていると考えたことである。そこから『黎明』は、文化の伝播が借用と拒絶という選択的過程である以上、この過程は「きわめて自覚的なもの」（一九八頁）であり、したがって「「文化圏」がどのように形成されたかという問題は、必然的に政治的な問題となる」（一九八―一九九頁）と主張する。右に見た肥沃な三日月地帯の事例をめぐっても、「低地」と「高地」は断絶していたわけではなく、それぞれの集団が物資を交換し、たがいの存在を強く意識していた。だからこそ両者はたがいの文化のある部分を借用し、ある部分は拒絶することで、自覚的に他ではない文化のかたちを選び取り、相互の境界を明確化していったのである。

こうした分裂生成の過程は、さまざまな時代にさまざまな地域でくりかえし観察されてきた現象である。しかし『黎明』の内もっとも印象的な事例のひとつは、一七世紀頃に北米先住民と西欧知識人のあいだで生じた分裂生成の過程であろう。『黎明』が当時の旅行記や宣教師の書簡をはじめとする歴史資料の精読からあきらかにしたところによれば（四四―六五頁）、西欧と遭遇した北米先住民はこれら異郷の住民を冷静に観察し、西欧人のあいだの経済的格差や、金銭への執着、他者を出し抜こうとする競争心や利己心、なにより身分の高い者が低い者を従属させ、個人の自由を認めない様を鋭く批判、あるいは拒絶していた。当時の北米先住民は、経済的には相互扶助を重視し、金銭の追求を軽視し、諸個人が対等であることを求めた。首長はいたが、彼の命令は絶対的ではなく、納得がいかなければ住民に拒絶されるのが常だった。とはいえもちろん、当時の北米先住民が完全に自由で平等な社会を組織していたわけではない。むしろ北米先住民は西欧と対峙し、その様を観察し、思考した結果、西欧とは異なる自社会のあり方を選び取っていったのである。

いっぽう、北米先住民からむけられた批判は、西欧人にとって「きわめつきの衝撃」（三六頁）だった。これらの批判は北米大陸のコンタクトゾーンのみならず、旅行記や書簡を通じて当時の西欧知識人にまで知られていった。彼らは「西半球で知られている最も単純な社会を自然状態として設定し、その結果、〔…〕人類の本来の姿は自由と平等であると結論づけた」（三九頁）。そして一部の啓蒙主義者は、こうした情報を手がかりとして不自由で不平等な自社会の批判を試みるようになった。たほうでA・R・J・テュルゴーやアダム・スミス、そしてルソーといった知識人は、北米先住民からの批判に間接的に応答するかたちで、「社会がより大きく複雑になるにつれて自由が失われていくという人間文明の両義性を帯びた進歩にかんする標準的な歴史のメタ・ナラティヴ」（三七―三八頁）を作り出すことになった。このナラティヴによるなら、いっぽうで北米先住民が生きる自由や平等は小規模で単純で遅れた「未開人」だからこそ可能な状態、つまりは劣等性の証しということになる。たほうで、このナラティヴは、大規模で複雑で進化している西欧においては、「トップダウンの統治による人間社会のヒエラルキー的位階への再組織」（五〇二―五〇三頁）が不可欠であり、自然状態の人類が享受していた自由や平等には一定の制約が課されるという発想を導いていく。こうして、「小規模な狩猟採集民のバンドの想像上の集合体からはじまり、現在の資本主義的国民国家の集合体に終わる」（五〇三頁）強力な歴史観、つまり社会進化論というメタ・ナラティヴが構築されたのである。

（3）自己意識と自由

以上でみてきたとおり、『黎明』による人類史の見直しは、進化の起点に位置づけられた人類のイメージを刷新することによって進められる。その作業を通じて明らかとなるのは、人類が先史の時代から、「想像力に富み、知的で、遊び心のある生き物」であり、その能力を活かして広範囲に及ぶ文化圏のネットワークの形成を実現してきた可能性が高い事実である。この事実に照らすと、進化論的思考に拘束され、国家等の狭隘な制度に縛られる現代人類はむしろ「退化」してきたようにもみえる。もっとも退化は進化と同じく単線的な変化を連想させる不適切な表現である。『黎明』の表現によるならむしろ、人類は知的にも社会的にも「閉塞stuck」（一三〇頁）してきたのである。人類が閉塞していった理由のひとつとして挙げられているのが分裂生成のプロセスである。『黎明』は、このプロセスの延長線上に、これまで忘却されてきた、一七世紀北米における現地先住民と西欧知識人のあいだの知的対話と葛藤を位置づけ、そのことにより、西欧の近代化の基礎となった進歩と啓蒙の思想が北米先住民による西欧批判へのバックラッシュとして生じたことをあきらかにしている。これは『黎明』のなかでも傑出した論点であろう。

とはいえ、すくなくともこれまでの本稿の整理による限り、『黎明』の議論には難点があるともいえそうである。うちひとつをあげるなら、人類が「自己意識を持つ政治的アクター」であり、分裂生成が「自覚された分化」のプロセスであるとみなすことの是非である。なるほど、初期人類や非西欧世界の先住民を「未開」とみなし、西欧の近現代人との知的断絶を自明視する観念はいまだ根深い。『黎明』はこの観念を転倒させ、高い政治的自己意識もつ初期人類が創造的な社会実験を繰り返していたこと、むしろ政治意識を欠落させているのは西欧の近現代人であること、ゆえに真に問われるべきは「かつてわたしたち人類がもっていた政治的自己意識は、なぜ失われてしまったのか」（一三〇頁）であることを主張する。これはたしかに進化論的な決定論を退けるうえでは有効な主張である。問題は、人類史の解釈において政治的自己意識にもとづく「自己決定（セルフデターミネーション）」（二二三頁）を重視するという著者の立場が「自由」のテーマへとダイレクトに接続され、「人間の主体性（ヒューマン・エージェンシー）」（かつて「自由意志」と呼ばれていたもの）が実際にどれほどの影響力をもつのか、確実にはわからない」（二三四頁）以上、「自由と決定論のあいだの〔程度の〕目盛りをどこに設定するのかは、おおよそ好みの問題になる」という見解が表明されている点である。

仮に初期人類や非西欧世界の住民が「自己意識を持つ政治的アクター」であるとして、そうした自己意識による選択の集積が歴史のプロセスなのだとしても、これらのアクターがどれほど「自由」に「自己決定」しえたかという点は慎重に見積もられるべきではなかろうか。じっさい、『黎明』も、「われわれはみずからの歴史をつくるとはいえ、じぶんの選択した条件のもとにおいてではない」（二三四頁）というマルクスの言葉を引くことで、自説へ一定の留保を促している。とはいえ、ここでむしろ参照すべきは、次のベイトソンの言葉でないか。「経済的視点から見た相補型分裂生成の研究として、西洋社会を扱ったマルクス主義の歴史研究があるが、そこでは、研究者自身の筆が分裂生成的に動き、「誇張」に駆り立てられる傾向が見られるようである」（ベイトソン、二〇〇〇：一二七）。

進化論的人類史の転覆を目論む『黎明』の著者の筆が分裂生成的に動き、マルクス主義的歴史研究と同様の

「誇張」に駆り立てられる傾向はなかっただろうか。たとえば、特定の人びとが常に「自己意識を持つ政治的アクター」であるというとき、高い自己意識をもった個人や集団が後年そうした意識を喪失・封印するという動態的プロセスの可能性は論から除外されてしまう。[3] なにより初期人類や非西欧世界の住民が生きてきた自由が、己の問題関心を「好み」で設定することを許された現代の研究者ほど自由ではなかったことは、ほかならぬ『黎明』において雄弁に論じられている。以下ではこの点についてみていくことにしよう。

二　社会的自由の諸形態

(1) 三つの実質的自由

本稿冒頭のエピグラフで引証したとおり、『黎明』の最重要課題として掲げられているのは、「人間を人間たらしめている自由を再発見できるかどうか」という点である。『黎明』が非西欧世界の住民の言葉と実践のなかに探りあてた自由とは、先にみた自己決定する政治的アクターの自由を即座に意味しない。かといってもちろんそれは、財やサーヴィスの取引を市場の自己調整に委ねるというアダム・スミス的な自由でも、土地から解放されると同時にみずからの労働力を自発的に売却するようになった産業労働者をめぐるマルクス的な二重の自由のことでも、ましてや言論や信仰や結社や表現をめぐる権利としての自由でもない。

『黎明』が追求する自由の特徴とは、それが形式的自由ではなく実質的な自由だという点である。「自由は、それにもとづいて行動できなければ、真の自由ではない」(一四七頁)。たとえばわたしたちは、好きなところへ旅行する権利を持つが、移動費と宿泊費がなければ、その権利を行使できない。これにたいして、一七世紀の北米先住民や二〇世紀のアフリカ住民が関心をよせてきたのは、「旅をする権利よりも、実際に旅ができるかどうか」(一四八頁)である。あるいはわたしたちは、上司の理不尽な命令に従ういわれはないが、命令の拒絶が職の喪失につながるのであれば、その命令に従わざるをえない。たほう、北米やアフリカの先住民は首長と呼ばれる特権的地位を認めているが、その命令が意にそぐわない場合、首長を見放す。「ウェンダット(北米先住民の居住地)にはまがいものの首長とほんものの自由がある。いっぽう、現代のわたしたちには、ほんものの首長とまがいものの自由がある」(一四七頁)。

では、北米やアフリカの住民はなにゆえ実質的に自由なのか。この点をめぐり『黎明』は、自由を三つの「根源的ないし基本的自由」(四一三頁)の複合として理解する視座を打ち出している。すなわち、「(一) じぶんの環境から離れたり、移動したりする自由、(二) 他人の命令を無視したり、従わなかったりする自由、(三) まったくあたらしい社会的現実を形成したり、異なる社会的現実のあいだを往来したりする自由」(五七〇頁、cf. 一四九―一五〇頁、四一三頁、四八五頁、五四八頁) である。

このうち (三) の自由は、エピグラフの表現でいう「これまでとは異なるなにかを創造するわたしたちの能力」と直接的に関わる自由、季節的変異に応じて異なる社会組織の構築と解体をくり返していた初期人類や非西欧世界の住民が備えていた自由である。先にみたとおり『黎明』は、この自由を、人類が政治的自己意識を持つがゆえに実現されたものとみなしている。とはいえ、この自由はそれ自体では成り立ちえない。(一) (二) の自由こそが「より創造的な三つめの自由のための足場のような役割」(五七〇頁) をはたす。なぜなら、従来の社会のあり方に問題があり、あらたな社会を築くことが必要であると認識されたとしても、既往の社会のあり方に従うことを余儀なくされる限り、この試みが実現されることはないからである。

とはいえ、ただちに次の疑問が生じる。(二) の自由はいかにして享受されうるかという疑問である。命令を発するものは、物理的な暴力や精神的な規範によってそれを強制しようとする。こうした暴力や規範の力を逃れて、命令から自由になることなど可能なのか。『黎明』によればそれは可能なのであり、この自由を保証するもっとも根源的な自由こそ、(一) の自由である。なぜならこの移動の自由こそが物理的暴力も精神的規範も届かない遠方への逃避を可能にし、人を不当な命令から解放し、そのことによって彼や彼女はあらたな社会関係を創造する自由を獲得することになるからだ。

とはいえ、さらなる疑問が生じる。自分の環境から離れたり、移動したりする自由はいかにして可能になるのかという疑問である。わたしたちは自動車や飛行機といった交通手段により、初期人類より速く遠くまで移動できる。だとすれば、わたしたちはかつてより根源的に自由になったといえるのか。『黎明』の議論によるなら、答えは否である。技術がより広範かつ迅速な移動手段を生み出したとしても、その手段をじっさいに使用できなければ意味がない。重要なのは、形式的自由ではなく、あくまで実質的な自由なのである。それだけに『黎明』でいう移動の自由は技術によっては解決不可能な自由、技術とはむしろ無関係な自由である。

移動の自由とは、人が単に移動可能であることによって実現するわけではない。異郷の地を訪れた外来者を受け入れ、食糧や住居を与え、生命を保証する人びとがいてこそ、それは可能となる。つまり移動の自由をめぐって重要なのは、移動する当の人以上にその受け手の側なのだ。したがって、異郷から訪れた他者を受容する歓待の実践こそが、もっとも根源的な自由を可能にすることになる。ところが『黎明』は、この自由を可能にする歓待の実践について多くを語っているわけではない。ただしこの実践が、とある重要な概念と結びついていることを示唆している。すなわち、コミュニズム概念である。

（2）コミュニズムと自由

『黎明』におけるコミュニズムについての説明は、一七世紀西欧知識人と北米先住民の相互批判的な対話に関する文脈にまとまって記されている（五四―五六頁）。その記述によると、ここでいうコミュニズムは歴史上存立した国家的制度としての共産主義のことでも、「未開社会」に存在するとされた原始共産制のことでもない。そうした「所有の制度としての意味ではなく、「各人は能力に応じて［働き］、各人は必要に応じて［受け取る］」という本来の意味での「コミュニズム」である」（五五頁）。たとえば一七世紀北米先住民社会をはじめとする多くの社会では、食糧をもとめられて断られるという事態は生じえなかった。食糧には命と関わる切実なニーズがあり、かつ、ふつう人は毎日食事をする以上、その食事の一部を困窮している誰かに分け与えることは大きな負担ではない。ゆえに良識のある者なら、憎むべき敵でもない限り、食糧を望む者にそれを供与すると期待できる。『黎明』によると、この意味でのコミュニズムは、「人間の社会形成力［社交性］sociability の土台そのもの」（五五頁）であり、いつの時代のどの地域の社会にも存在している。ゆえにこの意味でのコミュニズムは、歴史上の共産主義から区別されて「基盤的コミュニズム」と呼ばれる。そこに時代や地域的な「差異があるとしたら、このような基盤的コミュニズムをどこまで拡張するのが適切とみなされているか、という点である」（五五頁）。

ところで『黎明』では、右の意味でのコミュニズムが「相互扶助」と置換的に用いられている（五四、一四八頁）。しかし、相互扶助には対等な関係にある者同士の「互酬的」交換のニュアンスがつきまとうだけに、注意が必要である。[4]

そもそも右のコミュニズム概念は、グレーバーが『負債論』（二〇一六）などで展開した、「コミュニズム、ヒエラルキー、交換」というモラルの三類型のひとつである。互酬性とは対等なもの同士による見返りを前提とした「交換」の一種であり、コミュニズムからは概念上区別される。コミュニズムの具体例として有名なのは、水道を修理しているだれかが同僚に「スパナをとってくれないか」と依頼する事例である。このとき同僚が「そのかわりになにをくれる?」などと互酬的な見返りを要求することはない。見返りなどなくとも、同僚は手元のスパナを彼に手渡すだろう。このように人は生活や事業を協働で営む際、財産や空間や時間や感情を共有する。その際、わざわざ他者から見返りをえようとしたり、他者を支配しようとしたりしないのである。

　基盤的コミュニズムは、人の生存に不可欠な衣食住を共有する集団——たとえば近代西欧では家族を典型とするような集団——においてとりわけ強く作用する。ところが、『黎明』で参照されている一七世紀北米において、西欧人の「基盤的コミュニズムの範囲はかなり限定されていたとみえて、衣食住には及んでいなかった」（五六頁）。次の宣教師の記述にみられるとおり、このことは北米先住民を憤慨させた。「かれらはたがいにもてなし合い、助け合いをするため、すべての人間に必需品が供与されており、町や村に貧しい乞食はひとりもいない。フランスには貧しい乞食がたくさんいるという話を聞き及び、かれらはそれを悪辣きわまりないわれわれの慈愛の欠如とみなし、きびしく非難した」（四六頁）。

　この宣教師の記述をふまえ、『黎明』は次のように主張する。北米先住民の観点からすれば、「個人の自由は、あるレベルの「基盤的コミュニズム」を前提としていた」（七六頁）。「というのも、つまるところ、飢えていたり、吹雪のなかで適当な衣服やそれを避ける居場所をもたない人間は、生存の努力でせいいっぱいになるため、実際にはなにも自由にできないからである」。逆にいえば、基盤的コミュニズムが作動する範域が広ければ広いほど、人は広大な領域を自由に移動しうるということである。ということは、[5]『黎明』はかならずしも明言しているわけではないものの、移動の自由、すなわち「遠方の地で歓迎されることがわかっているうえで、みずからの共同体を放棄する自由」（一四九頁）とは、基盤的コミュニズムが十分な範域で、多様な外来者に対して発動することによって実現されるのではないかという展望が示されることになる。

　じっさい、『黎明』が注目する北米先住民の場合、その基盤的コミュニズムが作動する範域は広大で対象は多様だった。「五大湖畔からルイジアナの湾岸まで移動しても、歓待し食事を与える義務のある——まったく異質の言葉を話す——みずからとおなじクマ、ヘラジカ、ビーバーなどのクランのメンバーからなる居住地をみつけることが可能だった」（一三八頁）。つまり、北米先住民の基盤的コミュニズムが作動する範域は「文化圏」全体に及んでいた。さらに『黎明』は、オーストラリアのアボリジニの事例に着目する。彼らは大陸の半分を旅して、遠隔地の異言語話者の間を移動した。にもかかわらず彼らは、自前の親族システムを通じて、「かれらを歓待する義務」(一三八頁)がある(擬制的な)「兄弟」や「姉妹」をみつけることができた。

逆にいえば、みずからが「どこか遠くの地で受け入れられ、ケアを享受し、さらには尊重してもらえることがわかっている」(五八四頁)からこそ、つまり外来者を歓待する基盤的コミュニズムの働きがあるからこそ、人びとは財と共に「自由」に移動し、移動の総体として「文化圏」を作りだしていたことになる。じっさい『黎明』は、「文化圏」を「歓待地帯」(hospitality zone)(四八〇、五四一、五八四頁)とも呼んでいる。[6]

(3) 政治的自己意識の基盤としてのコミュニズム

以上をふまえてあらためて政治的自己意識と自由の関係について整理してみよう。人類が政治的自己意識を十全に発揮し、あらたな社会関係を創造するという自由を行使するためには、既往の社会関係を強制しようとする権力の命令を拒む自由が必要である。ただしこの意味での自由を行使するには、既往の権力のもとから離脱する移動の自由が不可欠であり、この第三の自由を行使するには、移動した先で自身が安全に受け入れられる必要がある。それを可能にするのはいかなる実践か。グレーバーとウェングロウは明言していないものの、右の問いの答えを『黎明』のなかに積極的にもとめようとする限り、えられるのは基盤的コミュニズムにもとづく外来者の歓待の実践だということになる。

ここで注意を要するのは、基盤的コミュニズムにもとづく歓待は、かならずしも政治的自己意識にもとづいてなされる類いのものではない点である。『負債論』でグレーバーが論じているところによれば、そこに表出するのはむしろ喜びや楽しみといった「感覚senses」であるほか忌避される。あるいはやはりグレーバーが基盤的コミュニズムの例にあげる、地下鉄の線路に落ちた子供を誰かが助けようとする事態を想像してみてもよい。可能な者がみずからの能力に応じて他者の命を救おうとするときに必要なのは、とっさの判断である。同様に、戦争や災害から命がけで避難してきた人びとを迎え入れるのに重要なのは、「各人は必要に応じて、各人は能力に応じて」という基盤的コミュニズムの原則であり、異文化(この場合はむしろ異人)から借用するか拒絶するかを選択する自覚的な政治判断ではない。したがって、『黎明』のいう「そもそも人間を人間たらしめている自由」とは、政治的意識をもつ「自己」によって達成されるというよりむしろ、基盤的コミュニズムにもとづいてその自己が「他者」に受け入れられることによってはじめて実現されることがわかる。

そのいっぽうで注意したいのは、基盤的コミュニズムは無条件に三つの社会的自由を導くものではないことである。グレーバー自身が『負債論』などで述べているとおり基盤的コミュニズム自体は、過去から現在にいたるまで、家族のような親密な人間関係から、企業や国家といった非人格的な人間関係にまで広がっている。にもかかわらず、現代世界のすくなからぬ場所において、移動する自由も、命令に従わない自由も、あらたな社会関係を創造する自由も――形式的にはどうであれ実質的には――実現していない。とりわけ移動する自由は、欧米や日本における移民・難民問題を想起すれば分かるとおり、基盤的コミュニズムのモラルからかけ離れた現実に直面している。[7] 基盤的コミュニズムの作動域はあくまで家族、企業、国家の内部にとどまる傾向があり、家族、企業、国家相互の関係や、家族と企業、家族と国家の関係においてはむしろ、ヒエラルキーや（市場）交換の原理が優勢なのである。『黎明』自体が述べているわけではないが、これもまた閉塞する世界の現れであろう。

基盤的コミュニズムの作動域を分裂生成するまま閉塞させず、より外部へと、異質なものへと拓くよう想像力に働きかけること。それこそが『黎明』、そして同書を通じてグレーバーが遺した、文化人類学の進むべき方向性のひとつではないか。そこで以下では『黎明』にならい、わたしが異郷の地で見聞した人びとの生活世界から、基盤的コミュニズムとこれに類似する歓待の実践について記すことにしたい。

三　現代西アフリカ内陸部の歓待地帯から

（1）　移動と定住

わたしが二〇〇〇年代半ばに住み込み調査を行ったニジェール西部の農村では、大半の住民が農耕民を自認している。農耕ばかりでなく牧畜や漁業を営んでいたとしても、家畜や漁場とともに移動をくり返す専門的牧畜民・漁業民とみずからを区別する。じっさい農繁期のあいだ人びとはひとつの地域にとどまり、家長の指示のもと家族単位で雑穀や米などを栽培する（Sakuma, 2019）。そこを、いわゆる定住農耕民の文化圏とみなすこともひとまず不可能ではない。

ただしこの地域の住民は、かならずしも移動の自由と無縁だったわけではない。そもそもこの地域は、フランス植民地期以来西アフリカでも有数の移民送りだし地として知られてきた（Rouch, 1956 ; Olivier de Sardan, 1984）。移出を企てるのはおおむね青年男性である。農繁期は家長の監督下で農業に従事する彼らは、農閑期になると、仲間と連れ立って仕事のある他村や都市部へ出稼ぎに出る。安定した仕事がみつかることは稀であるが、その日暮らしを支え合うのは同郷の仲間である。青年たちは、農閑期のあいだ、家長の権威と農作業から解放され、同年代の仲間という家族とは別種の人間関係に基づき、農業とは別種の生業に従事する。つまるところニジェール西部農村の男性はすくなくともその人生の一時期、狩猟採集生活を営む初期人類や南北アメリカ大陸の先住民さながらに、季節的変異に応じて定住生活と移動生活、ヒエラルキー的な関係と平等主義的な関係を往還する。

とはいえそうした往還が持続する期間は、通常長くは続かない。彼らの大半はやがて結婚と子供の誕生を経て家長となり、出身農村で通年定住生活を送るようになる。家族に負うべき責任と家族に対する権限が増大するにつれ、同年代の仲間との関係は希薄になる。農作業のタイミングと内容の決定、家畜の管理、子供の養育と結婚への介入、村内の会合における発言力の上昇など、「政治的自己意識」にもとづく「自由」な行動の余地は格段に高まるが、その反面、父親の権威を離れて気ままに村や都市を渡り歩いていたころの仲間との「自由」な関係性、つまり命令に従わない自由と移動の自由は失われ、「これまでとは異なるなにかを創造する能力」を発揮する余地も制限されていく。

(2) コミュニズムと負債

ところでこの地域は、たんに移動する民を生み出すだけでなく、移動する民を受け入れてきた地でもある。じっさいわたしの調査期間に限っても、親族や知人を頼ってやってくる農耕民ばかりでなく、収穫後の田畑にのこされた残渣を家畜に食べさせるために到来する牧畜民、良い漁場を求めて川を行き来する漁業民、さらには巡回商人、教員、無料診療所の看護師など、言語も生業も異なる、じつにさまざまな人びとの往来があった。程度の差こそあれど、そうした客人は手厚く歓待され、衣食住に困ることはなかった。村の青年が確たる収入の見通しもないまま遠隔地の都市や農村へ旅たつことができたのも、同様の歓待が期待できたからにほかならない。国内移動時の身分証明書の携帯義務や国境管理など、国家による制約はつねにともなうが、それでも移動の自由を保証された歓待地帯は、二〇世紀転換期西アフリカ内陸部にもたしかに広がっていた。

人は往来するばかりではない。中にはそのまま定住する者もでてくる。というよりも村は、そうした外来者をたえず取り込むことで維持されてきたといっても過言ではない。じっさい村の伝承を調べてみると、古参とされる一族の祖先がその村で妻を娶った外来の男性であることがすくなくなかった。彼らが村に定着するに際しては、その村で妻を娶り、生活の糧をえるための土地をえる必要がある。興味深いことにそれを実現するための申し出は、家長の側からなされることがおおい。村を訪れた外来者のひとりであるわたしもまた幾度となく、結婚させてやる、土地を与えてやるという申し出を受けた。

客人歓待の手厚さを思わせるこの申し出はしかし、「各人は必要に応じて、各人は能力に応じて」という基盤的コミュニズムの原則にもとづくものではなかった。食べ物や仮の住処とは異なり、妻や土地はこのうえなく貴重で、かえがきかない。ゆえにこのかけがえのない贈与物を受けとった外来者は、贈り手に返済不可能な負目を負う。その負債感から人は必然的に反対給付を、典型的には農作業におけるみずからの労働力の自発的提供を余儀なくされることになる。そればかりか、村の先着者に負目を抱える後着者として劣位におかれることさえある（佐久間、二〇一三）。

グレーバーによれば負債とは「完遂に至らぬ交換」（グレーバー、二〇一六：一三八）であり、「負債が返済されていないあいだ、ヒエラルキーの論理が支配的になる」（グレーバー、二〇一六：一八二）。つまり、衣食住とおなじく外来者の歓待のために提供されようとしたとはいえ、妻や土地の供与に際して優勢だったのは、基盤的コミュニズムというより、交換とヒエラルキーの複合である負債の論理だったのである。しかも、惜しみない贈与者として振る舞う家長たちがこうした政治性に無自覚であったわけがない。彼らは、『黎明』のいうところの「意識を備えた政治的アクター」にほど近いなにかだった。現地調査中のわたしもまた、時間の経過と共に、こうした負債のポリティクスに深く絡め取られていった。しかしそれは、人類学徒だけでなく、この歓待地帯を訪れた無数の外来者が参入していった政治の舞台だった。政治的アクター化した家長が外部から移住民を引き込み、最終的には彼らを農耕民化することで、村内の生産活動は維持されてきたのである。

（3）無為の歓待

とはいえ基盤的コミュニズムと負債の論理によって、西アフリカ内陸部の歓待地帯の内実が説明しきれるわけではない。あらためて振り返りたいのが、本稿冒頭に記した出来事である。

一見したところあの出来事は、基盤的コミュニズム論の枠内で理解できそうである。あのときわたしには、その場にいるみなと同じように、金銭が手渡された。ある意味わたしは彼らと金銭を共有した。ただし、わたしが年齢集団のメンバーであるか否か、ましてや罰金を納めたことがあるか否かは問われなかった。分与された小銭は、衣食住のように必要不可欠なものでもなかった。したがってそれは基盤的コミュニズムの論理では捉えがたいものだった。かといってそれは、家長から与えるとの申し出を受けた妻や土地とは異なり、負債を宿した――モース的にいえば持主の元に戻ることを望むハウの霊を宿した――贈与物ではなかった。受けとったからといって年齢集団への返礼や集団への加入を期待されていたわけでもなかった。

そもそもあの金銭は、外来者の歓待のために手渡されたのではなかった。たまたまそこにいた者に分与されたにすぎなかった。ゆえにそれは、束の間であれ、わたしを外来者以上のなにかにした。いやそれはむしろ、わたしがわたしであること――外来者であり、研究者であり、異教徒であり、現地で白人と呼ばれる異文化圏出身者であること――を解除する一撃だった。目的はなかった。意図もなかった。ただそこには喜びがあった。自身が彼らと無関係ではないこと、優位にも劣位にもないこと、必要とも能力とも無関係につながりうることを強烈に実感させる出来事だった。

つまるところあの時生じていたのは、同一集団の成員であるから財を分かつのではなく、分かつからこそ集団性が立ち現れるような事態、人が財を共有するのではなく、財が異質な人びとを共在させるような事態だった。このような事態をなんと名指せばよいのか。グレーバーのフランス語版基盤的コミュニズム論（Graeber, 2010）において、shareの訳語にpartageがあてられている点に鑑みて思い切った論理の飛躍を試みるなら、あのとき生じたのは共有というより分有、基盤的コミュニズムというより、ジャン＝リュック・ナンシーのいう「無為の共同体」（ナンシー 二〇〇一）だった。分裂生成のように差異化を促すのではなく、かといって妻と土地の贈与のように村への負債論的同化を促すのでもなく、文化圏すら異にする他者が他者のままに結びつけられるという事態。それは外来者の歓待を意図して招かれた事態ではないが、だからこそ外来者を巻き込んで生じる共同性により外来者を無為に歓待する実践たりえたのである。

おわりに

本稿では、自由というテーマを焦点に『黎明』を掘り下げて読解した。人類を自覚的な政治的アクターにする自由の根底には移動の自由があり、この自由を実質的に支えるのは基盤的コミュニズムにもとづく歓待の実践である。本稿ではさらに二〇世紀転換期西アフリカ内陸部の歓待地帯の風景を手がかりに、移動の自由がコミュニズムばかりでなく、負債、無為の共同性にもとづく複数の歓待の実践に支えられていることを確認した。

『黎明』が力強く主張したように、移動の実質的な自由は、支配からの自由、あらたな社会関係を打ち立てる自由を可能にする。ただし最後に留意を促しておくなら、現代世界における移動の自由とは彼方から労働力を引きよせる市場の自由と隣り合わせの自由でもある。到着先で待つのは実質的自由とは限らない。形式的自由さえ許されぬ支配と服従の現実かもしれない。だとしても、現代の歓待地帯の住民は、ここではないどこかに自分を受け入れる誰かがいるという確信を抱いており、その確信ゆえに、ときに大洋や砂漠を命がけで横断する。その是非を問うのではなく、その想像力の内実に迫ることこそが、啓蒙(リュミエール)の影で長らく見落とされてきた自由を照らし出す『黎明』の地平ではないか。

いかなる闇の内にあろうと万物の自由を照らす黎明の輝きを忘れてはならない。

注

1　以下本稿では、『万物の黎明』からの引用については日本語版（グレーバー&ウェングロウ、二〇二三）の当該頁数のみを記す。

2　同論文は、アメリカ滞在期（亡命および大使館勤務のための滞在期）に執筆されたテキストからなる『構造人類学ゼロ』（レヴィ＝ストロース 二〇二三）に再録されている。グレーバーとウェングロウは同論文が学史の中で後年ほとんど省みられなかったと考え、その理由を、同論文で打ち出されている独自の首長論が当時の人類学で主流だった新進化論的首長論と相容れなかったことにもとめているが（一一三―一一四頁）、『構造人類学ゼロ』の序文で編者ヴァンサン・ドゥベーヌが論じているところによると、むしろそこにはレヴィ＝ストロース自身の政治意識の変化が深く関わっていた。

3　具体例として、レヴィ＝ストロースの政治意識の変遷（本稿注2）や、本稿の後半部でとりあげるニジェール西部の事例を参照。

4　この点をめぐっては、グレーバーの『負債論』の批判的継承を目指した論集（佐久間編、二〇二三）、とりわけ序章を参照。

5　移動の自由が基盤的コミュニズムにもとづく歓待の実践によって支えられていたことを比較的明瞭に示す言及は次の一文である。「かれら〔アフリカや北米の先住民〕が関心を寄せるのは、旅をする権利よりも、実際に旅ができるかどうかである（そこから、この問題は、一般的によそもの(ストレンジャー)をもてなす［歓待を与える］義務として位置づけられていたのである）。相互扶助――現代のヨーロッパ人観察者がしばしば「コミュニズム」と呼ぶもの――が、個人の自律の必要条件とみなされていたのだ」（一四八頁）。また本書所収のウェングロウへのインタビュー「原初的自由」におけるコミュニズムへの言及も参照。

6　グレーバーとウェングロウは、「マルセル・モースが「文明」という言葉は、このような偉大な歓待地帯(ホスピタリティ・ゾーン)のために確保しておくべきだと主張したのは、的を射ているようにおもわれる」（五八四頁）と述べているが、この主張には留保が必要である。モースはたしかに『贈与論』（モース、二〇一四）や『民族誌学の手引き』（Mauss, 2002）において西欧近代を含む世界各地の歓待の実践について言及しているが、「文明論」において論じているのはあくまで文化要素の借用と拒絶をめぐる議論であって歓待の実践ではない。むしろ「文明論」におけるモースは、ナショナリズムの暴力を危惧しつつも、「生産も、土地や海浜の整備も」（モース、二〇一八：二八五）すべては「世界市場向け」に開発されることこそが「文明である」との見解――資本の文明化作用論を思わせる見解――を肯定するモースであった。このテーマをめぐって再読されるべき古典はむしろ、ウィーン民族学を独自に継承した岡正雄の異人論かもしれない。「原始人は異人に対して純粋なる好意的態度をとるとなす説の、争闘的態度をとるとする説と共に、にわかに承認し難きにおいてをやである。／この事は、客人款待を意味するhospitalityという語が、敵意を表わすhostilityと共に、外人、客人、主人等を全体的に意味したhostという語に、語源を有するのを見ても暗示されるのである」（岡、一九九四：一〇四―一〇五）。

7　世界人権宣言一三条は「万人が各国の境界内において自由に移動・居住する権利」と「万人が自国を含むいかなる国をも立ち去り、また自国に帰還する権利」を認めているが、他国民が自由に入国する権利を認めているわけではない。他国に入国する権利は出身国によって著しい相違があり、たとえば日本国籍保有者がビザなしで渡航できる国数は一九三にのぼるがアフガニスタン国籍保有者は二七にすぎない（*Courrier international*, 2023: 32)。

参考文献

Courrier international (2023) *Atlas des migrations* (*Courrier international hors-série*, N° 97), Courrier international SA, Paris.

Graeber, D. (2010) "Les fondements moraux des relations économiques," (Traduit par P. Chanial) *Revue du Mauss*, 36 , pp.51-70.

Mauss, M. (2002) *Manuel d'ethnographie*, Petite bibliothèque Payot, Paris.

Olivier de Sardan, J-P. (1984) *Sociétés Songhai-Zarma* (*Niger-Mali*): *Chefs, guerriers, esclaves, paysans*, Karthala,Paris.

Rouch, J. (1956) "Migrations au Ghana," *Journal de la Société des Africanistes*, 26, pp.33-196.

Sakuma, Y. (2013) " Present Condition of the Sudanese Agricultural Complex: The Case of Western Niger , " *African Study Monographs. Supplementary Issue*, 58, pp.3-20.

岡正雄（一九九四）『異人その他 他十二篇』岩波書店。

グレーバー、D．（二〇一六）『負債論：貨幣と暴力の五〇〇〇年』（酒井隆史監訳・高祖岩三郎・佐々木夏子訳）以文社。

グレーバー、D．&ウェングロウ、D．（二〇二三）『万物の黎明：人類史を根本からくつがえす』（酒井隆史訳）光文社。

佐久間寛　（二〇一三）『ガーロコイレ：ニジェール西部農村社会をめぐるモラルと叛乱の民族誌』平凡社。

佐久間寛編（二〇二三）『負債と信用の人類学：人間経済の現在』以文社。

ナンシー、J.＝L.（二〇〇一）『無為の共同体：哲学を問い直す分有の思考』（西谷修・安原伸一朗訳）以文社。

ベイトソン、G.（二〇〇〇）『精神の生態学 改訂第2版』（佐藤良明訳）新思索社。

モース、M.（二〇一四）『贈与論 他二篇』（森山工訳）岩波書店。

――（二〇一八）『国民論 他二篇』（森山工編訳）岩波書店。

レヴィ＝ストロース、C.（二〇二三）『構造人類学ゼロ』（佐久間寛監訳・小川了・柳沢史明訳）中央公論新社。


（文化人類学）

考古学にとっての『万物の黎明』、その接続・影響・未来

溝口孝司＋瀬川拓郎＋
小茄子川歩＋酒井隆史

小茄子川 『万物の黎明』は、ジャレド・ダイアモンドやユヴァル・ノア・ハラリ、スティーヴン・ピンカーなどのベストセラーの著者たちによる「ポップ人類史としてのビッグヒストリー」とは一線を画しているという事実を、まずは強調すべきであると思います。人類学者と考古学者が実証的な証拠にもとづいて書きあげた「政治的アクターとしての個人にも光をあてたビッグヒストリー」だからです。

じっさいのところ、考古学者のなかには『万物の黎明』を「ポップ人類史としてのビッグヒストリー」と同じ類のものだと考えている方がかなりいるように思います。思想、哲学、人類学などをディシプリンとする研究者ももちろん当著を評価すべきなのですけれども、私個人としては、この「考古学の本！」は、何よりもまず考古学者がしっかりと評価しておくべきであろうと考えています。しかしながら「こういう本を正面から評価できる考古学者はもうあまり日本にいないのではないか」「思想、哲学、人類学などを自由に行き来しながら考古学をやられている先生も少なくなってきている」とも思う今日この頃です。そのような状況のなかで、私は、瀬川先生を『万物の黎明』を地でやられてきた／いる考古学者であると考えています。また溝口先生は社会考古学を主導しつつ、また人間のコミュニケーションのあり方を一つの視点として、現代社会がよりよくなる方向性について考古学が果たすべき役割をも考えられている考古学者です。本日はお二人に訳者の酒井先生をまじえ、考古学は『万物の黎明』をどう受け止めるべきか、という対話をおこないたく考えます。

この『万物の黎明』は、ウェングロウによれば、完成形ではなく、本来であれば四部作であったシリーズの一作目という位置づけとなります。したがいましてまずは、当著が「なんらかの結論」を提示するものではなく、「より良き問い」を立てるための基礎を固める作業であるということをしっ

かりと認識しておく必要があります。よって当著の「足りない部分」を責め立てるのはほぼ無意味であって、当著からはグレーバーの二〇〇七年の著書名にならっていうならば「さまざまな可能性」を掘り下げておくことが、現段階での重要な作業です。

　本日は対話の「きっかけ」としてトピックを三つだけ用意してきました。

　一つ目は「接続」です。（日本の）考古学の現状をふまえたうえで、『万物の黎明』は現在の考古学のどういうところに、どのように接続するか。

　二つ目は「影響」です。『万物の黎明』が（日本の）考古学または人文社会学にただしく接続するならば、「万物の黎明的転回」「万物の黎明史観」とでもいえるようなかたちで、さまざまな影響がもたらされるものと考えられます。その影響は研究という側面にとどまらず、例えばそうした研究にもとづいてきたといえる教育という側面にまで影響してくることが予想されます。したがいまして我々は、この「影響」についても目を背けることなく、真摯に向き合い対話しておく必要があります。

　三つ目は「未来」です。『万物の黎明』は、環境問題をはじめ、「科学技術」がすべての問題を解決してくれる訳ではないことが明らかになったという意味での「ポストサイエンス」時代における人文社会科学の本来的な「力」の一側面をあらわしているようにも思います。接続し影響を受けた後に、『万物の黎明』をただしくのみこんだ研究者らが、どのようなビジョンをもって今後の研究をすすめてゆくことになるだろうか。すなわちより大きな視点からは、「ポストサイエンス」時代における人文社会科学の可能性・意義・方向性についても議論する必要があります。

接続

　ではさっそく「接続」というトピックに入っていきたいと思います。グレーバーとウェングロウはディシプリンに忠実であり、人類学と考古学の本来的な「力」を評価するスタンスです。たとえばウェングロウは考古学のもつ可能性を最大限に評価し、「より良き社会」の想像／創造のために、人文社会科学においてよりプレゼンスを発揮すべきという考え方をもっているように思います。ディシプリンに忠実であった人類学と考古学の方が、ホモ・サピエンスや人類史の可能性を総合的に理解する「力」をもっており、じっさいにそうした意味で学際的でもあったのではないか。

　しかし現代人類学は自己批判的というか、ポストコロニアル的視点を重要視するようになってからは、グレーバー的な視点での研究は主流ではなくなったように思います。考古学も同じで、現代考古学は「ハードサイエンス重視型考古学」といいますか、これもいわゆる（ネガティブな）ポストモダニズム的思考の弊害の一つだと思いますが、「大きな物語」を提示するような研究はどこかタブー視され、いっぽうでまさに重箱の隅をつつくような研究を量産しています（もちろんこのような研究も重要です！）。そして後者のような研究こそが考古学であると学界で認知されるにしたがい、人類史を復元するための一つの手法としてもっとプレゼンスを発揮できるはずの考古学は、その「さまざまな可能性」をせばめることで勝手にスタックしてしまっている。私は、考古学が『万物の黎明』にただしく接続することによって、スタックしてしまった理由が明らかとなり、考古学がもつ本来的な「力」や可能性にもあらためて光が照射されるものと感じています。

考古学変革の力強いツール

溝口　私の『万物の黎明』体験からお話させていただきます。その体験を例えるならば、さながら「ジェットコースターライド」でした。いきなりカンディアロンクのエピソードからはじまり、現在のリベラルデモクラシー、それがよって立つところの存在論・人間観のベースが、実は私達が信じているようなユーラシア大陸の西の端に凝集し蓄積されたさまざまな、基本的にユーラシア的な知のツールのクラスターではなく、いわゆる「新大陸」において辿られたユニークかつコンティンジェントな歴史を通じて産み出された知と存在の技法にもとづいているということに、椅子から転げ落ちてしまうような衝撃を受けました。衝撃冷めやらぬままさらに読み進めますと、ジェットコースターの最初の急降下が終わって少し落ち着くフェーズに入ります。この本は、いわゆるホモ・サピエンス・サピエンスに関する真っ当な再評価をまずは打ち出す本なのだ、と得心することで、考古学者として安心したわけです。少なくともサピエンス・サピエンスとして私達が、少なくとも二〇万年前に「種（スピーシーズ）」として分化、「スピシエーション」を遂げて以来、私達の中にジェノティピック（遺伝子型的 Genotypic）に、またフェノティピック（遺伝表現型的 Phenotypic）な更なる分化にあたるような変化は起こっていません。ということは、二〇万年ほど前に種分化が起こった段階からすでに、サピエンスはサピエントであった（「賢かった」）はずです。しかし実際には、現代的行動（modern behavior）、すなわち今生きている私たちに連なる「象徴的思考への依存」「文化的創造性」の観点から見たときに、サピエントな現代性、モダニティの発現から、それが開花し物質的に表現されるようになる、考古学的に確認されるようになるまでに長い時間差があるように見えます。すなわち、サピエンスとしての種の分化から新石器的な農耕に依拠した生活と、時に都市とも見紛うような大規模集住単位が出現してくる、いわゆる新石器革命とも呼ばれる、サピエントなモダニティ＝現代的行動の開花との間に、少なくとも一九万年のギャップがあるということで、これを私たちは「サピエント・パラドックス」と呼んできました。しかしグレーバーとウェングロウは「サピエント・パラドックス」などというものは実は存在しない、旧石器時代にも、超大量のマンモスの牙や骨で構築されたモニュメンタルな構造物があるじゃないかと言います。また、旧石器時代にも、場合によっては商行為の結果と見紛うような長距離の物の動きがあるではないかと指摘します。そして、このような認識のバイアスは、一方では考古学者の怠慢であり、他方ではこれは、私たちが私たちの存在の支えとしている存在論、歴史観、世界観の歪みによる眼鏡の曇りだと示唆します。これはまだ実はこれから次々にやってくる激しいアップダウンへの準備段階なのですが、旧石器時代後期の段階に、たとえば南フランスからスペインにかけての人口が非常に稠密であった地域に、ラスコーやショーヴェの洞窟壁画に代表される、いわゆる「旧石器芸術」が発達したこと、その事実にサピエントな現代性の匂いを嗅ぎ取っていた人間としては、自分自身の考えとも適合することをようやく見つけて安心したのです。

　ところが、次にやってきた衝撃はなかなか強烈なものでした。考古学者は、いわゆる「新進化主義(Neo-Evolutionism)」の枠組みに則って人類の歴史を語ることに慣れ親しんできました。人口規模が一定以上になると、人・物・情報の動きも一定以上のスケールになる。そうすると、基礎的な居住集団の外部からやってくるそれらに対する依存性が一定以上に高まり、入手ルートの確保や特定資源の収奪の必要が生じてくる。それらにつれて他集団、他者との触れ合いも頻度とそのスケールを増し、それと相まって、居住集団の内部でも入手物の分配・管理をめぐってさまざまな交渉の必要が出てくる。このような因果的なフィードバックの連鎖を通じて、人・物・情報の流通と、それに関連付随する多様な情報を処理・縮減するメカニズムが、またそれらのスムーズな流通と分配・管理を可能とするある種の強制力が必要になる。そのような形で、複雑多様化する状況への対応を通じて臨機的に産み出されたファクターたちが体系をもつシステム群として徐々に発達してゆく過程を、私たち考古学者・人類学者は時空間的な環境と物質文化と、社会構造・システムとの共変動／相関関係の変容の軌跡としてモデル化し、その軌跡に観察される諸段階を、ある種分類的に、また人類社会の「発展段階」として扱ってきたわけです。ところがグレーバーとウェングロウはそれを見事に打ち壊す。打ち壊しは段階的におこなわれます。最初の打ち壊しのダメージは、実はさほどのものではありません。基礎的集団単位が集合して大きな人口が集住する季節と場所では複雑な社会組織が現れ、小規模な集団単位に分かれてそれぞれの小テリトリーへと散ってゆく季節になると社会組織はとても単純なものになる。そしてこのシーソーのようなサイクルが繰り返される。ここに示される社会組織の規模と構造の柔軟な相関性は、社会の複雑性と人口規模との相関関係の枠組みのなかに位置づけることが可能で、その分、私たちの常識的認識・知識の範囲内で対応できる余地が残されています。けれどもそこから返す刀で、グレーバーとウェングロウは社会の広域統合と社会の成層化をディカップリングする。「国家なき主権」圏域、すなわち、そのうち（それ自体多数の基礎的集団から構成されている）に部族的領域をいくつも含み込んだ、非常に広域にわたる人・もの・情報の統制のとれた流通ネットワークが維持され、それらの結節点としてとても大規模な都市的集住空間が公共事業として建設・維持される。あたかも領域性をもった「国家」のような圏域が広域に広がるのに、そこにはエリートや官僚的存在が認められない。常識的な意味で非常に洗練された広域社会「統合」を、ピラミッド型社会編成を発達させることなく、人間というのはそれこそ「一気に」達成できる可能性、と申しますか、潜在力を持っていて、それが現れるときにはあたかも前駆形態のない完成体のごとく突然現れることがあり、実際、実例がある、というところまで話が飛ぶ。ここで再び椅子から転げ落ちそうになるわけです。

しかし、衝撃のあとにじわじわと、「実は我々はこうしたことに薄々気付いていたよな」「個々の事例としては知っていながら、新進化主義的枠組みに接続できないということから、「単なる例外」として無視してきたんだよな」、という気づきと強い反省が起こってくるわけです。そして、私の場合ですと、「国家形成過程の世界比較研究」の観点から学習していた中国の陶寺遺跡の衰亡が取り上げられて、「それは現象として抽象すれば「衰亡」だけれども、実際に起きたのは「都市住民の逃散」だ、都市を崩壊させる「革命」的ムーブメントがそこで起こったと見たらどうか」と畳み掛けられると、「確かに…」と納得するわけです。中国の新石器時代後期、龍山期といいますけれども、その段階に、陶寺遺跡のようないわゆるスーパーサイトが出現するけれども、これらはいずれも衰亡してしまい、のちの「社会発展」にスムーズにつながらない。そのことを私たち考古学者は知っていました。しかし、そのこと自体を重要な社会現象として深く探究することはなかったのです。それだけではありません。スーパーサイトたちが衰亡してのち、その出現をもって「夏王朝」と結びつける研究者もいる二里頭遺跡が出現します。その出現も非常に唐突なものであり、なおかつ出現の段階から祭祀具を中心とする器物製作の分業と、そのような器物を使用して営まれた高度に洗練された祭儀が行われたであろう建物群が、その場所に本当に突然に出現するのです。陶寺遺跡と二里頭遺跡の間は、時間的にずいぶん開きがあります。このような断絶的状況にもかかわらず、新進化主義的発展モデルの描く軌跡の中で、僕自身は陶寺遺跡などの龍山期のスーパーサイトと二里頭遺跡を繋げてしまい、そこにスムースな進化的過程が見てとれると思い込んでいたのです。いうならば「認知の不協和」といいますか、そういうものが考古学者を潜在的に不安にさせ、その不安は実は時々露出することもあったけれども、私たちはそれを「常識」で抑え込んでいた。そして、その常識は、『万物』におけるグレーバーとウェングロウの批判の対象の一つであるヨーロッパ中心主義に基づく時間的空間的ピラミッド構造イメージを基盤とする歴史認識の方法、すなわち〈新進化主義〉にもとづくものであったのです。

　グレーバーとウェングロウの分析の基調は一貫しています。サピエントな（＝智慧のある）存在としての人間は、一定の困難・課題が与えられたら、その中で一定の協調性を創発させそれを切り抜ける、解決する能力をもっている。実は暴力でさえも、ある圏域の内部的協調性を守護する手段として存在し、それがゆえに〈他者〉として認識された身体に対しては容赦ない暴力が振るわれることもあった。一定圏域に充ちわたる平等性と秩序を保護するメカニズムとして暴力を位置づけることによって、私たち人間は、基本的にフラットな身体間関係を築き、維持し、暴力すらも（一定の集団的領野内部という留保がありますが）多くの場合それら「良きもの」を守護するために存在しているのだ。それが彼らの一貫した主張であり、議論の出発点であり、終着点です。そしてさらに、そのような基盤の上に立つ私たちの社会の本来的な編成は、移動の自由を根幹とする特定集団への所属・離脱の自由に基づき、熟議によって意思決定する「アナーキスティック」なものだ、という認識にも支えられます。

　グレーバーの「アナーキスト人類学」の含意は、とても裾野の広い豊かなものですが、確かに、彼の『アナーキスト人類学への断章』（以文社、二〇〇六）の実践編としての『万物』には、近代的・ヨーロッパ中心主義的な存在論（ontology）や認識論（epistemology）にどっぷり浸かりつつ、認知の不協和を抱え込んでいた「私」という存在を解放してくれる爽快な知的ドライブと興奮と刺激がつまっています。

　小刻みなジェットコースターの上昇下降は続きます。私という存在の基盤を揺さぶられるかのような興奮の後に、「そこまで楽観的になってもいいのだろうか？」という疑念も忍び寄ってきます。北米大陸西北部海岸地域の、既存の新進化主義的概念化によるところの〈ビッグメン（big men）〉を「漁夫〈王〉」と呼び、またフロリダの漁労・採集集団にして成層的社会編成を発達させた「カルーサ」の（「常識的」な概念における）首長を〈王〉、その身体の影響圏域を〈王政体〉とグレーバー＆ウェングロウが呼ぶにいたって、『万物』における〈キング〉というカテゴリーを、新進化主義的な概念で今まで使用してきたキングという概念とほぼ同一視して良いのか、また一定の季節のみその身体が〈王〉のような権能を帯びる「漁夫〈王〉」と、その生業は漁労・採集とはいえ、発達した貴族層と戦士階層を従える「カルーサ〈王〉」を同一範疇に押し込めてよいのか？ という不安が出てきます。このとき、グレーバーとウェングロウが重要視する〈スケール問題〉、すなわち「統合スケール」と社会の成層化の程度との「ディカップリング」とは意味の異なる「スケール問題」が出てきています。〈王〉的身体の権能が及ぶ圏域の時間的空間的なスケール、それから権能の連続性と断続性。これらをあえてカッコ入れして、個別身体の権能の強度のみでもって〈王〉を「とりあえずは」認定する。このことは、おそらく、国家と主権、複雑社会と農業といった、ヨーロッパ中心主義的‐リベラルデモクラシー的な存在論、認識論と世界観を支える概念的カップリングを解体するための戦略的なポレミックであって、その妥当性、有効性についてはもう少し考えなくてはいけないのではないかという思いが湧いてきます。そのような意味で、グレーバーとウェングロウの主張をしっかりと受け止め、その戦略と射程を十分に吟味するためには、やはり既存の新進化主義的な概念や用語体系を、少なくともここしばらくは「ヒューリスティックな」道具として温存し、使いこなしていかなければならないなー、とも思うようになります。

ずいぶん長々と『万物』を読むというジェットコースター体験についてお話ししてきました。ここで、考古学への接続についても触れておかなくてはなりません。まず重要なのは、考古学という学問は、ヨーロッパ的近代と、その政治システム的基盤としてのリベラル・デモクラティックな知のあり方と、ヨーロッパ的領域国民国家の内的均質性・一体性の構築と統治システムの正当化の道具として現れてきたということです。ですから自然と、ヨーロッパ的リベラル・デモクラティックな〈国家〉システムを基準として、発掘された過去の社会を分類し時空間的に配置し、それらをヨーロッパ的社会編成の「前史」として因果連鎖・系列系統として説明するようになったのです。そのような考古学を、事実の複雑さ豊かさと、その背後にある歴史の偶発性・不確定性に対して開いてゆく、いまの考古学という知の枠組みを脱構築するために、『万物』は必須のツールの一つとなることは確実です。

もう一つ。考古学や人類学が長いスパンで人間社会のあり方の変容を語るとき、無意識に、しかしほぼ必ず前提にしてきた、社会を構成する各部分が成層的にピラミッドを形成し、その中身が複雑に分化してゆくのに比例してピラミッドの高さは高くなり、裾野も広がってゆく、という定向的かつピラミッド型のマインドモデルを壊すこと。私たちは縮減しなければならない情報が増えればそれをおこなう組織も水平・垂直方向にそれぞれ分化、増大していく、と考えることに慣れきっていますが、実は個々のケース・スタディではそのようにならない、ということにしばしば出会っています。そんなときには、十中八九、「これは例外だ」と考えてきたのですが、例外の方が典型例よりずっと多いことのおかしさを薄々気付きつつ押し殺してきました。そんな認知の不協和のストレスに気づかせてくれたからこそ『万物』に惹かれるわけです。定向的なピラミッドのスケール増大モデルを白紙にして、それを前提にして個別事象の位置づけを行うことを一度やめてみる。そして、一つ一つの時空間的コンテクストの中で、さまざまな要素がどのように相互に結びついているのか、それらの間に因果関係を示唆するようなまとまりはあるか、を丹念に探ってみることの大切さを『万物』はあらためて私たちに教えてくれます。

ただ、様々な要素の相関関係、それらの時空間的共変動を解析し、パターンを見出す技法、析出したパターンを様々な動的な外部情報、例えば民族誌と比較対比して、パターンを因果関係や様々な意味づけへと昇華する方法については、実は考古学は、定向的ピラミッド的マインドモデルにもとづく分析をおこなうことを通じて相当に洗練されたツールを開発してきました。だから、定向的ピラミッド的マインドモデルを脱構築しても、それの運用を通じて入手獲得してきたツールまで手放す必要はない、ということも申し上げておきたいと思います。ただ、繰り返しますが、それらの使い方には、今までと違った注意、留意が必要になります。これも『万物』のインパクトですね。

このような、新たな研究方向性の喚起力、既存の枠組みの脱構築力の根本には、グレーバーのアナキスティックな人類学創出、また人間の知の潜在的可能性の全面的発揮への彼の欲求、欲望があります。彼のアナーキスト人類学構築の基盤である世界観と、それを具体的なケース・スタディに接続する人間の思考・行動パターンの理論化と、それにもとづく実際のケース・スタディは、有機的な体系を構成していま す。その中でどこがコントロール・タワーの役割を果たしているかというと、言葉の本当の意味でのアナーキーな社会実現のための彼の行動とそのための戦略がこれにあたります。考古学の教育におけるこの「メタな理論的議論」、すなわち「どういう世界を作るためにどういう学問をするのか？」という議論の領野を、我々はどのように真剣に構築するのか。このようなメタ理論的議論について、残念ながら日本考古学にはそのようなレベルの議論に対する嫌悪感、警戒感、実質的な反感が習慣化、身体化を経て内蔵されているところがあります。そういう部分をぶち壊さないといけない。『万物』に込められたグレーバーとウェングロウの「生き方」にもとづくメッセージは、そのような日本考古学変革のプロジェクトの力強いツールになるのではないかということを最後に申し上げておきたいと思います。

縄文ユートピア論を超えて

瀬川　私は北海道の考古学が専門ですが、それに沿って『万物の黎明』をどのように受け止めたのかという話をさせていただきたいと思います。北海道の縄文時代には他の一般成員の墓と明らかに区別できる首長墓がみられます。これは北海道以外の縄文時代の遺跡にはほとんど認められない特徴です。また近世のアイヌ社会では、格差が非常に拡大していて、多数の奴隷を抱えてその生殺与奪の権を握っているような首長が存在していました。そこで、このような狩猟採集社会における格差の問題をどう評価するかということを学生時代から考えてきました。当時の考古学では唯物史観がまだ大きな力をもっていて、発展段階論的な考え方が自明のものとしてあり、縄文時代の原始共同体には階層差など存在しないというおかしな議論もまかり通っていました。現在では縄文時代の階層化の議論も一定程度行われるようになっていますが、ではこういった階層化をどう評価するかとなると、それは首長制に近い部族社会であるとか、首長制以前の段階に生じたバブルのようなものだといった、発達段階論に落とし込んだ評価やイメージが一般的であると思います。

私自身は、北海道の狩猟採集社会が階層化や不平等を拡大していったのは、外部社会との商品交換がきっかけだったと考えています。たとえば近世のアイヌ社会では、本州や大陸という外部社会・異文化社会からもたらされる商品の入手をめぐって、首長を中心に激しい競合が展開していました。この商品の一部は宝と位置づけられ、それをもつことが首長の威信と名誉を高めるものになっていたのです。首長は多くの奴隷を抱え、この宝を入手するため毛皮やサケなど対価の生産に従事させていました。アイヌ社会は、和人との交易についても贈与の形式を踏襲するなど贈与交換に強くこだわる社会だったのですが、そのため首長たちは宝には霊力があり、蓄積した宝の強大な霊力で集団を守護するというケアリングの論理によって、さらに各種の祭りの饗宴をつうじた再分配によって、この商品交換と私的所有を正当化していました。宝をもたないものは貧乏人であり、名誉と威信を欠いたネガティヴな存在と考えられていたのです。

マルクスは共同体の外部との接触によって物々交換、商品交換がはじまるとみていましたけれども、じっさいこういった商品交換にともなう階層化は、北海道の場合、本州が弥生文化という異文化社会に転換した続縄文時代にはじまります。それ以前の縄文時代の社会は、土偶祭祀やイノシシ祭祀という共通のイデオロギーを、地域を越えて列島規模で共有する社会でした。縄文文化には地域性ももちろんありますが、このような共通する縄文イデオロギー・縄文アイデンティティに覆われた社会だったのです。列島の縄文社会は、朝鮮半島やサハリンといった異文化社会との交流もほとんどない世界でしたので、それはいわば巨大な閉じた系、巨大な身内の世界だったということができます。つまり、基本的に物々交換という商品交換が存在しない贈与の世界だったのです。この商品交換の視点によって、従来の発展段階論とはちがうかたちで階層化の普遍的な議論につなげていけるんじゃないかと思うのですが、そうすると商品交換以前の縄文時代の社会をどう評価すればいいのか、という問題が生じてきます。もちろん贈与の世界だからといって、縄文時代の社会に階層差や私的所有がないわけではありませんが、当時は階層差や私的所有を歯止めなく拡大させていく契機、つまり商品交換を欠いていたのです。

考古学者は一万年以上続いた縄文社会をうまく評価できてきませんでした。高度成長期までの学会における縄文社会の評価は、呪術や祭りに明け暮れ、生産の拡大を目指さない未開・蒙昧で労働意欲を欠いた世界といったネガティヴなものでした。怠け者で上等じゃないかと私は思うんですけれども、それはともかく、高度成長期になると世界的に環境破壊の問題が深刻になってきて、環境調和や持続性という点に積極的な評価が与えられるようになります。縄文社会は、過剰な生産に走らない持続する環境共生型社会であり、それまでのマイナスのイメージからプラスのイメージへ転換することになったわけです。しかし一方で、縄文人は本当に環境破壊を忌避していたのか、縄文社会が持続的だったのは農耕をおこなっていないためであって、たんに低開発にとどまるしかなかったからじゃないか、という批判も現れてきました。

このような縄文社会の評価は、プラスであれマイナスであれ、生産力という一点をめぐっておこなわれている。私はそこに大きな違和感をもちます。持続する社会という評価自体、生産力という物差ししかもっていない現代人が思い描く、倒錯したユートピアにすぎないのだろうと思います。そのなかで出てきたのがクラストルの『国家に抗する社会』です。これは従来の枠組みを破壊する実に衝撃的な内容でした。これによって一万年続いた縄文社会についても、国家に抗する社会という新たな主体的評価を得ることになったわけです。しかし、では縄文社会がどのように国家に抗したのかという議論は考古学ではほとんどありませんでしたし、たんに国家は悪であり国家に抗する社会は善なのだというシンプルな認識にとどまっているようにみえます。現状では、国家に抗する社会という評価は、環境共生型社会の評価と同レベルのユートピア論にすぎないように思われます。

今回の『万物の黎明』ですが、私的所有、奴隷、都市、国家と呼ばれるものについても人類の本源性に根ざしていて、人類のごく初期段階にすでに発生しているケアリングとしての友愛は、不平等やヒエラルキーといった抑圧と互いに補完し合うものだ、といったことを明らかにしています。これによって私たちは縄文ユートピア論を相対化し、超克するための深みと射程を与えられたのであり、国家に抗する社会の新たな議論がはじまるのだと受け止めています。

小茄子川　『万物の黎明』は、いわゆる目的論的な進歩史観を、冗談ぬきでほんとうに乗り越えなければならない一つの考え方としています。じっさいに多くの考古学研究は、いまだに目的論的な進歩史観の枠組みのなかで自動処理される側面をもっていると思います。「国家の遺物」を自動追尾するよう設定されたかのような研究がその代表例です。こうした側面については、グレーバーの「デモクラシーの起源を、いまだに西洋・ヨーロッパに求める思考が考古学にはある」という批判もありますよね。「のりこえた」と言いますが、ぜんぜんのりこえていない。私はいつもそのように人の話を聞いています（笑）。これもまた（ネガティブな）ポストモダニズム的思考の弊害でしょうか。

グレーバーとウェングロウは、目的論的な進歩史観を脱却したうえで、文明とは社会的複雑性のシステムではない、とはっきりと主張します。「先住民による批判」のくだりですね。相互扶助、社会的協働、市民的活動、歓待（ホスピタリティ）、あるいはたんに他者へのケアリングなどが真に文明を形成している、と。この真の文明概念からいうと、瀬川先生がおっしゃられた縄文社会のあり方も、真の文明として、もう一度とらえ直すべきであろうと思います。ついでに言うと、「国家に抗する社会」にみられる社会のさまざまなアレンジメント方法にこそ、真の文明をみいだせるのかもしれません。このように認識が変化するなかで、既存の農耕革命論、都市論、国家形成論、文明論、古墳研究などは、どのように見直され、人類史に再定置されるべきか、なども問いなおされる必要があります。

たとえば『万物の黎明』では、「国家を分解する」「国家に起源はない」という話も展開されます。目的論的な進歩史観からの脱却という観点からすると、国家形成論はどのように見直される可能性があるでしょうか。もしくは見直す必要なんてない、別の観点から語った方がいいということになるのかもしれませんが、国家形成を研究されている溝口先生から、このあたりの話題についてもご意見をお聞かせいただけると面白いかなと思います。

〈国家〉〈文明〉概念の再検討

溝口　文明と国家に関するグレーバーとウェングロウの『万物』における「扱い」について考えるとき、人間社会が「国家」になってしまうときの背景、条件、原因の特定の問題と、国家という存在に関する倫理的な認識・評価の問題とを切り分けて吟味することが重要だと感じています。そこには、国家存立のメカニズムの解明の問題とともに、「〈国家〉をどのように語るべきか？」という問題も存在し、それらは相互構築的関係にあるからです。典型的な国家の定義は、現存する近代領域国民国家、主権国家をモデルとしたものです。近代国家には国境で明確に画された領域があり、領域内のどこに住んでいるかで住民は〈市民〉として登録され、領域内外の原材料・生産物の流通を統治者が一定程度コントロールし、それを含むさまざまな生活インフラの維持サービスに対する対価として徴用、徴税、徴兵などの義務が存在し、それらの制度を維持するために公的な暴力装置がある。そして暴力装置を含む制度の機能を正当化・適正化するために法制がある。そうしますと、この定義を参照して過去の国家について考えるときに、明確に意識せずとも、これらの要素が有機的に結びつきながら現れ、発達する過程を考えることが、前提となってしまいます。そして、そこには先験的な社会善と社会悪の切り分けがあります。たとえば非常にスタティックな外的な規範として法があり、それが守られることが「善」である。秩序の存在が内的・慣習的で、その内容が親族的・姻族的・同族的範疇の内外で流動するのは「悪」である。悪とまでは言えないとすれば、プリミティブである。そのような認識。人々が法の枠組みのなかで健康に安全に生きることには対価があり、それは場合によっては個々人の人生を中途で断念することも含む。そして、そのような規範を毀損する可能性のある者に対して行使される暴力は善である。これらの認識は同時に、そうでないものは悪として、もしくは「克服されねばならないものごと、慣習（悪習）」として意味づけする、ということと表裏一体です。これに対して『万物』は、そもそものような、近代領域国民国家の〈機能〉の最大化に貢献することは善であり、それに反する、もしくはそれに関連しないことは悪、もしくはプリミティブ、という切り分けを全否定します。その根拠は、グレーバーとウェングロウが繰り返し指摘する、以下のような端的な事実です。そもそも反対給付を必要としない、要求しない贈与を社会倫理の基軸、社会存在の理念型とする社会が存在し、実は、歴史的に長いスパンで見れば、それが人類の「普通のあり方」だった。しかも、今日の国家に全く勝るとも劣らない広大な圏域の中を人々が相互に友愛・贈与関係を守りつつ移動する自由も存在し、それは決して珍しいことではなかった。そのような実例をあげつつ、グレーバーとウェングロウは、それこそがほんとうの国家であり文明のあり方なのだ、そのようなあり方こそが真にシヴィライズドな（文明的な civilized）人間の存在の形なんだと論じます。で、そのことを敷衍しますと、〈国家〉や〈文明〉という、人文社会科学における根本概念の定義の再検討、再編を『万物』は要求していると言えます。ただ、注意すべきは、そのことが、常識的な国家の定義に基づいて蓄積されてきた、国家をはじめとするさまざまな社会編成の研究のための概念装置や方法論の全否定にはつながらない、ということです。ここで重要なのは、それらの概念装置や方法論と、近代領域国民国家を理念型として、それとの比較で、その構成属性の数や種類が減るごとにプリミティブさが増大する、また、これらの構成属性は必ずシステム的にガッチリとフィードバック関係にある、といった「事実にもとづかない偏見」とをしっかり切り離す、〈ディカップリング〉することだと思います。それを申し上げた上で倫理的お話に戻りますと、マイルドに言えば〈国家〉という存在のあり方そのものが、私たちの歴史の認識の中で相対化され得るし、ラディカルに言うと、主権者としての私たちがそのような新たな歴史観にもとづいて「その気」になれば、現存の〈国家〉のあり方は実際に乗り越えられ得るというのがグレーバーの主張です。『アナーキスト人類学への断章』などではそれが実際に可能であると繰り返し言っていて、『万物』でその「実証」を試み始めたところで、彼は志半ばで倒れたんだろうと思います。

少し話のトーンを変えさせてください。このような観点から少しコミカル、ポップに表現するならば、既存の国家論や文明論はもしかすると「ダークなシヴィライゼーション・モデル」として表現、把握することができるかもしれません。しかし、それが存在するという事実、一定のリアリティーをもっているという事実、そして、それが開発した概念や方法を当面は引き続き参照したり用いたりせざるを得ないという事実、これらは受け入れねばなりません。というのもいま、そのような世界に私たちは生きているからです。これに対して『万物』は、少し調子に乗ってこれもポップに言うならば「ヒッピー的シヴィライゼーション・モデル」を提唱しているともいえるでしょう。しかも、とても体系的かつ実証的に。グレーバーの意志を継ぐ考古学者が、もちろんそれを最初に行うのはウェングロウだろうけれども、そのような考古学者がオルタナティブな人類史の教科書を書くとすれば、北米のイースト・ウッドランドやテオティワカンの〈国家なき主権〉についてどのように記述するか？　そのような記述は、先ほど述べたように、既存の〈国家論〉〈文明論〉に対して、それらとは異なる倫理性とナラティヴ・フレイムワークを持って立ち現れてくると思います。自分でもやってやろうか、なんて気持ちもしてきました（笑）。

そのような試みにおいて、一つの大きなチャレンジはさまざまな「スケール問題」です。ピラミッド構造をもたない広域化秩序が、言葉の真の意味で「自律的」に、さらに専門用語を用いるならば「創発的」に現れ、持続している場合、これが内的にフラットな相互交渉、コミュニケーションの連鎖によって成り立っている、というのは、実は本当に不思議なことだと思います。グレーバーとウェングロウはそんなに不思議なこととは思っていないようですが（笑）。グレーバーが集中的にその業績を参照し継承するマルセル・モースを想起するならば、フラットな互酬的贈与関係の背後には、婚姻パートナーの交換とともに形成される姻族ネットワークの存在があります。姻族による介入によって反対給付の強制が抑制される。つまり、「こういうちゃんとした嫁取り婿取りの付き合いがあるんだから、いちいちお返ししなくてもいいだろう。何しろ返すものが今ないんだから」などというものですね。このようなかたちで反対給付を必要としない贈与圏が拡大できる範囲内では、フラットな社会関係が維持可能です。少しの間、反対給付ができなくとも、それが固定して身分的上下関係につながることはありません。しかし、婚姻パートナーのコンスタントな交換や、それに伴う安定的姻族ネットワークが生起し、維持され得るスケールを超えて相互交渉圏域が拡大するとき、姻族ネットワークに代わって交渉のフラットさを支えるのは一体何か？ そこになんらかの「ジャンプ」があると、僕はグレーバーとウェングロウを読んだ後、むしろ以前より強く思うようになりました。そして、そのジャンプを支え、可能としたのは「祭祀」だ、というのが現状での僕の考えです。これは『万物』の中でも何箇所かそのような例が出てきますが、コミカルなほどにフォーマライズ、形式化されたフェスティバルを通じて、まさに「演じられる」かのごとく、協働的に遂行される祖先や超自然的なものへの贈与行為がさまざまな政治的機能も果たしている。しかし「演じている」人々は、そこでひとしきりピラミッド型の社会構造を演じ、柄谷行人的意味における広義の「交通」をそれこそ「トータルな贈与行為」として組織することにより、日常においてはフラットな生活が、そのような「成層的パフォーマンス」により整序されたさまざまな財の流通により達成される。このあたりのメカニズムのさらに具体的な解明は、グレーバーとウェングロウがやり残したことだと思います。やはり国家的、文明的秩序圏域の創発・維持の問題は、『万物』を超えて私たちが解明してゆかねばならない重大問題です。そしてそこに、現存の〈国家〉を超えてゆくための「温故知新」の一つの鍵があるのではないでしょうか。

温故知新が出てきたので付け加えるならば、オルタナティブなヒッピー的シヴィライゼーション・モデルをツールとして使いこなせるかたちにまでもっていくためには、「ヒッピー文明論のための教科書」がないといけないと思うんですね。危機が生じたとき、あるいはこれまで国家が犯してきた過ちをできる限り繰り返さない方法を考古学が明らかにする。ワクワクしますが、そのためには、『万物』よりも堅苦しい、しかし共有可能なフォーマルな理論枠・方法論パッケージをまとめた教科書の作成が必要だと思います。

影響

小茄子川　いつの間にか、「影響」のトピックにも突入してしまいました(笑)。『万物の黎明』とただしく接続することによってその影響のもと、「ダーク国家/文明論」と、「ヒッピー国家/文明論」みたいなものが明確化してくる。その細部をつめていくというような作業も考古学者の仕事になってくるのではないか、というところですね。

ダーク国家/文明論とヒッピー国家/文明論

溝口 いまはとくに「ダークな方」に揺れ戻しが起こっているフェーズだろうと思います。「ヒッピー的」方向に行きかけている流れもあって、実は後づけ的ではありますが、『万物』を読んで私もそれに与していることに気づきました(笑)。私は「古墳時代の開始」という現象を、コミュニケーション・相互交渉圏域の広域化によって〈創発〉的(現象全体を構成する部分の挙動とは異なる位相/レベルで非中心的、非成層的に生起する全体の変化)に生成した広域秩序として捉えてきました。弥生時代から古墳時代への過渡期、そこには地域集団単位の間の競争的様相は認められますが、どれか特定の地域集団が他の集団に対して主導的な位置に立って、統合へ向かって他の集団を「まとめてゆく」ような状況は確認できません。むしろ、大まかに言うとですが、鍵穴型、すなわち前方後円型・前方後方型のマウンドを作り、そこに死したリーダーを埋葬することを選んだ圏域の人たち、集団たちは、自律的にそのようにすることを選んだと考える方が自然と思える状況証拠があります。そして、そのような、各集団とそれらを構成する人々の「自発的」な選択によって、生存のための生活必需財の入手を安定的に保証することと、共通の祭りをおこない、それぞれの代表が相互にそれに参加して、〈超越的〉存在となった祖先たち、〈超越的〉存在になりつつある死者に対して、共に〈反対給付〉を前提としない無限定な贈与をおこなうことが、それこそ「このお祭りをすれば、必要なものも手に入るようになるし、色々うまくいく!」という状況の〈創発〉につながった、と考えてきました。言い方を変えると、そのような圏域の外部にその供給を依存する生活必需財に対する欲求が充満し、しかし、それの広域交換連鎖に、対面的贈与、親族・姻族ネットワークによるバックアップを利用することが物理的に無理になった、それが不可能なところまで圏域のスケールが拡張してしまった段階で、さてどうしようかというときに、さまざまな試行錯誤の過程を経て、「箸墓造営」という「超お祭り/フェスのようなイベント」を実行してしまった(笑)。そのようなイベント、そのような体験、そのような時空間が現出したという情報、噂、物語がそのような圏域全域に行き渡ることによって、〈超越存在〉への接続の共同的達成が可能である、という実感を圏域内に生きる人々、集団が共有し、持続するようになる。そのことにより、そのような「やり方」での〈超越存在〉との接続、〈超越存在〉への給付が続いている限りは、「世界は安寧・安泰だ」という信仰的相互信頼のようなものが広がり、そのような相互信頼の持続のために、というか、それが持続する限りは、そのような信仰の中核地、サブ中核地、地域中核地、基礎集団単位のリーダーに、それこそいくらでも物が吸い上げられたり再分配されたり、ということが可能になったのが古墳時代のはじまりなんじゃないか、ということを色々な観点から根拠に基き傍証しつつ、表現としてはオブラートにくるんで、じゃなくて（笑）科学的厳密性を担保して論文に書いたり、発信してきたんですね。それに対して、特に私の研究に対して、というわけではないですが、最近、みんなが喜んで古墳築造にフェスティバルみたいに参加した、というモデルは実証的に成立しないし、ナラティヴ（〈物語〉）としてけしからん、という意見が強くなってきました。確かにその後、古墳の築造を重大なメカニズムとしての「収奪装置」、官僚制の生成が進展することからすれば、そもそも古墳の築造の開始そのものが、マルクス主義的なセンスにおける〈イデオロギー〉、社会的矛盾の隠蔽装置の開発だったんだ、という議論も成り立ちはする。しかし、隠蔽されるべき強制的な社会的不平等がそこにすでに生じていたか否かは、それ自体突き詰められるべき問題であって、古墳の巨大さによって、そこに圧倒的社会的不平等が存在していた、と論じ、だから古墳築造は悪しきイデオロギーの機能の〈場〉そのものだった、と論ずるのは、循環論法でもあります。いずれにせよ、このような「悪しき装置」としての古墳説が強く出てきているように思います。だとすると、今はダーク国家／文明論とヒッピー国家／文明論のせめぎ合いのフェーズなのかもしれません。

小茄子川　この話題は当著でかなり重要視されている「スケール」の問題とも関わってくると思います。あれほど広範囲に同じような祭祀パターンがひろがっているような状況を考古学的に追えてしまうと、われわれはトップダウン式の社会的仕組みがなければそれは不可能であろう、という考えに落ち着いてしまいます。しかしながら溝口先生の観点からいえば、とくにトップダウン式の社会的仕組みなどなくとも、ボトムアップ式の社会的仕組みにもとづき広大なスケールをもつ共同体が可能である、ということになりますね。

溝口　『万物』におけるスケール問題を考え、これを「国家なき主権」的な広域秩序圏の問題と結びつける上で、「ウルク・エクスパンション」がとても参考になると思います。まず、この「エクスパンション」に軍事力が介在した痕跡は、日本列島の古墳時代開始期と同じく希薄です。そして、エクスパンションの最大範囲の外縁にある都市が、『万物』でも強調されるようにどれも例外なくウルクのミニチュア版、というか相同的空間構造と構成要素を持っている。これは要するに、そこでウルクにおけるそれと同じような身体運動、行為がおこなわれていたということで、そのような空間構造はそのような運動を物理的かつ象徴的に支えるものであったということです。ではその定型化された行為とは何だったのか、というと、それは祭りとそれを支えるさまざまな行為、生産や貯蔵、そして〈超越存在〉との接触、なんですよね。そうすると、このエクスパンションは、超越存在との接触の身体的あり方とその組織モードの共有圏域が拡大したこと、となります。そして、ウルクがその圏域の中で最大の都市ではあるけれども、そこからのある種の「強制力」が持続したことの結果がエクスパンションなのではないとすると、それはその圏域の人々がそのような身体運動、行為のあり方を、その圏域内における相互交渉を可能とするために自ら選んだ、もしくは、そのような相互交渉が必要・必然となる中で、それが持続するために〈創発〉した、ということになります。そのような身体運動、行為の中核、というか、空間構造に物象化されるような形式性を持った行為は〈超越存在〉との接触、イコール「お祭り」ということになると思うのですが、そうすると、お祭りのために物が集められ、人が組織されてそのような広域秩序が可能となった、ということになりますよね。集められた、組織された、と言いましたが、自ら集まった、自ら組織した、かもしれません。もっと言うと、気づかぬまにそのようにことが運ぶようになっていたのかもしれない。そして、そのような自己組織化の結果こそが「ウルク・エクスパンション」だとグレーバーとウェングロウは論じている。僕はそのように理解します。そして、「ウルク・エクスパンション」の前にも、メソポタミアでは何度も間欠的に超広域の文化領域ができています。その一例は「ウバイド期」です。これもグレーバーとウェングロウは取り上げていますね。これらから言えることは、このような出来事の順序、時系列は、圏域の広域化が先で、それを後づけで持続させるために秩序が創発する、であって、秩序形成の結果、その影響圏域が拡大した、ではない、断じてない、ということです。興味深いことに、このことは、ビッグデータを用いて社会的統合領域のスケールの顕著な拡大と社会の複雑性・成層性の増大との時系列的関係を検討し、統合領域拡大の方が社会の複雑化・成層化に先行する、ということを明らかにしたシン(Shin)らの研究成果（Shin, Jaeweon, Michael Holton Price, David H. Wolpert, Hajime Shimao, Brendan Tracey, and Timothy A. Kohler. 2020. “Scale and Information-Processing Thresholds in Holocene Social Evolution.” *Nature Communications* 11 (1) 1–8.）と合致します。ということからすると、古墳時代開始期も「ウルク・エクスパンション」とメカニズムは一緒じゃないかと思います。いろいろな試行錯誤があって、数多くの地域単位を連ねたとても広い地域、範囲でひと、もの、情報が流通・共有「されねばならない」という状況が起こり、そのときに、手持ちの選択肢の中で、「お祭り」の実施にかこつけてひと、もの、情報の交換もやってしまえば、どうもことがうまく運ぶ、ということで、弥生時代の後期から各地域にいろんなお祭りのモードが、多分最初は実験的に現れてくる。そして、流通・共有圏域が大きくなってゆくとともに、「どの祭りが楽しいか」が基準だったかどうかわかりませんが(笑)、どの祭りのやり方が物事をうまく運ばせるのか、という試行錯誤が繰り返されます。その中には銅矛や銅鐸を用いるお祭りもあれば、死したリーダーの埋葬を形式的・象徴的に洗練された形で執り行うタイプのお祭りもあった。そして最終的に、後者を引継ぎつつさらに質的・量的に拡大した「ビッグ・リチュアル・フェスティバル」としての箸墓古墳の建設で、「万事うまくゆく体験」が得られた。そして、それは、広域共有された〈超越存在〉への無際限の給付、贈与として構成され体験された。そしてその成功以降、そのような祭りを主要な場面として、ひと、もの、情報がまさに「無際限に」広域的に吸い上げられ、分配され、流通するようになった。ここでドゥルーズ=ガタリを唐突に出すと、彼らがいうところの〈超コード化〉の本質は、そういう「お祭り的」なものなのではないかという気もするんですね。

小茄子川 それで先ほどの国家形成への「ジャンプ(飛躍)」というところで、祭祀の話にも結びついてくるのですね。お祭りが超広域化するにあたって、それがボトムアップ式の社会的仕組みにもとづいていたというのはとても興味ぶかいです。考古学者の「スケール」感については、いまいちど真剣に考えなくてはならない側面の一つだと思います。

溝口 誰か知恵者がいてみんながそれに従う、とかじゃなくて、みんなが「やっぱりこうしなきゃ」、「こうしたらうまくいくよね」というようなモードが浮上してきたのではないでしょうか。もちろん、その都度そのような動きの中心となり、熟議の中心にあるような人々は確かにいたとは思われますが。しかし、そこでのデシジョン・メイキングがトップダウンでありなおかつ制度化されていたのかというと、実はその制度と強制力の存在が見えないんですよね。古墳時代初頭に箸墓そっくりの古墳が初期古墳分布域全域に均質に広がっているかというと、そういうことはない。研究の進展とともに、これまで単純に「箸墓相似墳」だと思われていたものが、実はカテゴリーに括れないさまざまなアノマリー的な変異をもっていた、という事実の指摘が増えてきています。そのようなことからも、ここまで述べてきたシナリオは確からしいものと「実証的に」思っています。

小茄子川 若手からぶり返しというかたちで、「ダーク国家/文明論」のようなものが出てきているのには何か理由があるのでしょうか。

溝口 僕はあると思っています。世代論に還元されてしまう恐れがあり、僕はそれは色々な意味で避けたいのですが……。世代というより、いまの世界、社会のリアリティにどのぐらい露出してきたのかの差、といった方が良いでしょうか。そのリアリティとは、端的にコミュニケーションの前提の共有の難しさです。このような場面で、このような人とは、このようにコミュニケートすればよい、という雛形がほんとうに無くなっています。本当に小さなコミュニティーの中でしか、それを共有することができない。それに対応して、コミュニケーションの形式の細密化と、それへの依存が深まっていると思います。ラインが来たらとにかく即返ししなきゃいけない、とか、文章の後に決まったアイコンを必ずつけるとか。そういった「形式」にすごく依存するようになってきていますよね。そのときに、依存することができる形式性として、今、一番共有しずらく、しかし、それがそこにあってくれたら楽だな、と思うような形式の一つがハイアラーキーだと思うのです。「先輩は、後輩は、リーダーはこのように必ず振る舞うべきだし、そのようにするものだ」、そんな規範があったら、どんなに楽だろう、と。なので、多くの若い世代の人々の中に、ハイアラーキー的な存在のあり方、コミュニケーションのモードをそんなにネガティブに捉えないでくれ！ という要求が高まっているのではないでしょうか。このおっさんたちが、ヒッピー的な、フラットな社会関係みたいなものをなんだかユートピア的に「推し」てるけれども、なんだかなー、といった反感が沸々と湧いてくるんじゃないかな、などと思っています。怒られるかなー（笑）。

反法則と偶発性

酒井 僕は人類学者でも考古学者でもないし、今日はオブザーバーというか、みなさんのお話しが聞けるのでうれしいという感じなので、ただただ感想とか質問しかできないのですが、溝口さんのお仕事もこのかん読んで、考古学における理論の展開を勉強しています。しかし、これまで翻訳のなかでいろいろ格闘してきた固有名や議論の文脈を、溝口さんが新鮮に整理されていて、すこし感動しています。わたし自身、コメントできることはないのですが、余談として、やっぱり日本の社会それ自体もそうですが、知的世界もそれに同期して、世界でも突出して「閉塞」してるとおもうんです。人文学もたいてい、「別の世界なんてない」「適応しよう」という「あきらめ」のメッセージを、いつも発していますよね。日本語圏で知的活動をやるとき、それを自覚していないと世界がいまどういう状態にあるのか、見失うと感じるんですよね。『万物の黎明』にせよ『ブルシット・ジョブ』にせよ、世界の反応をみると、グレーバーの知的作業は、むしろいまのままではもうやっていけないという感覚をもち、別の世界がなんとしても必要だという世界の若い世代の欲求に呼応しているところもあるとおもいます。「若い世代」もいろいろで、とくに日本は「世代的断絶」は、日本以外の多くの社会ほどこのかん、起きていないと感じるんですよね。たいてい「世代的断絶」は、マーケティング的戦略と変わるところがなくて、政治とそれが融合しあって世代的断絶を戦争に変えようとしている。それでこの崩壊寸前のシステムを保守し、逃げ切ろうとしている。だからどこでもそうですが、日本ではとくに、あらゆる世代を縦断して、刷新しようとする動きとその反動が起きている。われらが資本主義社会においては、反動は「若い」という仮面をかぶせて押し寄せてきがちである（「あたらしい」というイメージそのものに価値があるのが商品の論理ですから）。なので、われわれこそが「若い」と、堂々としてほしいとおもいます（笑）

　それで、さっき少しお話が出たウルク・エクスパンションですけど、似たような話がチャビン・デ・ワンタルでも出てきてますよね。広域の文化の共有が権力をもってなされていない、そこで出てきたのは支配的原理の一つである知であろうと。知によって巡礼というような形で一つの文化が広域に渡って共有されていくという議論が展開されていて、その文化の共有があるから集権化を経ていなければならないという議論、あるいは何がしかの中心的な影響力を持つ帝国のような存在がなければならないという議論をこの本は覆している、というか既に考古学で覆されているという話なんでしょうけど。僕もチャビン・デ・ワンタルなんて、この本を読むまでは全く知りませんでした。たしかにヒッピー文明といえばヒッピー文明ですね（笑）。

　変化の必然性についてなんですけども、僕はちょっとそこはこの本はそのような「やっぱり〜ではないか」という物言いを最終的に歯止めかけたいのではないかという気がするんですよね。というのもこの本が一貫して言ってるのは、ある種の経路、似たような経路をたどるにしても、そこには法則に対して反法則も働く場合があるということです。因果法則を想定してみてしまうと、反法則がどれほど大規模で起きていても、どれほど強力であっても見落としてしまう、というのがこの本の主要な主張だと思うんですね。科学の話が出てきましたけど、グレーバーにはロイ・バスカーという科学哲学者の影響が非常に強いんですよね、批判的実在論と言われる立場です。ロイ・バスカーは実証主義、全ての世界の事象というのは知解可能である、一方では構成主義のようなポストモダニズムにも批判的、つまり知解可能なものは人間が構築したものだけであるというやり方にも反対していて、むしろ知解可能ではないからこそ実在なんだという立場を取るんですね。その因果性が捕捉できるのは、基本的には実験室が構築されている場所だけであると。実験室の中で非常に人工的な条件を作ると因果法則が確認可能である。よく言われることですが、歴史とか社会にはそういう実験室ができないわけですよね。そうした現実のレベルでは、複数のレベルが相互作用しあって、偶然性が働き、そこから創発性が生まれる。科学というのは実はそういう認識にも関わってくるはずなんですが、非常に小さい科学に対する我々のイメージがあって、因果性を確保、獲得できるものが科学で、法則性が確立できるものが科学であると、いま科学主義が言われる込みがある。いま科学主義が言われる時は大体、因果性と法則性という漠然としたニュアンスですよね。ところが気象のように、いまも天気予報は外れること多いですけど、世界の事象というのは基本的には因果法則では確定不能な要素に満ちているわけですよね。

バスカーによせて、かれらは法則というのは傾向性だと強調します。ところが、何となく僕らは科学的に語りたいという欲求がある。何がしかの今の学知の中で語るときに、その語り方としていつも結果論で語るというようなフレームを脱し切れないというか、これ脱するのはとても難しい。

さっきオプティミズムのお話しもできたので一言いうと、グレーバーはみずからを「絶対的オプティミスト」といってました。おもしろいのは、ミシェル・フーコーも、すべてが権力によってがんじがらめになっていることを主張するペシミストであるというイメージに対して、自分のことを「絶対的オプティミスト」だと言っていたことです。自分がいっているのは「あらゆることには危険がある」というだけである、と。これはグレーバーにもとても似ていて、グレーバーの議論もあらゆる事象に両義性をみることを忘れていません。なので、もちろん、一面で「ヒッピー」的というような形容もわかりやすいのですが、もう一歩深めると、抑圧的にみえるもののなかにも解放的動きがあり、逆もある。国家的隷従のはじまりは、ひとつには家内領域でのケアである、とか。そういう意味で、「あらゆることには危険がある」といっているんですよね。ただし、グレーバーの場合、その両義性、危険性は、知識人に指摘されるまでもなく、社会を生きる人びとが知っている。たとえばイヌイットは、贈り物をされてそれに過剰にお礼をすることがやがて奴隷的支配と服従に発展するかもしれないリスクを知っている。知っていて、さまざまなモラルや儀礼、装置をはりめぐらしているのです。フーコーは、権力からはじめたことで自由のありかをみずからの議論に正当に位置づけるのにとても苦慮しました。グレーバーにはその問題そのものがなかった。自由からはじめるからです。『万物の黎明』が自由の書であるということは、そういう意味があるとおもいます。

溝口　その「因果性」の特定はじっさいにはほとんど不能であるという今日の認識論の一つの到達点にことよせて言いますと、生物学における〈進化〉の研究もまさにそのような方向に進んでいると思います。いわゆるジェネティック・ドリフト、遺伝的浮動が進化の要因である、という認識です。端的にいうと対立遺伝子の頻度は偶然に変わってしまう。〈自然選択〉、すなわち対立遺伝子のどれかが生存に有利になり、その割合が増えてゆく。そのような場合もありますが、生存に有利にも不利にもならない対立遺伝子の割合が全く偶然的に変化し固定する場合が実は多い。というか、遺伝的浮動が世代を重ねる過程において、一時的な遺伝子プールの縮小、要するに個体数の減少や、遺伝子プールの隔離、すなわち個体群の隔離によって、対立遺伝子頻度が変動し、一定のそれに固定してゆく、そこに生存に有利も不利も関与しない、というものです。この場合、遺伝子プールを構成する個体群サイズの減少や個体群の隔離は、いうなれば「偶発的」に起こるイベントであるので、進化としての種の分化は「偶発的」な現象である、という考え方です。しかも、固定した対立遺伝子頻度が表現型の変化、すなわち生物個体の形質や行動の変化に結びつくか否かも偶発的である。とすると、生物進化も、そのときそのときの偶発的変化の積み重ね、という意味で〈歴史〉的な過程ということになります。本当に繁殖における成功率が偶発的にのみ規定されるのか、それとも生態環境がこれに影響を与えることもあるのかは論争中ですが、進化のメカニズムとしては遺伝子浮動説が優位になっていると私は理解しています。そうすると、環境などの特定可能な外的ファクターを原因として進化を説明する、という立場はそれこそ「脱構築」されることになります。

　このことをフーコーに引き寄せますと、フーコーも、表象体系と思考・行動パターンと物質的媒介のアセンブリッジからなる〈エピステーメー〉の変遷は、過程としては断絶的、因果性としては偶発的と論じます。エピステーメーの変遷を因果的に説明するのは不可能だ、もちろん法則性などそこに存在しようもない、というのが彼の論点の一つの中心です。と同時に彼はこのようにも論じます。個々のエピステーメーがある生き方、ある特定の社会関係・存在を強制する権力と、それらを可能にする権力の二種から成り立っているとすれば、それらに対して必ず抵抗が存在する。このことは普遍的事実として提示できると。だから、ある権力がある生き方を無理強いする強制権力であるのか、ある生き方を可能にするタイプの権力なのか、その境界は曖昧で、それらは相互に変換・変容する可能性をはらんでおり、いずれにせよそれらには必ず対抗と抵抗が随伴するのだ。だから、やってみよう、変革してみよう。それが自由の制限だと思うのなら抵抗しよう。それが自由の押し売りだと思うのなら抵抗しよう。それが不正義だと思うのなら抵抗しよう。それらは可能だ、なぜなら全ては究極的に偶発的だから。そのようなオプティミズムと、パノプティックなシステムとしての近代のとても暗い特徴づけに見られるペシミズムが、フーコーの議論に同居しています。しかし、それをグレーバーに言わせると、「そういうのはユーラシアのコップの中の議論であって、パノプティコンなんてどこにでも現れたわけじゃないよ、無数にある人間の社会編成の中の一つの型に過ぎない。だとすれば相対化できるし克服できるよ」というふうに返してくるんだろうなと思いました。ここまで来ると、『万物』に触発されての考古学の大いなるチャレンジの一つは、「因果性の特定」に対する義務感からの解放かもしれない、とも思えてきます。因果性特定への「固執」が、考古学者の思考法にバイアスをかけてきたかもしれません。ただ、そのように「因果性の特定・解明」を脱構築するとしても、考古資料から読み取られる人間の思考や行動のパターンとしての〈権力〉に対する対抗、抵抗はフーコー的に言えば「確実に存在した」わけです。だとすれば、「因果性の特定・解明」を目指す分析・パターン化ではなくて、遺伝的浮動的に偶発的に現れてきた秩序—権力に対し、どのような対抗—抵抗が随伴したのか？のケースの列挙とパターン化は可能なのではないか、と思うのです。秩序—権力と対抗—抵抗それぞれの「型」のリストと「対応／組み合わせ関係」のリストを作って研究の進展とともに増補してゆけば、このような状況が起きたときに、人間はこのように対応したことがあった、このように対応しがちだった、という『百科事典』みたいなものをどんどん増補してゆくことができます。そしてそれは、今日、権力が産み出す可能性のあるさまざまな「悪」に対する闘争のための「ハンドブック」になるともいえると思うんですね。そういう意味で、「枚挙主義的温故知新」とでもいいましょうか、そういう方向へと考古学の研究パラダイムをずらしてゆくことが可能だと思います。

そのような「枚挙主義的温故知新」の作業を、私自身もニクラス・ルーマンの社会システム理論を参照枠として実践しているという意識があります。機能等価性の認識にもとづく人間の思考・構造の多様なパターンの枚挙主義的析出と、同一機能を果たすそれぞれの多様性の内実の吟味・検討です。それとの対比として、グレーバー氏が存命だったらこれをどのような方向にさらに展開していったのかが知りたかったですし、今後、ウェングロウ氏がそれを引き継いでどのような方向へと向かってゆくのか。ことに『アナーキスト人類学への断章』における行動宣言にそれがどのように結びついてゆくのか、ぜひフォローして行きたいところです。このように、等価機能主義的立場に立つ考古学者としては、先ほどどこかでお話ししたことに戻るかもしれませんが、やはり、これまでの新進化主義的考古学的実践を通じて蓄積してきた社会システム・社会構造の類型化の諸理論・方法を捨て去るのではなく、上手に用いて、人間の思考・行動とさまざまな社会的・自然的環境との物的相互媒介関係、相関関係、共変動の様態について、パターン化の作業を続けていきたいと思っているところです。

　たとえばチャビン・デ・ワンタルのような巨大宗教―都市コンプレックス形成の背景となった、非常に広域の人間の自由な移動圏域のようなものができてしまった、創発してしまったときに、それを維持・再生産するために、そのような圏域中の移動・相互交渉の結節点に建設された〈中心地〉的場におけるドラッグ体験―宗教体験や迷宮のような建物構造の「身体体験」でもって〈超越的存在〉との接触・結合を経験・納得して、〈超越的存在〉との関係性において諸個人が自発的・自律的に秩序を保つようになる、もしくはそのように仕向ける、という「ヒッピー」的なモードもあれば、「ダーク」なモード、言うこと聞かないやつは拷問してでも聞かせるし、それが可能となるような公的暴力装置をスケール的に肥大化させることもいとわない、というモードの採用もあり得る訳です。というか、両方実在した。それらを、それらの背景としてのさまざまなファクター、条件と対比し、類似点と相違点を抽出し、吟味してゆくことは、今後の考古学的「温故知新」の有力な方法的規範となるでしょう。そのような意味で、因果性特定という目標とパターン認識的な思考は同列のものではないし、双方共に、単純な脱構築・解体の対象にしてはならない、と思います。さらにいうならば、そのような作業の「たたき台」として、現存の、もうかなり疲労が蓄積してはおりますが、広義の進化主義的な枠組み、殊に考古学においては〈新進化主義〉的枠組みは、批判的な参照の対象として、当面は保持し続けるのも仕方ないかな、と思います。私たちは、もちろんそれに対するオルタナティブを生み出す努力を続けなければならないし、『万物』はそのような状況と改革の必要性の両方の指標、「スタンダード」のようなものとして機能するのではないでしょうか。

酒井　おもしろいですね！

〈分裂生成〉と社会編成

溝口　『万物』では人間社会の「変化」に関する説明のところで、〈分裂生成（schismogenesis）〉の話が出てきます。要するに隣接居住していた人間集団単位がコンティンジェントに相互の境界性、差異を意識しつつ生活を営みはじめたときに、そこに相互になんらかの差異化への欲求が生じる。そして、その差異化のドライブはしばしば、「人間としての理想的存在のあり方」の差異化、といったところまで行き着く。それに付随して、社会関係やひと、もの、情報のやりとり、管理の方法にまで差異化が及ぶ。そのような〈分裂生成〉こそが、集団単位・社会の多様性の重要な根源の一つであるということに『万物』はページ数を割いている。その中で、「人のふり見て我がふりなおせ」ではないですけれども、他集団との相互比較を通じて、「あのようなあり方は〈人〉として良くない、避けたい」という感覚が創発し、それにもとづく様々な位相にわたる差異化の結果、社会諸関係の編成や人、もの、情報の管理流通システムに顕著な差異が生じることがある。例えば顕示的な浪費を基軸として社会関係を編成してゆく方向にスイッチが入ってしまった北方の隣接集団との分裂生成的差異化の結果、非常にストイックで平等主義的な社会関係の規範が形成されたカリフォルニアのユロックなどがその実例として記述されます。グレーバーとウェングロウの〈分裂生成〉へのこだわりには多くの含意が読み込めますが、私はそこに、彼らの、人に学ぶ姿勢、他者に学ぶ姿勢が「良き人間」であるためにもつ意味の重要性の主張と、彼らがそのことにかける希望を見ます。人間は環境に対応しつつ生きなければ生存できませんが、それ以上に、他者との相互の関わりのなかでそれぞれのアイデンティティー、すなわち、どのような自分でありたいのか、どのような家族、親戚、友人であって欲しいのか、に関する自分と他者に関する期待と予期を形成してゆきます。そしてそれはしばしば、社会編成を相互に根本的に異なるものとしてしまうような潜在力をもっている。そしてそれは、人間の可塑性も含めた可能性を示しており、それをどのように使うかは私たち次第だ、ということを〈分裂生成〉による集団間の差異の創発は示しているんだよ。グレーバーとウェングロウはそんなことを語っているように思われるんですね。この〈分裂生成〉の取り扱いにおいて、グレーバーとウェングロウは、すごくヒューマニスティックな志向性をあらわにしているように思います。広い意味での環境決定論的な因果性確定追求の「牢獄」から私たちが抜け出すための一つの道を指し示してくれている。そのようにも感じられました。これはまさに、グレーバーとウェングロウを通じての、過去からの、そして他者からの〈贈り物〉ですね。

　それからもう一つ、他者からの〈贈り物〉との関連で、ここで取り上げておきたいことがあります。一つ不思議に思っていることがあるのですが、『万物』で意外にもあまり取り上げられてないトピックが、集団単位外部との接触による財の流入です。これは瀬川先生の商品論とも結びつくと思うんですが、〈外部〉からの財はしばしば当初から、〈疎外〉された財です。要するにそれは、集団単位内部で起こる〈互酬的〉な交換に随伴する婚姻パートナーの交換が伴わないことから、姻族関係のネットワークと、そこからもたらされる、交換にまつわるさまざまな不均等・不平等を無効化する効果を伴いません。そのことから、外部からの財の入手を独占する者は、その意味づけと価値づけにおいて、集団単位内部の交換とは質的に異なるコントロールができる、ということになります。そして、そのようなコントロールは〈権力〉として固着することがありがちです。そこで、〈外部〉との接触チャンネルの独占とその安定を禁止する方向性を選択した人間集団、それに積極的に関与しそれを拡大していった人間集団の間に、分裂生成的過程を通じて社会編成における大きな差異が生じます。また、外部との接触に積極的に乗り出していった社会の場合、そのような〈外部〉が一つであったがゆえに、それに対するアクセスを独占する当該集団内のグループも一つ、ないしは少数となり、結果として非常に急峻な社会成層ピラミッドが形成される場合や、そのような〈外部〉が当該集団単位の周囲に多数あったがゆえに、それにアクセスできるグループも多数となり、それらの間に競争的な状況が生ずることによって、強い中心性を帯びた成層ピラミッドの形成が抑制される場合もあったわけです。財に対するアクセスと集団内部と外部の意味の差異と価値の落差の作用は、グレーバーの『負債論』においては非常に重要な分析テーマになっていますけれども、『万物』においてはその辺りはさほど大きな役割、分析の焦点を与えられていない。しかし考古学においてはそのような問題を非常に重要視し、課題としてきたわけですね。ステープル・ファイナンス、すなわち生存財の生産・入手と流通・分配コントロール、それからウェルス・ファイナンス、すなわち広義の威信財の生産・入手と流通・分配コントロールの分類、そして、それらそれぞれの社会編成、社会の再生産への貢献度の割合・バランス、そしてそのバランスの変化で社会の進化的変容を説明しようとしてきました。『万物』でこの問題の探求にさほどの力点が置かれていないことは、これまで十分に注目されてこなかった〈分裂生成〉などのファクターに、社会変動へのアプローチにおける注目点をシフトさせるという戦略的な配慮があったのかもしれません。個人的には、〈外部〉との接触のパターンとその多様性に注目して、〈分裂生成〉とは異なる社会集団ごとの社会編成の多様性の整理と説明に、新たに取り組んでみたい、という意識があります。

酒井　先ほど瀬川さんのお話でもあったんですけど、いわゆるモースのポトラッチの議論は、北アメリカの北西海岸のクワキウトル族を舞台として展開された議論ですけど、あそこでヨーロッパ人たちが目を見張った盛大で豪奢な自己破壊的なポトラッチは、ヨーロッパ人たちの外部からの商品の流入と彼らの伝統社会との衝撃でたまさかあのようなかたちをとった。それは巻き込まれながらも、巻き込まれないための自立を形成するためのある種の恣意的な手段だったと言われています。そのときに先ほど瀬川さんがおっしゃったお話だと、外部から財が流入したときにそれがそのままヒエラルキーに繋がった、チーフの権力の強大化とヒエラルキーに繋がったというようなお話に聞こえたんですけれども、もしかするとその間にいろいろな葛藤とかがあったのかなと、そこをお伺いしたかったんですよね。

バッファとあわい

瀬川　たとえばアイヌ社会では能力のある者を嫌ったとも伝えられます。ようするに将来、格差を生みだしていくような能力のある者は疎外し、摘み取ってしまうということだろうと思います。また首長は、自分のかかえる奴隷については簡単に殺してしまったりするのですが、そのような権力をみずからの世帯を超えて振るうことはできない。権力にたいして社会から強い歯止めがかかっているわけです。奴隷は世帯の一員でいわば家族なのですから、抑圧は基本的に家族にしか向かわない。これは『万物の黎明』における、搾取・暴力・不平等が家族に起源をもち、それらが家族の愛やケアリングの倒錯として存在するという指摘とかかわって興味深いところですが、いずれにしてもアイヌ社会にはヒエラルキーの生成をいとわしく思う気分が満ちていたといえます。またヒエラルキーの頂点にあった首長も、宝を破壊して蕩尽するポトラッチとまではいかないですけれども、クマ祭りや祖先祭で参加者に大量の酒やごちそうをふるまったりする。つまり首長は、このような再分配をつうじて人びとの葛藤を和らげようとしていました。ただし、このような富の蕩尽がヒエラルキーの形成にたいする足枷だったのかといえば、そう単純にはいえない。というのも、首長はクマ祭りなどの祭壇に自分の宝をずらりと並べて、これ見よがしにヒエラルキーを可視化するんですね。再分配とはそんなもので、物事にはつねに両面があるんだと思いますが、ともかくそのような人びとの葛藤やヒエラルキーの拡大を阻止するさまざまな足枷のなかで、首長はなんとか権勢の拡大を目指そうとしていたんだと思います。

小茄子川　グレーバーの研究にでてくる「ワンパム」の話は、瀬川先生が展開されてきた／いるバッファにかんする議論とふかいところで共鳴していると思います。といいますか、「ワンパム」の話とバッファの話は同義なのであろう、と私は考えています（本書二一五頁の図2を参照）。

瀬川　北海道で商品交換が活発化するのは平安時代中期です。それ以前にも以後にもいくつかの画期があるのですが、その後の近世の高度に交易適応した社会を生みだすもとになった大きな画期は、この平安時代にあったと考えられます。そのころ、交易相手であった青森と北海道の人びとのあいだ、つまり北海道の渡島半島南端に、本州と北海道の両方の文化の特徴をあわせもつ中間的な文化が成立します。私はそれを青苗文化と呼んでいますけれども、この中間な文化を持つ集団は、北海道の集団と同じ祖先を共有していた。これは土器の底面に祖印を施す習俗の分析からいえることですが、同時に青苗文化の人びとは対岸の青森の和人集団のなかに多く入り込み、かれらとも婚姻関係を結んでいる。しかし、いずれにも同化せず、中間的といえる文化的な独自性を保っていた。つまり青苗文化は、両方の社会に深く接続しながらどちらにも同化しない、両属的でありながら自律的な性格をもつ中継交易の集団だったと考えています。

　このような交易する二つの社会のあいだに成立する中間的性格をもつ集団は、北海道だけでなく世界各地の狩猟採集民社会にもみられます。それは外部社会からもたらされる商品を贈与に変換し、伝統的な狩猟採集社会にもたらすための異文化共存の装置といわれるわけですが、青苗文化もまた本州からの商品を北海道社会の贈与に接続するための装置であり、異文化に同調しながら伝統的な社会を持続するためのバッファだったと思うのです。

　マルクスは、「本来の商業民族」とは共同体と共同体のあいだ、すなわち古代世界のあいだの空所に成立するものだとみていましたが、これは実に興味深い議論です。この「本来の商業民族」も、抑圧をもたらす商品交換と、友愛にもとづく贈与を接続するバッファだったのではないか。「本来の商業民族」とは、「空所」に成立する抑圧と友愛の「あわい」の世界だったのではないか。抑圧と友愛に接続しながら、抑圧と友愛に同化しない自律性に立つことで生き抜いてきた人びとだったのではないか、と思われるのです。

ちなみにウェングロウは「原初的自由」と題したインタビューのなかで、自分の環境から離脱・脱出するような完全に孤立した自由は存在しないんだとしたうえで、三つの原初的自由についてのべています。それは離脱した人びとを迎え入れる「歓待地帯（ホスピタリティ・ゾーン）」としての自由、たがいの議論が保証された「服従しない自由」、そして別のことに踏み出してみる自由です。この視点からバッファをみてみると、それは異なる文化を接続する歓待地帯といえますし、同時に一方の文化に同化しない・服従しない世界です。さらに既存の文化とは異なる媒介性そのものの役割をもつ文化、つまり新たな世界を創造するものだったといえます。バッファやあわいについては、「空所」というものの議論を深めていくと同時に、このような自律の視点からも注目していく必要があるんじゃないかと思っています。

酒井　バッファとあわい、すごく面白いです。

小茄子川　考古学研究における文明というと、都市であり文字である、ということがいまだに声高らかにいわれるような状況もあります。さきに述べた社会的複雑性のシステムとしての文明ですね。しかし瀬川先生のアイヌ文化論にそくして理解するならば、あわい空間にこそ、拡大したモラル共同体／マルセル・モースがいうところの偉大な歓待地帯（ホスピタリティ・ゾーン）としての真の文明がある。これもまた『万物の黎明』の大きな主張の一つであろうと思います。この主張も個人的にはかなり衝撃的でした。あわい空間にこそ文明があるとなれば、今までの文明論って何だったの、と。たとえばサミュエル・P・ハンティントンによれば、文明は衝突することになっていますけども、そもそも文明は衝突なんてしないものだし、認識ががらりと変わってくるのではないかと考えます。そうしたことを考古学研究から実証的にいえるという事実は、まさに考古学が本来的にもっている「力」を、ポジティブにそしてわかりやすく示してくれているのではないでしょうか。

〈疎外〉されない貨幣

酒井 いまの「歓待」というキーワードですけど、マルセル・モースの贈与論ではなくて文明論の影響が強いんですよね。ゼロ年代のヨーロッパの考古学なんかではこのデュルケム―モースの文明論の見直しみたいなことがされていて、そのなかでモースの独特の文明論、元々文明というのは交易であり、借用と借用の拒絶から成り立っているという文明論を、クラストルやハキム・ベイなどを経由して、分裂生成というかたちでより洗練させたというようにも見えるんですよね。いっぽうで、この広域性というものを一つの歓待地帯（ホスピタリティ・ゾーン）のような文脈で捉えようとしていた。この歓待地帯（ホスピタリティ・ゾーン）のバッファの展開によって可能になっている広域の文明の存在と、それが可能にする自由が想定されていて、次の論文ではそれを論じるつもりだったみたいです。広域に渡って移動可能になっていく自分たちのクランが存在して、そこにいつでも歓待してもらえるような広域空間、それを表現したかったみたいですね。財の外部からの流入という話で、これは前から課題になってるんですけど全然考えきれてない。いま瀬川さんのおっしゃった、共同体のあわいに商業の民がいて、彼らが交換を媒介していくという話ですよね。そしてさらにその等価交換が共同体内に折り返していくと、共同体内にも等価交換が発達していく。マルクスのいわゆる「内攻説」ですね。柄谷行人もすごく依拠するところなんですけど、市場交換は国家に先立つとすると、ヘタをするといわゆる古典派とか近代経済学に舞い戻る気がするんですよね。

溝口 先ほども触れましたが、その〈外部〉性が財の「意味的な疎外」に結びつくときと、結びつかないときがあるという話だと思うんですね。もう一つの『負債論』のポイントで、財がいわゆる物品貨幣化するときに、そこに存在するのは、僕の理解で言うと、やっぱりある種の〈疎外〉であるというか、親族・姻族集団ネットワークに覆われた集団単位の内部では生成し得ない、反対給付の不可能とその持続によって生ずる〈負債〉の概念の普遍化と一定の圏域への拡張・共有が前提として存在するようになっている。そして、それをマーキングするものとして貨幣が生成する。それを持って誰かのところに行って「クレーム」をしたらそれに対応するものが返ってくることが保証されている、と誰しもが考えている、信じている、信頼しているような圏域が存在する場合、近代的な貨幣に近い、〈疎外〉された貨幣が成立する。要するに「負債トークン」ですね。ニクラス・ルーマンが言うところの象徴的コミュニケーション・メディア、すなわち、それに媒介されてコミュニケーションが成立する領域においては、行為の意味が極限まで単純化される。この種の貨幣の場合には、「払うか、払わないか」にまで単純化されて、そこに親族・姻族的贈与関係に媒介された負債返還までの時間的バッファなどが生じ得ない、「いついつまでに払ってほしいけれども、いつでもいいよ」、「返さなくてもいいけど、いまは幼い息子にいつか嫁をくれ」、といった意味的・時空間的バッファが随伴しない、といった種類の〈疎外〉が生じています。それに対していまの先生がおっしゃっているような意味性・倫理性を帯びた交易というのは、空間的バッファ、すなわち「あわい」の圏域における相互交渉のために生ずる友愛であるとか、そのような倫理的意味性の共有にその価値が依存しているところがある。なので、先ほどの〈疎外された〉負債ではなく、意味性を帯びた、例えば負債の返済が待ってもらえたり、場合によってはチャラにしてもらえるような可能性がそれに随伴している。

酒井先生が整理されたウェングロウの論でいうと、「あわい」的空間の連鎖によって、ここで言うところの、完全には〈疎外〉されない貨幣使用が実現する可能性について、ウェングロウは語っており、そのような「あわい」的領域の遍在する圏域こそが真の〈文明〉的圏域だ、といっているようにも感じられます。そして確かに、そのような圏域は存在していた可能性がありますす。このことの実証的解明は、今後の意識的・目的的な考古学的分析の進展にかかっていると思いますが。

で、思考実験ですが、では、おそらくグレーバーとウェングロウが考えている可能性、すなわち、ここでの〈疎外〉されない交易、その媒体としての疎外されない貨幣の今日的復活の可能性ですが、この点について僕は今のところ、彼らの議論に十分に説得されてはいません。たとえばアナーキスティックなヒッピー・コミュニティにおいては、地域貨幣と外部の貨幣の価値とを、それこそ〈非疎外的〉に民主的に接続し、コントロールすることによって、世界的物流とコミューン的社会倫理の両立を現実化することができるかもしれません。しかしそれはあくまで、そのような「あわい」的コミュニティーが、民主的熟議と意思決定が可能なほどに小規模で、なおかつそれを構成する人々が、その圏域の「あわい」性を自覚的に戦略的に利用するからです。そのような圏域をたとえば国家みたいな領域・スケールに拡張できるか？　そのための戦略をグレーバーが提示できているかと言われると、僕はできていないと思います。

小茄子川　「貨幣」や「市場」の二面性／二重運動については、個人的にもすごく気になるところです。ポランニーが『人間の経済』で主張した「市場なき社会における市場」が有している二面性／二重運動（社会的結束にたいする非常につよい要求と、その基盤となる質的等価原理のなかに常に潜在している利得への動機のせめぎ合い）を理解したうえで、社会の外部からやってくる「商品」がどのような価値をもって入ってきて、「市場」としての古代都市を通過して社会の内部にいたるまでにどのような価値に転換されるのか、というところまでを追求しているのがウェングロウの文明論なのかな、と思います。この観点はやはり重要です。多くの考古学者は古代都市を考える際に、「市場」の二面性／二重運動などはあまり考えていないと思いますので。そうした意味でも、考古学者は、古代都市や「市場」「貨幣」を、瀬川先生がおっしゃられているバッファの特質でもって理解する必要がある、と。また私が検討対象としているインダス文明社会のあり方を引き合いにだせば、いくつかのバッファをつなぐような広域ネットワークの存在も面白いですよね。「商品」をもつ外部の社会とも限定的ではあれどつながれるし、しかしいっぽうではバッファにおける価値転換によって、既存の伝統地域社会の構造をそのままに保持・温存できたわけですから（本書二一二頁の図4参照）。

グレーバーの『価値論』をわかりやすく、しかし踏み込みつつ、人類史として叙述した産物が『万物の黎明』である、と私は読みました。古代都市や「市場」「貨幣」を、人類史にただしく再定置するためにも、考古学者はこのタイミングで、『価値論』や『負債論』も真剣に読むべきなのかな、とも感じています。すばらしい邦訳版がありますので。

溝口　そうなるとヒッピー的かつアナーキスティックな社会を広域化するためには、バッファにおいてまずは〈非疎外的〉貨幣経済を確立し、それをバッファ域外に拡張してゆけば良い、と言う戦略が描けるわけですね。できるかなー（笑）。

小茄子川　ここでもう一度、グレーバーの「ワンパム」のお話をとりあげますと、それは社会の外部では「暴力の帰結そのものである広域の通貨」として機能しているのですけれども、いったん社会の内部に入ってしまえば「平和を創造する潜在力」として機能する、と。これはまさにバッファの特質のことを言っているのだと思います。

溝口　そうするとやはりグレーバー説の弱み、矛盾が浮かび上がってくる気がします。再びここでの僕の用語を使うと〈非疎外的〉な貨幣が成り立つのは、その前提として、親族や姻族ネットワーク的な、倫理や友愛の〈交換〉行為への介在が全体社会にシステム的に組み込まれているような圏域の存在が前提となります。そうすると、例えば、世界共和国みたいなものができるとした時に、その広大な圏域内でのグローバルな友愛意識の共有を担保できるだろうか、というのが僕の疑問です。そのような圏域は、過去に存在したどの「あわい」的圏域よりも、そのスケールが格段に大きいからです。おそらく、グレーバー自身は超オプティミストとして、「出来るよ」、と言うと思いますが、〈非疎外的〉貨幣の存立の条件として「あわい」的圏域の存在があるとすると、〈世界〉をトータルに〈あわい〉化する、というのは、概念矛盾かな、と思いました。「あわい」は、集団単位と集団単位の「あわい」として、はじめて「あわい」たりえるからです。

酒井　なるほど、でも、世界共和国と言っているのはカントー柄谷で、グレーバーは言ってませんよね。そもそもグレーバーだったら「共和国」とは言わないでしょうね。多分言ったとしても、連邦とか連合で、おそらくその時にワンパムを媒介してたイロコイ族とかの複雑な広域のボトムアップシステムみたいなものを念頭に置くとは思います。

溝口　確かにウェングロウには世界共和国的発想は全くなくて、特に『アナーキスト人類学のための断章』の中では、それに対するアンチというか、局地的なヒッピー的集合の連帯というような形のイメージしかなかったですね。そうすると、「あわい」が連鎖する世界は可能、ということになりますね！　うーむ。

未来

小茄子川　資本主義のオルタナティブを、実証的なデータをもって想像／創造することができる。これは考古学の大きな強みである、と個人的には本気で信じています。それほどのプレゼンスを考古学はもっている。なぜならば、われわれ考古学者が相手にしているのは、そのほとんどが資本主義以前のさまざまな社会のアレンジメント方法なのですから。

さて先生方と最後にぜひディスカッションしておきたいのは、「未来」についてです。つまり考古学をふくめた人文社会科学の可能性、意義、方向性についてですね。本当の意味での学際的な研究が失われつつある中で、『万物の黎明』を受け取ることができる知的土壌もじつは失われてしまっているような状況にあるという危惧も私にはありました。しかし『万物の黎明』にただしく接続し、ポジティブな影響を受けたことによって、われわれはそうしたことについても議論できる「土台」あるいは「ツール」を手に入れることができたと感じています。

現代社会が抱える諸問題の解決に向けて、考古学をふくめた人文社会科学が発揮すべき「力」についてもお話できれば、当著の読者の方々に、考古学とはこのような本来的な「力」をもった学問である、ということをあらためてわかりやすく提示することも可能になると考えます。

溝口　グレーバーとウェングロウの仕事は、新たな視点で既存のデータと研究成果を徹底的に読み替えてしまったところに、その最大の起爆力があるわけですが、それを下支えしているのは非常に明確な目的性です。すなわち「語の真の意味でのアナーキーな世界は構築可能である。なぜならそれは人類の歴史上、何度も実現されたから」ということを示す、という明確な目的です。そして、その目的の達成のために、まずは、これまでの研究の反省を、それがよってたつ世界観にまで遡っておこなう。そして、そのような問題点を生み出してきた視点・方法論を批判的に検討し、オルタナティブな方向性を導きだす。それに基づき、分析のために必要なデータを集め、整理し、新たなナラティヴとして結果を提示することで目的を達成する。そのサイクルは実は科学のサイクルの王道です。『万物』を読むと、このようなサイクルを立ち上げ、有効に機能させるために、「目標」の定立がいかに重要かを痛感します。言い換えると、そのような目的性を定立しきれなかった、もしくは形骸化させてしまったがゆえに、今日の私たちの研究はバイアスにみちたものになっていたのかもしれない。そのようなことを『万物』は示唆してくれます。

そのようなプロジェクトを支えているのは、やはり目標の〈倫理性〉です。かつて人文社会科学は、良き社会存在のあり方と、その達成の方策の解明・提示にコミットするということを実践的前提としていました。それがいま、先ほども少し触れましたが、社会のグローバルな広域化と複雑化の中で、そもそもグローバルな倫理の存在そのものがイメージしにくくなってしまいました。そして、そのことそのものが目標の矮小化につながる論理的必然はないと思うのですが、そもそも「良き社会存在」ということ自体をイメージすることが難しくなったことにより、結果として、本当に小さな、細切れの目標しか立てられなくなってしまいました。グレーバーとウェングロウの強みは、マルセル・モースを再評価して、友愛や贈与が、人間、ホモ・サピエンス・サピエンスのサピエントな能力の根幹の一つである、という認識を彼らのプロジェクトの根幹に据えたことです。そして、友愛と贈与を可能とする条件と具体的技法が、さまざまな条件のもとでどのように維持・再生産されたのか、を枚挙的に明らかにしてゆきました。そして、その結果をナラティヴとして構成するとき、友愛、平等、社会的な判断における合議、熟議の実現、そして移動の自由を、サピエントな人間の潜在力発揮の理念型として定立し、ナラティヴ編成の枠組み的基準としました。そのような作業を、実に体系的に進め、しかし、ナラティヴとしては実にエキサイティングに表現した。『万物』の魅力の一つの中心はそこにあります。それから、そのようなプロジェクトがグレーバーとウェングロウの真の意味での友愛にもとづく協業を通じておこなわれたという事実も、『万物』の私たちへの贈り物の一つだと思います。この複雑な人間社会の、これまた複雑な歴史を解明するためには、友愛と目的の共有にもとづく協業が必然になる。そのような意味において、人文社会科学は、文理融合、などといった皮層な意味ではない、語の真の意味での〈学際性〉を再獲得しなければならない。倫理的目的性がそれを必然的にする、ということも『万物』は教えてくれています。

最後に。『万物』は、今日的世界観を支える歴史的ナラティヴの再吟味という、現代社会の編成そのものの一角の脱構築に始まり、そこから何をなすべきか、の方針を引き出し、広義の人類史を横断しながらそれを脱構築・再構成し、最後に再び、現代社会の編成の一角に新たに構築された世界観を置き直しました。これは巨大な仕事ではありますが、その全体の構えは、先ほども述べたように、科学のサイクルを剛直になぞったシンプルなものでした。その成果は、これも先ほど述べたところですが、私は「枚挙主義的温故知新」のためのケースの生産だと思っています。グレーバーは、彼の『アナーキスト人類学への断章』において、彼の政治実践としての学問のマニフェストを明らかにしていますが、そのマニフェストの一部は、そのツールとしての意味がしっかりと分類提示された、語の真の意味でのアナーキーな社会の実現のためのリソースとしてここにしっかりと提示されたと、私は思います。さまざまな場面で、さまざまな角度から、『万物』をツールとして、リソースとしてどのように「使うか？」を具体的に考え、そして実際に使ってゆく。それが、この『万物』を一番享受できる方法なんじゃないかな、と考えています。

瀬川　無文字社会の歴史を個別具体性にもとづいて復元する方法というのは考古学しかないんですね。そこにはやはり大きな可能性と魅力が広がっている。ただし、誰もみたことのない世界を相手にするわれわれは、そこに自明のものなど存在しないんだということを肝に銘じておく必要がある。あらゆる可能性を排除せず、逆に真摯に受け止め取り込んでいかないと考古学の語りは痩せ細っていくだけで、未来に向かって何物も生みだすことはできない。「別の社会」の可能性を見出すことなんかできない。『万物の黎明』は、まさにそのことを説いているのだろうと思います。

小茄子川　ありがとうございました。四時間半にわたる対話でしたが、まったく時間がたりませんね。続きもある、という認識で引き続き何卒よろしくお願い申しあげます（笑）。

『万物の黎明』をフックとした瀬川先生、溝口先生、酒井先生の対話によって、考古学のもつ本来的な「力」は、人類史の復元という側面においても、さらには現代社会が抱える諸問題の解決という側面においても、「さまざまな可能性」に満ちあふれたものなのだ、と読者の皆さんに伝わるものと確信しています。（溝口・瀬川・小茄子川＝考古学、酒井＝社会思想）

——二〇二四年二月一一日

『万物の黎明』を少しだけ読み換える

〈サピエンス〉が〈ハイアラーキクス〉になってしまったことの（非必然的）条件

溝口孝司

I

『万物の黎明』のメッセージとインパクトの核（コア）はシンプルなものであった。ホモ・サピエンス・サピエンスはスピーシーズとしてその種分化の当初からホモ・サピエンス・サピエンスであった。すなわち、今日の世界において私たちが社会的存在として、個として、また様々な組織の構成員として存在しているその多様なあり方は、ホモ・サピエンス・サピエンスの出現段階で可能性として既に全て潜在していた、という事実の指摘とその（考古学的・人類学的）根拠の提示だ。

それでは、「当初」から潜在していた可能性とはどのような性質のものだったのだろう。その問いに「現在の私たちの『あり方』」と答えるのは、ある種のトートロジーであるだけでなく正確ではない。言い換えれば「私たちは最初から私たちだったのだ」ということは、「だから最初から今そのようである私たちだったのだ」、ということではない。なぜなら、現在の知見では地球が太陽の周りを三十万回ほど回る以前の（＝そのころ種として分化した）私たち（の祖先）から今の私たちに至るまでの間に、自然環境や個々人を取り巻く社会環境にさまざまなイベント、変化が起こり、それらはその時その時に、私たちのあり方に影響を与え、時にそれを変化させたに違いないからである。言語を含む複雑な象徴体系を操り、脳を含む生体組織のあり方と、その外部環境との〈カップリング〉（自律的にそれぞれを維持・再生産しつつ相互の存在様態に影響を与え、それぞれにそのような影響を自律的に受け入れたり拒絶したりすることを続けることを〈カップリング〉という）のあり方を分節（segmentation）・外化（externalization）・

表象（representation）し、外部環境に働きかけ、働きかけの帰結をカップリング総体のあり方とともにさまざまな種類・位相の記憶として貯蔵し、それに準拠しつつ、働きかけの帰結として何らか変化を被ったかもしれない外部環境に再び働きかけ、その帰結をモニタリング、記憶し……というサイクルを繰り返して私たちは生きてきた。その過程において、脳を含む生体組織の構造は、ホモ・サピエンス・サピエンス（Homo Sapiens Sapiens: 以下「サピエンス」と略記）の種分化以来、スピーシーズとしてさらなる新たな種分化にいたるような変化を経ていないという意味で、いわば定数（constant）であった。私たちの住地である地球が一定の速度で自転し公転したことも、同様な意味で定数である。しかし、その他の、私たちの存在に関与する状況やファクターは全て、パターン化可能なさまざまなリズムで、もしくはリズムレスにコンティンジェント（偶発的）な変化を続けた。当然、定数としての構造＝生態組織を持った／持された個体は、存在／生存し続けるために、変数としての（言語を含む複雑な象徴体系に媒介されて、脳を含む生体組織のあり方と、その外部環境とのカップリングのあり方を外化・表象し、身体を用いて外部環境に働きかけ、働きかけの帰結をカップリング総体のあり方とともにさまざまな種類・位相の記憶として貯蔵して、それに準拠しつつ、そのような働きかけの帰結として何らか変化を被ったかもしれない外部環境にさらに再び働きかけるという）そのあり方のモードを変化させて、そのような変化に対応・対処する必要があった。そして、そのような対応・対処は、それが脳を含む身体が容認する変異幅＝進化的獲得能力の幅の中に収まる限りにおいては、「いかようにもありえた」はずだ。

しかし、それが、「いかようにでもありえなかった＝ある秩序によりパターン化されたものであった」ことは、サピエンスの生きてきた時間の流れの中でのサピエンスの個としての、組織としての、社会的存在としての存在の様態の時間的空間的変異を分析する、考古学を含む全ての学問分野の成果によって明らかである。そして、そのような、サピエンスが「いかようにでもありえなかった」ことを基軸とする分析でありナラティブであるという点においては、『万物の黎明（*The Dawn of Everything*：以下『黎明』と略記）』も例外ではない。

II

原理的には、生体としての能力の範囲内で「いかようにでもありえた」はずの私たちの存在が、その歴史を観察すると「いかようにでもありえなかった」という事実。それは現在、二つの位相において把握され、観察され、「常識的」説明・理解の対象となっている。

(X)人間の群としての編成＝〈社会編成（social formations）〉は、ある人間集団がいくつの、またいく種類のグループに分かれ、それらがどのように相互に（相互の関与における影響力・規定力の観点から）関係付けられ／布置され、どのように作用しつつ全体社会を構成するのか、という観点から、一定数のモード類型に分類され得る。

(Y)そのような編成モード類型は、可逆性を有しつつも、その構造的特質＝規模・複雑性・複合性の量的・質的増大を基準とする〈進化的〉系列に配置することが可能である。

YはXの成立を必要条件とする。ということは、「いかようにでもありえなかった」人間のあり方の研究においてはXの位相がより「基礎的」／「基盤的」ということになる。そのような意味において、『黎明』も、X位相の認識の成立を前提として議論を展開している。それは例えば〈王〉、〈貴族〉や〈奴隷〉と呼称される身体の明確なカテゴリー的存在や（例：第5章　以後の頁番号はいずれも『万物』の該当頁を指す）、〈王制〉という社会編成（例：カルーサ族　一六九―一七〇頁）の存在が、これまでの理解とは大きく異なる含意のもとではあるが、議論の前提とされていることからもうかがえる。

しかし『黎明』は、そのような認識を前提としてYに向かうことをしない。グレーバーとウェングロウ（以下「G&W」と略記）は、そのような社会編成それぞれの構成要素は、どれもサピエンスの種分化段階の後期旧石器時代にはおそらくその多くが出現しており、一般的に国家的社会編成の主要構成要素の一つとされる記念物的構築物（Monuments）でさえすでに存在していたと指摘する（例：ロシアのユーディノボ遺跡の「マンモス・ハウス」一〇三―一〇四頁）（これら遺構のモニュメントとしての認定そのものには、考古学者からの反論があるだろうが）。

さらにG&Wは複雑首長制的社会編成（complex chiefdoms）、国家的社会編成（states）を、これまでそれらの形成と再生産の必要条件と考えられてきた「農耕」・「大規模な人口」から切り離す（これを【社会編成と農耕のディカップリング】・【社会編成と人口規模のディカップリング】と呼称することにしよう）。また、G&Wはこれら異なる社会編成モード類型間の関係を（進化的・分岐分類学的のいずれにかかわらず）「系統発生的」（phylogenetic）なものとは考えない。彼らは、これらはまさに〈モード（mode）〉としていかなる人間集団においても潜在的可能態として共存しており、当該集団を取り巻く（自然的・社会的）環境に応じて、また当該集団が隣接集団との関係性の中で、社会編成の「理念型」や、社会的アイデンティティとしての「人間の存在様態の理念型」

を対比的に相互に差異化してゆくことを通じて（〈分裂生成（Schismogenesis）〉：第5章　殊に二〇五—二一六頁）、それらのどれかが「主要モード」として他に対して突出・前景化するようになるものだと指摘する。そして、例えばカナダ北西部沿岸に居住したトリンギット、ハイダ、ティムシャン、また北米グレート・プレーンズ地域の諸民族集団など通常〈ビッグマン・システム〉の部族社会ないしは単純首長制社会として特徴付けられる集団が、特定資源の集約的獲得と処理のために大規模集住する季節（前者の場合には冬、後者の場合には夏の終わりから秋の初め）には整備された統治機構と公的暴力装置を備えた〈国家的社会〉となり、それ以外の季節には小グループに分かれ、領域内の細分テリトリーに分散居住して〈バンド〉的編成（前者の場合には緩やかな身分分化のある〈クラン〉単位居住）をとることなどを実例としてあげる（第3章　殊に一二一—一二六頁）。

III

そのような、サピエンスのサピエントな特質が含みもつ個として群としての可変性の潜在力を、G&Wは最大限に見積もる。そのことと、【社会編成と農耕・人口規模のディカップリング】がリンクすることによって、G&Wは（通常の新進化主義的社会編成規模としては（追従者が一〇〇人や二〇〇人を超えることのない）〉バンド的規模の集団（例：北米北西部の「漁夫王（フィッシャー・キング）」二〇五—二一〇頁）や狩猟／漁労採集集団（例：フロリダのカルーサ族：カロスと呼ばれる首都から統治される小さな王制を築いていた非農耕民　一六九—一七〇頁）が〈王（king）〉を持っている例、また超広域に広がる〈主権〉的統合体が（これも通常の新進化主義的定義・概念化によるところの）〈国家〉的要素の主要なもの（＝成層的—官僚的統治機構・公的暴力装置）を発達させない例（例：テオティワカン）などを次々と指摘する。テオティワカンなどで例示される事例は、【（国家的）広域秩序と成層的社会編成のディカップリング】をも含意する。

しかしここで留意しなければならないのは、【サピエンスの可変性の潜在力】と【社会編成と主要生業としての農耕・人口規模のディカップリング】のカップリングが「バンド的集団の〈王（king）〉」や「国家なき（広域）〈主権〉（領域）」の認識・認定の〈有意性（significance）〉をそのまま保証するわけではないし、ディカップリングそのものが、「それではなぜ狩猟採集集団の〈王〉が存在したり、広大な〈国家なき主権〉圏域は存在するのか」という問いの答えにそのまま結びつくわけでもない、ということである。

以下、この「なぜ」を問うてゆくこととしよう。そのためのきっかけとして、「漁夫王」と「（通有の概念における）国家の王」の〈王〉としての共通性と差異について確認するところからはじめたい。確かに「漁夫王」はその身体を取り巻く数百人の「世襲身分成層」に君臨し、奴隷を含む彼らのライフコースに絶大な影響力（＝広義の権力）をふるっていた（二〇五―二一〇頁）。しかしそれを、conventionalな定義における〈国家的社会編成〉における統治機構の長としての〈王〉と同一して良いものか？　G＆Wによる「漁夫王」とconventionalな〈国家〉の〈王〉の等質性認識を実質的に担保しているのは、その身体を起点／媒体として再生産される〈コミュニケーション〉の等質性である。この認識を補助線として以下の論考を展開したい。

　コミュニケーションは、二つ以上の身体間に生じる、情報の選択と表出と、その理解という三つの選択の反復的接続である。それは結果的に、コンティンジェントに規定される許容幅に収まる相互交渉‐協調の持続であるが、そこに、真の意味での相互理解が生じている必要／必然はない。そのようにして物事が進んでゆく限りにおいて、現象としての〈秩序〉は産み出され続け、そのようなものとしてのコミュニケーションが連鎖してゆく圏域には、〈社会〉が存在し続ける（このような考え方の枠組みとしては、ニクラス・ルーマンの作業を参照のこと：例　ゲオルク・クニール、アルミン・ナセヒ（舘野受男・池田貞夫・野崎和義訳）（一九九五）『ルーマン　社会システム理論（「知」の扉をひらく）』東京：新泉社）。そして、そのようなコミュニケーションの継続・再生産が「ある範疇に属する身体の選択が（他の殺害をも時に含むものとして）他による選択に対して常に優先されるべきである」という共有相互予期に依拠し、そのような優先の頂点に〈特定身体〉が存在する場合、G＆Wはそのような〈身体〉を、その他の条件の相違はカッコ入れして、そのいずれをも〈王〉と呼んでいるのだ。しかし、G＆Wによるこのような「判断」は、以下のような重要点、G＆W自身が『黎明』の議論の柱の一つとしているポイントをカッコ入れ（＝とりあえず考えないことに）することにより可能になっている。すなわち、一つの社会は複数のコミュニケーション／それに準拠する社会編成モードの潜在的併存／複合によりなりたっているというポイントである。先にも述べた通り、〈王〉を参照媒介点として頂点にいただく〈成層的コミュニケーション〉と、相互の友愛的平等性に準拠した〈水平的コミュニケーション〉は、例えば季節的に双方の間を行き来するような形で一社会に併存することをG＆Wは示すとともに、前述のように、そのことを『黎明』における彼らの指摘‐主張の主要な柱の一つとしている。このことを敷衍するならば、以下が探究されねばならない。すなわち：(X)〈成層的コミュニケーション〉は一社会内に併存する〈水平的コミュニケーション〉、その他のコミュニケーション・モード（それは社会学者ニクラス・ルーマンによるならば〈中心─周辺分化〉的、〈機能分化〉的を含むであろう）とどのような関係にあったのか？(Y)〈成層的コミュニケーション〉はどのようなメカニズムによって主導的モードとなっているのか？

この問題の探求は、「漁夫王」と「国家の王」の差異と同一性を明らかにすることになるだろう。そして、その差異と同一性の量的質的検討は、G&Wが『黎明』において目指す歴史認識の真の意味でのパラダイム変換に向けての問い、すなわち

●（現在地球上に生きているすべての人々がそうではないことを留保しつつ）私たちはいつ、どのようにして個として群として〈成層的存在様態〉に「立ち往生（stuck）」してしまったのか？

に対する回答への補助線（guideline）となると、私は考えている。

Ⅳ

「漁夫王」のケースにおいて、その〈王〉的権能が発現し受容される一定時空間（冬季）は、「ダンバー数」（一〇〇〜一五〇人（一五〇人と言われることも多い）：ある人間集団が制度的媒介なしに安定的社会関係を維持しうる人数の上限であり、脳の機能、中でも新皮質のサイズと機能に規定されるとされる　ロビン・ダンバーにより提唱された）を超える身体が共住する時空間であり、なおかつ〈王の身体の影響域〉を超えた外部との接触・相互交渉が時に競覇的贈与（「ポトラッチ」：二〇六頁）の形でintensiveに発生する時空間である。そして、その集団間の〈互酬〉的均衡をあたかも破らんとするかに見える形式化された相互交渉イベントの〈形式的互酬─均衡圏域〉から、疎外される身体（≒奴隷を含む様々な従属者たち）、そこで分配される給付物に対して十分な反対給付をおこなうことができない身体が析出される。すなわち、この〈形式的互酬─均衡圏域〉という、基礎集団単位を超えた相互交渉の圏域への接続権の独占が「漁夫王」の身体に付託・許容された権能の根拠となっているということである。これは、反対給付の時間的遅延のバッファとしての姻族的ネットワークからの、〈王〉（と貴族）以外の身体の疎外をも含意するだろう。要するに、〈王〉（もしくは貴族層）への負債の返済が「不可能」な身体が集団内に発生しているのである。このことは、北米西北部海岸地域においては、「王の権能からの定期的離脱」による「バンド的平等性」と〈水平的コミュニケーション〉の定期的発現により、恒常化を免れている（ように見える）。この認識

を敷衍すれば、〈王〉の権能は、基礎単位「外部」との〈形式的互酬‐均衡圏域〉をそれが独占するならば、その身体の「規範的影響圏域内」においては機能し続ける、ということである。さらにいえば、前述の複数基礎集団の「共住」期（冬季）以外＝散住期には、多くの集団メンバーはその規範的影響圏の外にある、ということになる。これからさらに敷衍されるのは、この〈王〉の身体の規範的影響圏の存在と機能の時空間的不安定さが、〈平民〉と〈王〉との関係性の不安定の一つの原因であろう、ということである。漁獲物の処理と保存を無理強いされると、平民は「すぐにライバルの世帯に逃げ込んでしまった」という（二二四頁）。

このことは重要な含意を導く。まず、〈王〉的身体が、それが君臨する基礎単位「外部」との〈形式的互酬‐均衡圏域〉共有を恒常的に独占する場合と、独占が断続的場合とが存在し、われわれのケースでは、前者が「国家の〈王〉」（例えばカルーサ族の王）、後者が「漁夫王」ということになるという可能性である。ここで、後者を〈王〉として認定・認識するか、それとも別概念と名称を当てるかの議論は、重要性を帯びてくる。なぜなら、それぞれの創発に異なる条件が関与している可能性があるからである。G&Wの場合には、【〈王〉（と社会成層）と農耕・人口規模のディカップリング】を根拠とする【サピエンスの可変性の潜在力】のプロモーションと、さらにそれを根拠とする【（国家的）広域秩序と成層的社会編成のディカップリング】≒〈国家なき主権〉の可能性のプロモーションという〈アナーキスト人類学〉的アジェンダ〔デヴィッド・グレーバー（高祖岩三郎訳）、（二〇〇四→二〇〇六）『アナーキスト人類学のための断章』東京：以文社〕に促されて、これらのどちらをも意図的に〈王〉と呼ぶことにしていることは明らかだ。しかし、〈王〉的身体が、それが君臨する基礎単位「外部」との〈形式的互酬‐均衡圏域〉共有を恒常的に独占する場合が、統計的に「国家の〈王〉」と有意に相関しているとすれば、これら両者をともに〈王〉と定義し、呼称することは問題的となる。なぜなら【〈王〉的身体が、それが君臨する基礎単位「外部」との〈形式的互酬‐均衡圏域〉を恒常的に独占すること】が、【農耕】や【一定以上の人口】に代わり、コンベンショナルな人類学的〈王〉の存在の必要条件（十分条件ではないことはとても重要である）となる可能性が出てくるからだ。言いかえるならば

- 「断続的に」〈王〉である身体⇅〈外部〉との均衡的互酬関係の断続的独占
- 「恒常的に」〈王〉である身体⇅〈外部〉との均衡的互酬関係の恒常的独占

が成り立つ可能性である。

このことについて、例えばカルーサ「王制（キング・ダム）」（一六九―一七〇頁）においてこれが当てはまるか否かは興味深い問題であるが、「……カルーサはかれら（フロリダ海峡周辺在住の漁労・採集民集団：現筆者注）と定期的に交易をおこない、戦争をし、王朝間の婚姻をとりおこなっていた」（一七四頁）とすれば、漁労・採集民の王制的政体カルーサにおいては、〈王〉的身体の存在と機能が、それが君臨する基礎単位「外部」との〈形式的互酬‐均衡圏域〉の恒常的独占に依拠していた可能性は強い。すなわち、【〈王〉（と社会成層）と農耕・人口規模のディカップリング】と並行して、【〈王〉的身体と、それが君臨する基礎単位「外部」との〈形式的互酬‐均衡圏域〉共有の恒常的独占のカップリング】が、われわれが通常〈王〉と呼ぶ身体の必要条件である可能性が出てくるのだ。

このことは、われわれが続いて考察しなければならない〈国家なき主権〉についても、重要な意味を帯びてくる。すなわち、コンベンショナルな部族的集団圏域を多数包含しつつ、その中に存在する人口集中地＝都市においては発達した公共事業が組織され、圏域内の人、もの、情報の移動の秩序は維持・再生産されるが、通常、それらのコントロールに必要・必然と想定される社会成層とエリートの存在は確認されない、という〈国家なき主権〉圏域の存在が、そのような圏域とその〈外部〉との〈形式的互酬‐均衡圏域〉共有の様態／モードの一類型として理解される可能性である。〈国家なき主権〉の具体例としてG&Wがあげるテオティワカンの例、またいわゆる「インダス文明」圏（三五八―三六七頁）の両者において、〈外部〉は実体的な諸集団単位、すなわち、それらとの間に〈形式的互酬‐均衡〉が（時に暴力に媒介される場合も含め）物財の交換として成立する対象としての外部であるとともに、〈超越存在〉領域としての外部でもあることは、両者における、それらとの接触の場をシンボリックにマーキング／形式化する大規模な構築物、モニュメントの存在により明らかである。

これらを仮に〈実体的外部〉と〈超越的外部〉と呼び分ける時、これらが相互構築的・相互媒介的関係にあるであろうことは、（超遠隔地としての）実体的外部との接触によりもたらされた様々な物的アイテムが、超越的外部との接触の場に、そのマーカーとして、またその〈場〉としての形式性を支えるものとして集中的に存在することから明らかである。問題は、〈実体的外部〉＋〈超越的外部〉との接触が「非成層的」に組織され、維持されることが可能となったメカニズムである。このことについて考えるヒントは、〈実体的外部〉の「実体性」と〈超越的外部〉の「非実体性」の差異、それから、それらとの接触・交渉がそれぞれ含意する「期待外れ」の内容の差異にある。

展開しよう。〈実体的外部〉との〈形式的互酬‐均衡圏域〉共有は、当該集団単位にそれがもたらす便益の「表示」により広域統合領域の維持・再生産を担保する。このことは、そのような表示のイベント性を含む形式性・象徴性を保証する明確な「加担者」の存在を要求する。すなわち、当該集団単位が享受する便益の具体的（すなわち量的に限定される）表象を、具体的誰かが集団に対してディスプレイしなければならないのだ。このことは、〈実体的外部〉との接触の独占により形成される統合領域の存続機構がそのような「加担者」＝範疇的にもスケール的にも限定された身体の集合＝「エリート」の存在を前提とせざるを得ないことを示唆する。

これに対し、〈超越的外部〉との〈形式的互酬―均衡圏域〉共有は、〈超越者〉の存在が実体的なものではない＝実体的具体的物質交換のパートナーとしては成立しえないことから、それとの関係性は「自己言及的（self-reflexive/referential）」なものとならざるを得ない。すなわち、〈超越的外部〉との〈形式的互酬―均衡圏域〉共有のために、超越的存在に対して必要な財を「贈与した」という認識と、それに対して超越的存在から行なわれると予期・期待される「反対給付」（これは「世界（の構成物）の安定的再生産（例：豊漁や豊作）」といった観念的なものとならざるを得ない）が「行われた」という認識の継起的反復が、集団単位構成メンバーと〈超越的外部〉との〈形式的互酬―均衡圏域〉共有の実体となる。この場合、〈超越存在〉からの反対給付が実体的なものではあり得ないことは、それによって集団単位にもたらされる便益の表示も「自己言及的」形態を取らざるを得ないという事態を導く。すなわち、そのような表示は個々の身体の「内面」＝心理で生起し、確認されることになるのだ（例：ある祭祀（自然の秩序の護持祈願）の実修に対する（観念的）反対給付としての豊作／豊漁）。すなわち、〈超越的外部〉への贈与的給付の加担者が範疇的にもスケール的にも限定された身体である必要性／必然性は存在しないのである。無論、広域集団によって、超越者への贈与がその集団単位の維持・再生産に貢献しているとの認識が（自己言及的に）共有されるためには、贈与行為の一定の形式性・象徴性の担保が必要であることはいうまでもない。しかし、そのような担保の加担者が少数の身体に限定される必然性もないのである。極論すれば、集団単位構成員全員がそれに加担することも可能である。皆が「自己言及的に」納得し、コミュニケーションを継続すれば良いのだから。言い換えれば、【〈超越的外部〉との〈形式的互酬―均衡圏域〉共有】は宗教的―信仰的形式を取り得るということである。例えば、緩やかに構造化された〈水平的コミュニケーション〉として、〈超越的外部〉への一方的給付＝宗教的贈与は編成されることが可能なのだ。

このようなモデル化は、テオティワカンにおける大規模公共事業における宗教的建築物の顕著な存在感や、インダス文明における大規模宗教的行為の形式化としての大規模沐浴施設の存在の説明を可能とする。すなわち、【〈超越的外部〉との〈形式的互酬―均衡圏域〉共有】の「宗教的―信仰的形式」が、モニュメント造営を含むエリート／社会的成層化なき超大規模協同≒〈国家なき主権〉を可能とする、という説明である。テオティワカンの大規模公共建造物の構築や、インダス文明における、後の〈カースト〉制に類似した、「社会的機能をヒエラルキー的に分割し、純度による尺度で組織する」タイプの集団の編成（三六二頁）は、いずれも〈王〉と〈官僚〉を頂点として組織された社会成層に媒介されることなく自己言及的に【〈超越的外部〉との〈形式的互酬‐均衡圏域〉共有】を維持・確認し、人・もの・情報の秩序ある流通の広大な圏域の維持・確認を可能としたテクノロジーだったのではないか。すなわち個々の身体が【〈超越的外部〉との〈形式的互酬―均衡圏域〉共有】をその〈存在論（ontology）〉の核心におくことで、超越者への「無際限な給付」としての協同性の発揮が可能となった、という仮説である。このようなシステムにおいては、〈超越存在〉への一方的給付≒無際限な贈与に媒介されて、それが成立する圏域内においては、それがいかに広大であっても、さまざまな人、もの、情報の流通が促進されたと推測されるのである。

サピエントな私たちの祖先たちには、このような、〈超越存在〉に対する宗教的かつ無際限な贈与に媒介された〈フラットな社会存在〉・〈水平的コミュニケーション〉テクノロジーによる広域主権圏域生成の可能性と具体的な道が開かれており、私たちの祖先集団のいくつかは、それを選んだのだ。そのような観点からすると、メソポタミアやエジプト、黄河流域などにおいては、〈超越存在〉に対する宗教的かつ無際限な贈与の媒介に、〈成層的コミュニケーション〉編成によって対応するという選択とドライブがかかってしまったのではないか、と思える（第10章）。そしてそれは、決して必然ではなかったということも。

だとすると、テオティワカンやインダスにおける、いわば〈アナーキー〉なテクノロジーではなくて、〈成層的社会存在〉テクノロジーによって広域主権圏域を生成する道を私たちが選んでしまったのはなぜか、という問題が、今日の私たちにとっての新たな核心的問いの一つとなるのではないか。そのことについての考察は、他日を期したい。

Ⅴ

迂遠な議論を展開してきた。G&Wの直截、かつしなやかな議論と比較して、その無味乾燥に言葉もない。

『黎明』のインパクトに刺激され、G&Wの【サピエンスの可変性の潜在力】のプロモーション、【〈王〉(と社会成層)と農耕・人口規模のディカップリング】、そして【(国家的)広域秩序と成層的社会編成のディカップリング】≒〈国家なき主権〉の可能性のプロモーションという【〈アナーキスト人類学〉的アジェンダ】を補助線として、こんなにも能力と創造性に溢れた、本源的にサピエントな私たちが、決して必然ではない〈成層的コミュニケーション〉固着への道、〈ホモ・ハイアラーキクス〉化の道を辿ってしまう条件について再考することになった(具体的メカニズムの考察は他日を期したい)。その考察の結果は、〈王〉を産み出すのも、〈国家なき主権〉を可能とするのも、問題となる集団圏域の〈外部〉との【〈形式的互酬―均衡圏域〉共有】を可能とする何らかのテクノロジーの創発である、という認識であり、また、サピエントな私たちは、様々な状況のもと、集団圏域の〈外部〉との【〈形式的互酬―均衡圏域〉共有】のための様々なテクノロジーを創発することにより、〈ホモ・エガリタリアニクス〉にも、〈ホモ・ヘテラーキクス〉にも、〈ホモ・ハイアラーキクス〉にも「実際になってきた」し「なり得たのだ」という結論だった。

今、私たちは様々な〈外部〉への対応を日々余儀なくされている。〈外部〉の増殖とその加速的変容は、サピエントな私たちがその能力によって対応可能な閾値を超えつつあるようにも感じられる。『黎明』の(少しの)読み換えによる私たちの過去のイメージの編み換えの試みは、〈外部〉との関わりに私たちがどのように対応するかが、私たちのあり方、私たちの社会のあり方そのものを規定する、という結論に私を導いてくれた。今、私たちが「立ち往生(stuck)」してしまったこの状況をどうすれば良いのか？ 学者として、それをどのようにするために、いったい何をすればよいのか？ 何ができるのか？ 呻吟する私にG&Wは(ことにグレーバーが存命ならば)こう言うのではないか。それを導いた条件の一端には人間もいるのだから、サピエントな存在として、考古学が／も明らかにしてきた私たちの過去の経験に勇気を得ながら、思考と想像力の限界をプッシュしてみる価値はあるよ、と。その究極の目標はもちろん、語の真の意味でのアナーキーな社会編成の実現である。

(考古学)

王・奴隷・バッファ

アイヌ社会における抑圧と友愛の歴史

瀬川拓郎

はじめに

『万物の黎明』は、不平等や搾取(以下「抑圧」という)が家族に起源をもち、それが家族の愛やケアリング(以下「友愛」という)の「倒錯」として存在することを指摘する。たとえば奴隷自体「どこであっても、最初は家内の制度」であり、「最も粗暴なる形態の搾取は、最も親密な社会的関係にこそその起源を有して」いたのである(同書:二三六頁)。

そして、この起源を同じくする「抑圧」と「友愛」をめぐる人類史的な課題とは、バンド・部族・首長制・国家、あるいは農耕か狩猟採集かといった従来の進化論的カテゴリーにとらわれず、諸社会における「抑圧」の肥大のメカニズムと「友愛」の補完的関係を読み解きつつ、「抑圧」に抗しながら「友愛」を回復する「別の社会の可能性」を開いていくことなのだ、というのが同書の提起するところなのであろう。

ここでは、社会的な競合と格差が強く認められ、「最も粗暴なる形態の搾取」である奴隷も存在した近世のアイヌ社会を手がかりに、北海道の狩猟採集社会における「抑圧」と「友愛」の歴史を考えてみたい。

一　王と奴隷――拡大するヒエラルキーと宝

近世のアイヌ社会は、外部社会との交易のための狩猟漁撈に特化した社会、つまり商品生産を核とする狩猟採集民の社会であった。

そこでは、本州や大陸など外部社会との物々交換（商品交換）によってもたらされるさまざまな商品のうち、刀・漆器・ガラス玉・清朝の官服（蝦夷錦）など名誉と威信を象徴する宝の獲得をめぐって、各地の首長らのあいだで競合が展開していた。

宝には精霊が宿っており、その蓄積によって強大化した精霊の力によって集団成員を守護すると信じられていたが、宝はまた一種の貨幣として婚姻や贖罪あるいは猟漁場獲得のためにもちいられた。首長はこのような宝をめぐる階層化の頂点に立つ者であり、宝がヒエラルキーを可視化するものとなっていた。

この競合的な社会は、ウタレとよばれる人びとによって支えられていた。ウタレは、宝の対価となるサケや獣皮など商品生産に使役される首長の私的な労働力であり、他の首長らから宝を入手するためのいわば生きた貨幣、さらには宝や猟漁場を略奪するための武力でもあった。ウタレは自由を剥奪された隷属民だったのである。

このような首長と奴隷の実態について、さらにみていくことにしたい。

首長の役割は、紛争の解決、戦争・交易・漁撈・儀式の指揮、共同財産の管理、成員の保護などである。ただし首長の強制力がおよぶのは集団全体にかんする事項にかぎられ、世帯の問題はそれぞれの世帯の長にまかされた。また集団全体の問題であっても、重大事項は全体の合議によって決定された。

和人から乙名（おとな）ともよばれた首長は、剛強・男前・弁が立つなどカリスマ性が重視されたが、基本的に共同の祖先神を祀る本家の家長であり、嫡男あるいは同じ血統の者が世襲した（高倉一九四二）。首長の血統は神格化されており、日高の首長バフラは九代以前にさかのぼる神を始祖とする家系を伝え、湧別には実際に神とよばれて尊崇された首長もいた（瀬川二〇〇七）。これらの首長を束ねる地域全体の統括者は、惣乙名・惣大将とよばれた。

各地の首長は、複数抱えていた妻女との婚姻関係をつうじて他地域のアイヌと連携し、勢力を拡大するとともに、他の有力アイヌの横暴に対して勢力のバランスをとっていた。厚岸の首長イコトイは厚岸に六人、千島のエトロフ島などに一〇人の妻女を、また留萌の首長トビラスは一三人の妻女を抱えていた。ちなみにトビラスの住居は、蓆（むしろ）一〇〇枚敷の広さであったと伝えられる。

一方ウタレは、江戸時代の記録では「奴婢」「下男・下女」「家来」「召仕」などとされた家族以外の世帯構成員であり、代々世襲されたとの記事もみられる。生活に窮したアイヌを寄寓させたのがウタレとする説もあり、このケアの側面は否定できないが、過失の賠償のため宝の代わりにわが身を差し出し、ウタレとなる場合が多かったとされる。

首長以外にもウタレを抱える者はおり、一九世紀初頭の厚岸アイヌの場合、ウタレを抱えていたのは全一五四戸中八人いたが、首長のイコトイのウタレは三五人、それ以外は一〜八人と首長のウタレの数が突出していた。イコトイは、これらのウタレをしたがえて千島のウルップ島へ渡海し、ラッコ毛皮など本州向けの交易品の生産に従事していた。石狩川筋を治める惣大将ハウカセのウタリは一千人ほどであったという。

首長は、さまざまな方法でウタレにたいする差別の固定化を試みていた。たとえばクナシリ島の首長イコリカヤは、自分の住居は山のふもとに、そしてかれが与えた三〇棟ほどのウタレの住居は一段低い川岸に立地を隔てていた。またイコトイは、ウタレの女性を結婚させるようにとの幕府役人の指示にたいし、有力アイヌとウタレの結婚については拒否した。

イコトイは、些末なことでもウタレを折檻して骨を砕き、気に入らない者は切り殺したと伝えられ、暴力的な支配を嫌って山中に逃げこみ、集団に戻らないウタレもいた。ただし首長は、ウタレにたいするような強制力を他のアイヌに行使することはできなかった（以上、岩崎一九九八）。

以上のべたとおり、近世アイヌ社会の首長は、奴隷の搾取をつうじて商品生産を拡大し、流通の独占をめざす存在であったが、この階層化の拡大は宝の「量的」な格差という相対性に依拠していた。宝をめぐる絶えざる競合のみが、首長の地位を保証するものだったのである。ではアイヌ社会の首長が、しょせんそのような限界性にとどまる存在だったのかといえばそうではない。というのも、アイヌ社会ではこれらの宝とは別に、死の淵をさまよう者をも生き返らせる最高位の霊力、つまり集団にたいする最大のケアの力をもち、それを所有することで自動的に首長となる宝、すなわち日本の兜の前立物を模した鍬形が創出されていたからである（瀬川二〇〇七・二〇〇九a）。

鍬形は、商品として流通することのない譲渡不可能な宝であり、男性性と首長の地位の絶対性を象徴するレガリアであった。神からの系譜を説くアイヌ社会の首長は、宝という商品をつかさどる神的存在であったが、商品であることを拒否するこのレガリアの所有をつうじて、地位の相対性を超克し、絶対神への転換を指向していたのである。首長はこの絶対性において王ともよべる存在であった。

もちろん首長の強制力がおよぶ範囲はみずからの世帯にとどまっていた。この王はある意味無力であり、そこに「抑圧」に抗するアイヌ社会の「友愛」をみてとることができる。しかし「友愛」にからめとられた首長を過小評価することはできない。かれの妻女と奴隷は相当な数だったのであり、したがって拡大する首長の世帯それ自体が、独立するひとつの社会として地域的な小王国を形成しえた可能性、あるいはすでに形成していた可能性も否定できないであろう。

アイヌ社会では、大量の雑穀を蓄える倉庫や畝立てされた広大な畑も認めれ、農耕の意義は軽視できない。しかし、社会的関係の物質的基盤をなしたのは基本的に狩猟漁撈による生産であり、「抑圧」が農耕の余剰生産物に起源するものではないという『万物の黎明』の指摘はここでも認められる。ただし「抑圧」の拡大は余剰生産物なしには生じない。アイヌ社会のもっとも深刻な「抑圧」は奴隷の存在であるが、それは奴隷が余剰生産物を生みだし、また奴隷自体が商品交換される余剰生産物にほかならなかったからである。

二　バッファの誕生――商品交換の歴史と境界世界

アイヌ社会の首長は、宝の霊力によって集団を守護するという観念的な再分配によって、さらに祖先祭祀と一体になったクマ祭りや冬至の大祭の饗宴を催し、近隣の者にまで飲食をふるまう物質的な再分配によって社会的な格差を正当化していた。しかしアイヌ社会では「少しでも能力のある者が憎まれて、周囲から暮らしにくい気分にされる」(早川一九七〇)、つまり経済的格差の芽となる個人が排除されていたことからわかるように、集団はヒエラルキーをもたらす商品の流通や蓄積を、そしてはヒエラルキーそのものを忌避していた。首長による再分配は空虚なご機嫌とりにすぎなかったのである。

さらに商品生産の拡大は、獣や魚などを神からの贈与とみなす、アイヌと神のあいだの「友愛」の世界観とも対立した。キツネなど小型の毛皮獣を「われわれがどっさり殺すもの」、ヒグマなど大型の毛皮獣を「買われるもの(=商品)」とアイヌがよんだのは、このような「友愛」の世界観が大きく変容しつつあった状況を示している。

アイヌの神謡では、飢饉に苦しむアイヌにたいして神が「シカとサケを与えないのは、アイヌがシカの頭を野山に捨て置き、サケを腐れ木で叩いて殺すせいだ」と語る。これは商品生産としてのシカやサケの大量捕殺によって、その魂を神の国に送り返す儀式がおろそかになりつつある状況を戒めるものであった。この神謡は、世界観の転換の渦中にある人びとの恐れと葛藤を示すものであり、野放図な商品の生産と流通は、実際には人びとの強い心理的な抵抗のもとで展開していたのである。

アイヌ社会では、中世から近世にかけて聖域・砦・首長居館などとされるチャシが営まれた。このチャシには獣類の骨が大量に出土する例が多くあり、たとえば陸別(りくべつ)町ユクエピラチャシ遺跡の場合、一万体以上のシカの骨が埋もれているとされる。おそらくこれは、商品生産としての大量捕殺によって個々の獣の神送りが物理的に困難になるなか、聖域でもあるチャシに捕殺した獣類をもちこむことで集約的に神送りをおこない、神との「友愛」をつなぎとめようとするものだったのであろう（瀬川二〇一六）。『万物の黎明』は、私的所有と聖なるものは排除と不可侵という点で同じ構造をもつと指摘するが、商品生産による私的所有の拡大と聖なるものの一体的関係は、ここでも想定することができる。

ところで、このような商品生産としての狩猟漁撈とそれにともなう階層化は、歴史的には本州の弥生・古墳時代に並行する北海道の続縄文時代から認められる。続縄文時代には、狩猟採集社会から農耕社会に転換した本州をつうじて鉄器・ガラス玉・管玉がもたらされ、それらが首長墓を中心に副葬品として出土するようになる。またこれと並行して、大量の毛皮加工用の石器（円形掻(そう)器(き)）と、ヒグマの装飾を施した各種製品がみられるようになる。これらの事実は、ヒグマなど北海道の毛皮が本州の王族の威信財として出荷され、その対価として入手した本州産品を北海道の首長層が宝として独占しつつあった状況を物語る（瀬川二〇〇九）。

縄文時代の北海道においても、新潟県糸魚川産のヒスイなど本州産品は流通していた。しかし、それらが首長墓から限定的に出土するわけではない。たとえば縄文時代後期の北海道にあらわれた周堤墓は、最大で直径八〇メートル以上の土塁で囲まれた巨大な竪穴を共同墓地とするもので、その中央にはマウンドや配石で区別された首長墓がときに設けられる。しかし首長墓に副葬品はほとんど存在しない。集団の富は共同墓地の造営に費やされており、個人に向かうわけではなかった。首長は、集団の祖先祭祀施設でもある共同墓地の核だったのであり、したがって集団の祖先祭祀を執行し、そのアイデンティティを象徴する存在であった（瀬川二〇〇九b）。この時期の北海道は東日本全体の土器型式にとりこまれ、文化の広域化が生じていた。周堤墓は、この広域化なかで地域集団ごとのアイデンティティの凝集が求められていたことを示している。

縄文時代の北海道の首長層は、本州産品を独占する存在ではなかったが、その理由は以下にのべるように、これらの産品が商品ではなかった点にもとめられる。

縄文時代には、イノシシを一定期間飼養して殺す、アイヌ社会最大の神送り行事であるクマ祭りに酷似するイノシシ祭りが日本列島各地でおこなわれた。この祭りは、北海道や伊豆諸島などイノシシが生息しない地域でも仔イノシシを入手しておこなわれる、土偶祭祀とならぶ列島の縄文社会に普遍的な祭りであった。つまり複雑な地域性をみせる列島の縄文社会は、生態系の差異を超越した祭祀とその思想を共有する世界であり、縄文イデオロギーあるいは縄文アイデンティティによって包括された世界だったのである（瀬川二〇〇九c）。

縄文時代の社会は、サハリンや朝鮮半島など列島外の異文化社会との交流がほとんどみとめられない孤立した状況にあり（水ノ江二〇二二）、巨大な「身内」の世界、閉じた系であった。したがって縄文時代の物流は、同じアイデンティティを共有する「身内」の贈与に依拠していたのであり、物々交換＝商品交換としての交易、さらにそれが継起するヒエラルキーは生じることがなかった――いかなる社会的格差も存在しなかったわけではない――のである。

続縄文時代以降、本州との交易がさらに活発化するのは平安時代に並行する擦文時代である。近世アイヌ社会では、ラッコ毛皮・矢羽用のオオワシ尾羽・アワビなど特定種に特化した本州向けの交易品の生産体制（アイヌ・エコシステム）が各地の生態系のもとで成立していたが、その初現は擦文時代中期の一〇世紀にもとめられる（瀬川二〇〇五）。

この時期、道南の渡島（おしま）半島日本海側には、擦文文化と本州文化が融合した青苗文化があらわれた（瀬川二〇〇五・二〇〇七）。青苗文化の集団は、道北日本海沿岸の擦文文化集団とのあいだに擬制的な共通祖先を戴きながら（瀬川二〇〇四・二〇一四）、実態としては交易相手であった東北北部日本海側の和人集団とのあいだに婚姻関係をもつという（瀬川二〇一五）、両属的な関係をもつ交易集団であった。

擦文文化は一二〜一三世紀に終焉を迎えたが、「諏訪大明神絵詞」によれば、その後の一四世紀初頭の北海道には三つのアイヌ集団、すなわち日ノ本（太平洋沿岸集団）・唐子（日本海沿岸集団）・渡党（渡島半島南端集団）が存在したという。このうち渡党は、近世アイヌにつうじる文化と和人の習俗をあわせもち、日本語も解して対岸の青森へ頻繁に往来する交易集団であり、古代の青苗文化集団の中世における姿とみられる。

　このような中間的な集団を介在する交易体制は世界各地で認められる。それは、贈与を主体とした狩猟採集民の交換様式に外部集団の商品経済が貫入するなか、商品を贈与に転換し、贈与と商品を同調する共存体制・中立地帯であったと評価できる。青苗文化もまた、活発化する商品交換をうけて境界に成立した中立地帯であり、商品と贈与のあわいを現出するバッファだったのであろう（瀬川二〇〇七）。

　中世後半の北海道では、本州から渡海し、道南の青苗文化の領域を押さえた和人の商人集団がアイヌと直接的な相対交易を展開した。この和人の交易都市であった上ノ国町の勝山館（だて）跡ではアイヌの痕跡も確認されており、かれらは和人のまちで海獣狩猟など伝統的な生業に従事し、アイヌの葬法で和人の墓地に葬られていた。同化を拒否しながら和人と共存するアイヌの姿は、青苗文化集団や渡党の後裔をおもわせる。しかし和人にとりこまれたかれらは、もはや自律的な交易集団、バッファではなかった。そしてこのバッファを失った近世には、際限のない「抑圧」がアイヌ社会内部から、また外部の和人集団からもたらされることになったのである。

おわりに――倒錯する抑圧と友愛に抗して

　アイヌ社会は、異文化社会からもたらされる財物、すなわち自文化のイデオロギーから切り離された剝きだしの商品の一部を霊力をもつ宝とみなし、その霊力による集団の守護というケアの論理によって宝をめぐる競合を正当化していた。宝がもたらした暴力や不平等という「抑圧」は、まさに「友愛」の倒錯そのものであった。

　このアイヌの宝は、漁場や奴隷の獲得などのため集団内部で物々交換（商品交換）にもちいられた。アイヌは和人との交易についても贈与の形式にこだわり、商品交換を忌避していたが、そのなかで宝が商品として交換されていたのは、商品としての宝の出自を集団が自明のものとして了解していたからにほかならない。商品がどれほどのレートで交換されたかはだれもが知る事実であり、そのあけすけな商品性を覆い隠すことはできなかった。だからこそ、首長による集団への観念的および物質的な再分配は、人びとにとって空虚な欺瞞でしかありえなかったのである。

　そして、「諸物の私的所有者」が「互いに独立な人として相対」しておこなわれる商品交換は、このような「互いに他人であるという関係」それ自体が「自然発生的な共同体の成員には存在しない」（マルクス一九六八：一一七頁）以上、アイヌ社会にとっては矛盾そのものであった。共同体の外部との接触によって「物物交換が始まり、そしてそれがそこから共同体内部にはねかえり、これに解体的な作用を及ぼす」（同前一九八四：二四〇頁）とマルクスが指摘したように、商品は贈与という「友愛」の連鎖を解体し、歯止めのない「抑圧」をアイヌ社会にもたらすことになったのである。

マルクスはまた、「本来の商業民族」は共同体と共同体のあいだ、すなわち「古代世界のあいだの空所」に存在していたとする（同前一九六八：一〇六頁）。このような共同体のあいだに出現した交易主体として、古代の本州集団と北海道集団のあいだに成立した中立的世界に注目する必要がある。両者を行き来する財物は、この中間的世界をつうじて一方では贈与に、一方では商品に転換されたのであり、したがって「本来の商業民族」とは外在的であると同時に内在的な、「抑圧」と「友愛」のあわいとしての「空所」を現出するバッファであったといえよう。

ちなみにマルクスは、こうした「本来の商業民族」においてのみ「貨幣に支配的要素としての役割が与えれていた」（同前一九八一：五四頁）とみていたが、このことは貨幣が、「本来の商業民族」の媒介項・翻訳装置としての「空所」性そのものであったことを意味しているのではないか。

「抑圧」から自由な、純粋な「友愛」はおそらく宗教的観念のなかにしか存在しない。とすればこの「空所」にこそ、「抑圧」と「友愛」が補完する倒錯した現実世界に抗し、より自律的に生き抜くためのひとつの手がかりがあるのかもしれない。

参考文献

田中英明　二〇一〇「商品の『資本性』―空所の純粋性から」『彦根論叢―成瀬龍夫博士退職記念論文集』三八二、滋賀大学経済学会

引用文献

岩崎奈緒子　一九九八『日本近世のアイヌ社会』校倉書房
瀬川拓郎　二〇〇四「刻印記号の意味」『北方世界からの視点』北海道出版企画センター
瀬川拓郎　二〇〇五『アイヌ・エコシステムの考古学』北海道出版企画センター
瀬川拓郎　二〇〇七『アイヌの歴史――海と宝のノマド』講談社選書メチエ
瀬川拓郎　二〇〇九a「宝の王の誕生――アイヌの宝器『鍬形』の起源をめぐる型式的検討」『北海道考古学』四五、北海道考古学会
瀬川拓郎　二〇〇九b「続縄文文化」『弥生時代の考古学6　弥生社会

のハードウェア』同成社
瀬川拓郎　二〇〇九c「縄文の祭りを継ぐ――アイヌ儀礼から読み解く縄文～続縄文の構造変動」『季刊東北学』一九、柏書房
瀬川拓郎　二〇一四「祖印か所有印か――擦文時代における底面刻印の意味と機能」『環太平洋・アイヌ文化研究』一一、苫小牧駒澤大学環太平洋・アイヌ文化研究所
瀬川拓郎　二〇一五「彼女は異文化の村でなぜ杯をつくらないのか？――越境する器種・越境できない器種」『列島東部における弥生後期の変革――久ヶ原・弥生町期の現在と未来』六一書房
瀬川拓郎　二〇一六『アイヌと縄文――もうひとつの日本の歴史』ちくま新書もうひとつの日本の歴史
高倉新一郎　一九四二『アイヌ政策史』日本評論社
早川昇　一九七〇『アイヌの民俗』岩崎美術社
マルクス，カール　一九六八『資本論１』大月書店
マルクス，カール　一九八一『資本論草稿集１』大月書店
マルクス，カール　一九八四『資本論草稿集３』大月書店
水ノ江和同　二〇二二『縄文人は海を越えたか？――「文化圏と言葉」の境界を探訪する』朝日選書一〇二八、朝日新聞出版

（考古学・アイヌ史）

「文明」論としての『万物の黎明』[1]

小茄子川歩

1 （ネガティブな）ポストモダニズムをこえて

「考古学とは歴史学でもあり、人類学でもある」と恩師に教わり、「考古学は頭でするものだ」と尊敬する大先生から酒席で叱咤激励をうけながら、筆者は考古学を考古学たらしめる人類史の復元という側面で発揮される大きな「力」に、「さまざまな可能性 *Possibilities*」が潜在していると信じている。『万物の黎明』は、そうした思考をプラグマティックな楽観主義でもって、そっと、しかし真剣に後押ししてくれる考古学の本でもある。

考古学にかぎった話ではなく、どの学問分野においてもそうであるが、学問はそれをとりまく時代・社会状況に大きな影響、そして制約をうける。ことに現代の人文社会科学においては、（ネガティブな）ポストモダニズムこそが、長きにわたって最大の難敵ではなかろうか。（ネガティブな）ポストモダン的思考にかかると、「目的論的進化論はすでに乗り越えられた」などと、かつてはみられた進歩主義や目的論を打破するような創造的な試みもなされることはなくなる。そうした格闘も乗り越えられた現状にむかってくるかのように、必然をみちびくテクノロジーの展開・重視をともないつつ、スムーズな時間の進行だけが語られてしまう（『万物の黎明』訳者の言葉を借りれば、「ウルトラ進歩主義」あるいは「ハイパー目的論」！）。ポストモダニズムと一括されるさまざまな思考の潮流のポジティブな側面は、そうした傾向に抗うものであったはずであるのに。この思考展開は、ネオリベラリズムの「オルタナティブは存在しない」という根源的思考ともあきらかに共鳴しており、オルタナティブを指向することが「大きな物語」の想像・創造であり、それがすでに乗り越えられたものだとしたら、あとは現状しかないというわけだ。

『万物の黎明』は、こうした（ネガティブな）ポストモダニズムをもプラグマティックな楽観主義でもって笑い飛ばし、「目的論的進化論は乗り越えられていない」「オルタナティブは存在する」「大きな物語が必要だ」とわれわれに真剣に語りかける。

考古学も、「人類史の多様なる側面をただしく復元するためには、ある社会のあり方がどのように不平等や疎外、不正義を再生産しているか、その本質的な役割を分かるようにするだけではなく、過去／人類史から掘りだしたなんらかの社会のあり方を、それらが不平等や疎外、不正義の再生産に貢献しないような、想像上の全体性のなかに位置づけなければならない」と、デヴィッド・グレーバー（2022）の教えにしたがい、プラグマティックな楽観主義を自らに課しつつ、筆者は考える。

考古学は、資本主義以前のなんらかの社会のあり方（そのほとんどが国家に抗する社会！）をみるとき、それがよりよい社会の創造に寄与しうる潜在性においてみようとする態度、そしてそれがもつ人類史的意義を現代社会のただしい理解にむけて分かりやすく提示してみようとする態度を放棄してはならない。なぜならば、民族誌がおもに現代を対象とする比較民族誌の成果にもとづき、人類（ホモ・サピエンス）のもつあらゆる可能性に取り組むことができるように、考古学はおもに過去を対象とする考古資料の比較検討の成果にもとづき、民族誌だけでは掘りさげられないような人類のもつあらゆる可能性に取り組むことができるからである。そのような思考をもった考古学は、カール・マルクスの最高の補完者であるマルセル・モースの著作、そしてクロード・レヴィ＝ストロース、ピエール・クラストルの著作をも補完し得るだろう。究極的には、資本主義の動態を理解することよりも、資本主義のオルタナティブを構想するための一助ともなる。

さていうまでもないが、考古学者は以上のようなスタンスで人類史を研究してきた／いる。（ネガティブな）ポストモダン的思考にかかり、そうした研究をきちんと評価しようとする態度がすこし減退しているだけだと思う。（そのように信じている）。本稿では『万物の黎明』をフックとして、考古学のもつ本来的「力」をそのままに発揮させるかたちで、「文明」について、筆者の研究対象の一つであるインダス文明社会を引き合いにだしてまとめてみよう。まずは「文明」を語るためのいくつかの前提、すなわち「文明」の本来的意義、目的論的進化論から脱却、バッファと価値転換、「人間の経済」と人類史における「貨幣」からはじめてみたい。

2「文明」の本来的意義

西洋思想・啓蒙思想に起源を求められる文明といえば、近代西洋の世界歴史観、つまり西洋的一系列的文明史観にもとづき理解されることが一般的である（嶋田 2010, 2012）。それは文明を、フリードリヒ・エンゲルス『家族・私有財産・国家の起源』（1884）にみられる「野蛮→未開→文明」というような、社会的不平等を引き受けた社会的複雑性のシステムとして把握するための目的論的進化論の系譜上に完成した見方であり（クラストル 2021）、この延長線上に二〇世紀そして現在の文明理解が当たり前のように鎮座してきた／いる。

考古学や歴史学にとどまらず、人文社会科学全体における現在のほとんどの文明理解は、この枠組みのなかに位置づけられるのではなかろうか。いわゆる古代文明という場合の文明理解についても同様である。

人びとは、生産力の拡大にともない小さな農村を大きな農村に変貌させ、大規模灌漑事業を成功させることでさらに人口扶養力を高めた。やがて人びとは集住し都市をつくり、文字や度量衡を発明し、体系的な宗教をととのえ、その複雑かつ大規模なスケールをもつ社会をトップダウン式に管理運営するために、王などの権力者を頂点にすえたヒエラルキーをともなう官僚制などの中央集権的な社会構造、つまり国家をもつにいたった。

これらの諸要素を完備した（技術の）進歩の結実としての複雑な社会こそが、たとえ社会的不平等を引き受けざるを得ないとしても、文明である、というわけだ。

しかしグレーバーとデイヴィッド・ウェングロウは、「文明」の起源を、近代のヨーロッパ人が、はるか遠方の北アメリカ東部ウッドランドの人びとと、かれらの社会の性格について討議を交わした長い歴史に求める（グレーバー、ウェングロウ 2023）。文明であると信じ込まれていた当時のヨーロッパ社会のあり方についての北アメリカ先住民による批判にたいするバックラッシュを評価し、人類史のなかからただしく掘り起こした理解である。それは以下のような目的論的進化論の系譜にはない「文明」理解だ[2]。

「ひとつの問題は、「文明」とは起源において、端的に「都市で暮らす習慣」であると、わたしたちがおもい込んでしまうようになったことだ。ひるがえって、都市とは国家を含意しているともみなされてきた。しかし、これまでみてきたように、歴史的にも、語源的にもそうではない。「文明」という言葉は、ラテン語の *civilis* に由来しているが、これは実際には自発的連合による組織化を可能にする政治的知恵や相互扶助の特性を意味している。(中略)相互扶助、社会的協働、市民的活動、歓待(ホスピタリティ)、あるいはたんに他者へのケアリングなどが真に文明を形成しているのだとすれば、本当の意味での文明史の叙述は、いまはじまったばかりなのである。」(グレーバー、ウェングロウ 2023: 492; 傍点筆者)

つまり「文明」とは、以下のような特性をもつ。

- そもそも衝突などしない。(サミュエル・P・ハンティントン『文明の衝突』(1998)を念頭に)。
- 都市でも文字でもないし、権力・暴力や国家とむすびつける必要もない(いくつかの考古学研究にもとづく古代文明理解を念頭に)。
- 拡大したモラル共同体であり、モースがいうところの偉大な歓待地帯(ホスピタリティ・ゾーン)である(グレーバー、ウェングロウ 2023: 584; 傍点筆者)。

3　目的論的進化論からの脱却

目的論的進化論にもとづく思考のもう一つの重要な問題点は、たがいに共生しながら展開してきたさまざまな社会のあり方を、人類史のなかで別々の「段階」に再構成してしまうことにある。同時代的に共存してきたはずのさまざまな社会のアレンジメント方法を想像すらできなくしてしまうのである。つまりオルタナティブの想像を困難にするのだ(グレーバー、ウェングロウ 2023)。

この問題を念頭においた際に『万物の黎明』に引きつけるかたちで注目すべきは、カール・A・ウィットフォーゲルとクラストルが同時代的におこなった研究であろう。ウィットフォーゲルは歴史的な発展段階を示すものとしてみられていた異なる社会のあり方を、共時的な空間構造においてみる視点を提起した(柄谷 2014; ウィットフォーゲル 1991)。[3] つまり中心は周辺や亜周辺よりも発展しているなどの見方を排除し、かつ中心―周辺―亜周辺の境界とは流動的なものであるという視点から、オリエントの専制国家を中心とし、その周辺と、さらにその外側にある亜周辺を区別したうえで次のように説明した[図1]。

周辺　距離が近いために中心によって征服されたり吸収され、やがて同化されることで、社会組織・信仰体系・物質文化等において構造的同質性を強化してゆく。また逆に中心に侵入して征服することもできる空間である。

亜周辺　中心の文明が伝わる程度には近接した空間であ

りながら、中心による直接的支配のおそれがない。したがって中心に存在する国家体制や官僚制のような中央集権的あるいは集権的制度を根本的に拒否するなど、文明制度の取捨選択をおこない、それらを独自に発展させることができる。つまり以上のような特徴をもつ亜周辺では、周辺よりも、中心に対してより柔軟、プラグマティック、非体系的、折衷的な態度がとられ、位階秩序をしりぞける互酬原理を濃厚に残すかたちをとる。そして高度の「文明」を実現しながらも、経済的には、交換や再分配は国家による管理がすくなく、市場にゆだねられることで商品交換の優位を確保し促進する。

そして以上のウィットフォーゲルの議論は、異なる社会のあり方を時間軸上に展開し理解するのではなく、内部と外部という地理的次元のもとに展開し、共時的な内部と外部の間に「国家に抗する社会」をおいたクラストルの議論（1989, 2021）とも同調する。ウィットフォーゲルとクラストルの研究にみられる目的論的進化論からの脱却という思考は、同時代的に共存してきたはずのさまざまな社会のアレンジメント方法の存在を、人類史のなかに当たり前のようにえがきだした『万物の黎明』の思想ともふかいところで共鳴している。

これと同様な方向性の考古学からの議論は、『社会進化の比較考古学』（北條ほか編著 2021）でも展開されている。そこでは、ウィットフォーゲルの議論に梅棹忠夫の議論（1967）を組み合わせた、

「（社会）環境」＝［人間］×［自然環境 ＋ 歴史地理的特質（中心―周辺―亜周辺）］

という等式のもと、人類史とは、社会進化の歴史ではなく、自然環境と歴史地理的特質を合わせた大きな意味での「環境」への適応の歴史であり（開発ではな

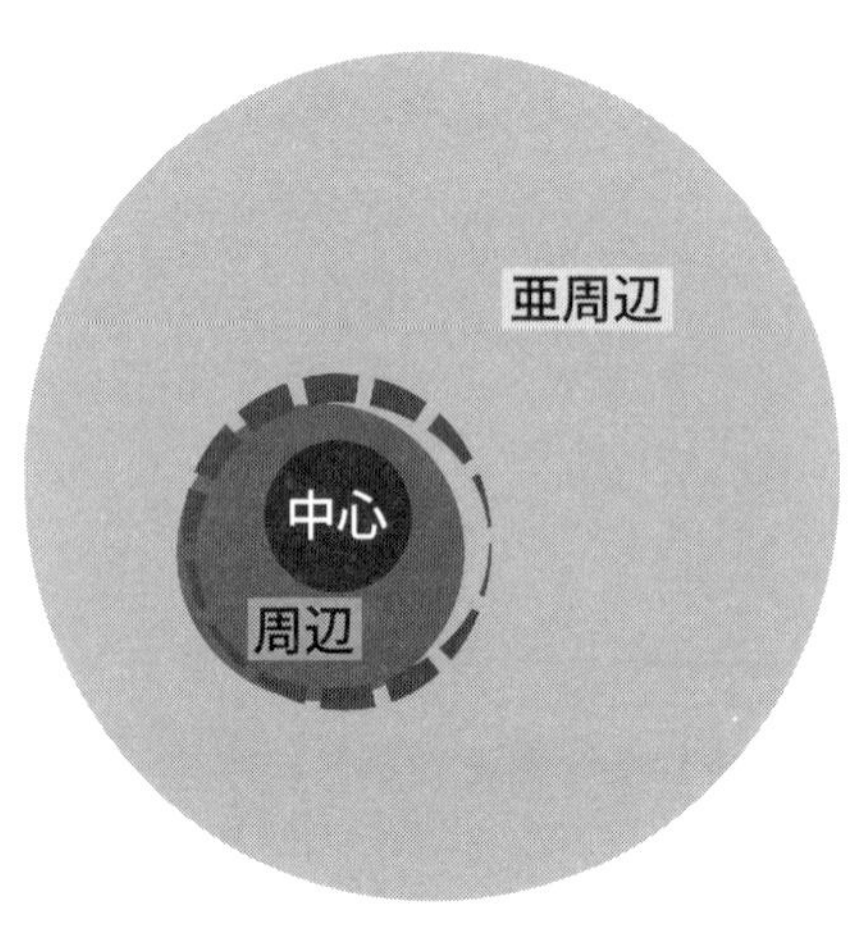

図1
中心－周辺－亜周辺の共時的・流動的関係性
（筆者作成）

く!)、たがいに共生しながら展開してきたさまざまな社会のあり方をそのままに評価するための「類型論(傾向・パターン把握)史観にもとづく複線的相互作用論」の有効性を議論した。つまり各地を特徴づける歴史を「発展径路[4]」としてみて、それらを比較検討するという方法である。

このような思考でもって人類史をみるならば、たとえば自然環境も異なる中心―周辺と亜周辺の境界領域において人びとが特定の「環境」に適応した際に発現するさまざまな社会のアレンジメント方法の理解などへと議論は展開するはずである(目的論的進化論などには全くとらわれることなく!)。

4 バッファと価値転換

人類史をさまざまな社会のアレンジメント方法の併存の歴史としてみれば、異なる価値観をもつ異社会・異文化集団の接触/境界領域、すなわち「あいだ」に成立した社会のアレンジメント方法の議論も可能となる。本稿ではこのアレンジメント方法として、「バッファ(緩衝装置)」という分析概念とりあげてみたい。バッファに関する理解は、フレドリック・バルト(1996)およびそれを参照し発展させた瀬川拓郎の議論(2005, 2007, 本著瀬川論文)によるところが大きい。

両者の議論を端的に要約すれば、次のようになる。異なる価値観をもつ異社会・異文化集団が交流する際、どちらか一方が隷属的になることなく、さらに排除されることもなく、安定的な関係を築いているとする。そうであるならば、共生する異社会・異文化の「あいだ」には、差異の存続を容認しつつ、両者の接触を制御し、侵食や衝突を回避することでみずからの文化を持続する、固有の構造をもつ共生/自律的な同調のシステム、つまりバッファが存在する。「数学(マス)や暴力と結託した利得への動機にまみれた量的等価原理にもとづく商品」(以下、「商品」と略記)が、慣習的規範や互酬、再分配などにもとづく伝統地域社会をその内側から侵食・崩壊させてしまうことを防ぐために(それは同化・融合の過程とみなされることもあるだろう)、バッファでは「商品」の価値が、平準化・平等原理としての質的等価原理から構造化される社会経済システムに適合する価値へと転換されるのである[図2](瀬川 2005, 2007, 本著瀬川論文)。

これは「暴力の帰結そのものである交易の通貨」から「平和を創造する潜在力」へという価値の転換をめぐるグレーバーの「ワンパム」に関する研究(グレーバー 2022)、そして国家や法が不在である状況で他者と交換をおこなう際に交換する者との間に「信用」を創りだすために設置される「フェティッシュ（物神）」をめぐる言説（柄谷 2022; グレーバー 2022）ともリンクする。さらにいうならば、これはボトムアップ式に創られるモラル形成の問題でもあるだろう。

またバッファは、前節で述べた亜周辺の特質とも無関係ではない。なぜならば中心を特徴づけた文明制度の取捨選択、中心にたいする柔軟、プラグマティック、非体系的、折衷的な態度、その結果としての互酬原理の保持・温存とは、まさに異社会・異文化との接触に起因する価値転換とその結実を意味するからだ。中心―周辺と亜周辺の「あいだ」にも、バッファという社会のアレンジメント方法が存在する。

5 「人間の経済」と人類史における「貨幣」

（1）非市場社会における本来的市場の性質

人類学的知見にまなぶ経済人類学から近代的市場のオルタナティブを構想し得たカール・ポランニーは、市場を「近代的市場」（以下、市場と略記）と「近代以前の非市場社会における本来的市場」（以下、「市場」と略記）に区別し、「市場」の本質を「人間の経済」、すなわち社会的知として社会に埋め込まれた等価性にもとづく経済であると考えた（ポランニー 2005a, 2005b）。需要・供給―価格のメカニズムの法則が機能し、交換価値（欲望概念）が独占的な社会経済システムではなく、交換価値よりも使用価値（必要概念）がはるかに優先的であり、数学（マス）や暴力と結託した量的関係ではなく、平準化・平等原理としての質的関係から構造化される社会経済システムである。

「市場」には、質的等価原理のなかに常に潜在している利得への動機あるいは数学（マス）や暴力と結託した量的等価原理への転倒の契機を斥け、質的等価原理が支配する社会経済システムを保持するためのさまざまな社会のアレンジメント方法が存在した。それが実体／実在的経済としての慣習的規範（しきたりや伝統）、互酬、再分配などである（ポランニー 2005a, 2005b）。

いっぽう「市場」にはもう一つの顔がある。社会的結束にたいする非常につよい要求とその基盤となる質的等価原理のなかに常に潜在している利得への動機のせめぎ合いが常態としてあることだ。前田芳人はこれをポランニーの「市場」にみられる「二重運動」とよんだ〔図2〕（前田 2010 : 92）。後者が数学（マス）や暴力と結託し、前者を完全に飲み込んでしまった場合、質的等価原理は量的等価原理へと転倒してしまい、共同体の秩序を維持するための社会的知である慣習的規範や互酬、再分配などの社会経済システムは、権力や不平等を発現させる社会経済システムへと転化してしまうこともある（グレーバー 2016, 2022）。

ゆえに人類は、自らの共同体の秩序を保持する目的で、このせめぎ合いをコントロールするためのさらなる社会のアレンジメント方法を必要とした。それがさきに述べたボトムアップ式に創られたモラルとしてのバッファである。つまり「市場」そのものが価値転換をうながすバッファという特質をも本来的に潜在させているのである。そうでなければ、「市場」の「二重運動」という内的矛盾としてのアポリアを解決することができないからだ[5]。「市場」のバッファという特質が顕在化するタイミングはさまざまであろうが、前記のとおり「商品」との接続はもっともインパクトがあるかもしれない。

（2）「貨幣」の基本的原則と表裏性

貨幣を保有するまたは受け取る動機は、常に他者によって受容されるという貨幣そのものの性質にある。したがって貨幣の概念は明らかに取引者集団全体で成立する共通認識・合意、すなわち「信用」から派生するものであり、素材そのものに依存しない。貨幣材など何でもよく、ある特定の物品を貨幣として共通認識できるような「信用」があればいいのである。これは「貨幣の基本的原則」というべき性質として理解できる（明石 1994）。こうした「信用」を担保した構造とは、法的強制力をともなった国家的権力によるトップダウン式の公定であっ

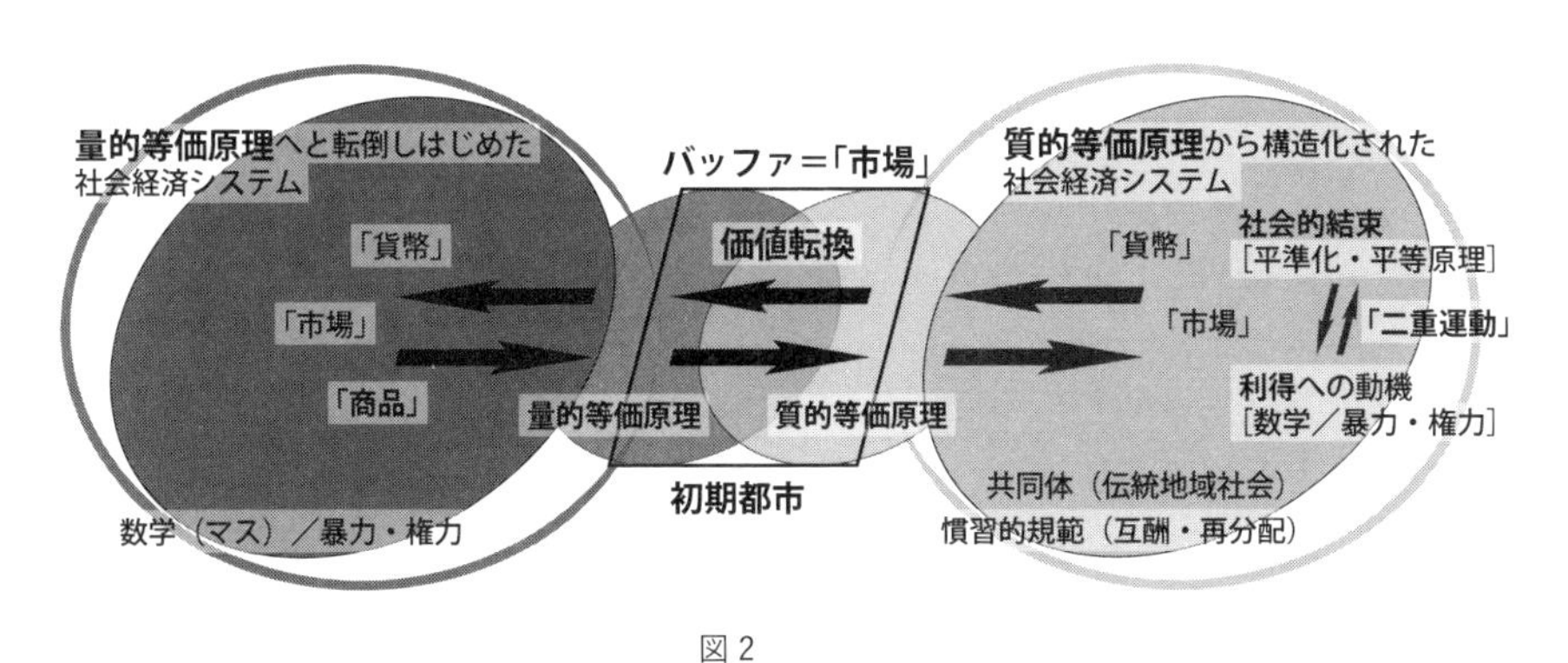

図 2
「市場」におけるせめぎ合いとバッファにおける価値転換の構造（筆者作成）

た場合もあるし、国家的権力とは関係のないところでありふれた経済主体たちによる自発的な取引活動により生じたボトムアップ式の緩い合意でもあった、というのが実態であった（黒田 2003）。

このボトムアップ式の緩い合意の代表例が、さきに言及したフェティッシュである。人類は国家や法が存在しないときに他者と交換をおこなう際、まず交換する者との間にフェティッシュを創造することで「信用」を設置し、つまり人間ではなく特定の「モノ」そのものに付着したフェティッシュに「信用」の源泉をもとめ、あらゆる物品を「貨幣」として機能させてきた。そして交換が終われば、そのために創造されたフェティッシュは、その都度、破棄されてきたのである（柄谷 2022; グレーバー 2022）。

「市場」においても、質的等価原理の支配する社会経済システムを保持するための社会のアレンジメント方法が機能しているかぎり、「貨幣」は存在する。というよりもこの場合、そうしたアレンジメント方法の一つが「貨幣」である。「貨幣」はその表面である質的な平準化・平等原理でもって、量的に把握されているようにみえても、共同体の秩序維持のための重要な手段の一つとなる（グレーバー 2022）。こうした質的等価原理にもとづく「貨幣」は、ながい人類史においてほとんど普遍的にみられるものだ（グレーバー 2016）。

しかし「貨幣」には裏面も存在する。それは前節で述べた「市場」がもつ二つの顔と同義である。「貨幣」の質的な平準化・平等原理は、そのなかに利得への動機を常に潜在させているため、数学（マス）と暴力でもって容易に反転し、質的な相違を徹底的に消し去るという意味で一見すると平等派を装いながら、たんに量的に把握されるにいたり、権力と結託してしまうこともあるのだ。こうした量的等価原理にもとづく「貨幣」は、「商品」と同様に、共同体の秩序維持の手段ではなく、慣習的規範や互酬、再分配にもとづくようなモラル共同体としての伝統地域社会の構造を内部から急速に瓦解させる要因ともなる。

人類史における「貨幣」を考える場合にも、この「質的等価原理⇅量的等価原理」という表裏性、つまり「貨幣」そのものに潜在する価値転換の構造をつねに熟慮する必要があり、ここでもまたバッファの特質を思いだしておくべきであろう。

6 「文明」に抗さない社会――インダス文明

(1) 「環境」と人口小規模世界

インダス文明は紀元前二六〇〇年ころからおよそ

七〇〇年間にわたり（この時期を「文明期」とよぶ）、現在のパキスタンと北西インドを中心とした地域に展開した、モヘンジョダロやハラッパーなどの初期都市に特徴づけられる古代社会である（小茄子川 2016）。[6]

当文明社会が展開したインダス平原は、当時の中心である南メソポタミアの亜周辺にあり、基本的に半乾燥気候帯に属するが、土壌の養分供給能力・肥料保持能力は高く、全体として大規模灌漑をおこなわずとも多様かつ豊富な農作物を、そして各種資源をほぼ自前で確保できる「環境」にあった（小茄子川 2021, 2022, 2024）。

農耕のあり方については、特定作物の大量生産は志向せず、各地の環境ニッチに適した麦類のみに頼らない多様な作物の混作・二毛作を志向していたことに大きな特徴がある。夏作物・冬作物としての豆類・雑穀類を主要作物としていた地域もあったし、地域によってはイネもあったかもしれない。また運河やダム、堤防のような労働集約的な大規模灌漑施設の不在は、季節的な洪水サイクルと当地域の河道傾斜・地形の高低差に由来する自然氾濫だけが当該期のインダス川流域における灌漑方法であったことを示す（Flam 1993）。つまり農耕のあり方にみられるこうした多様性・地域性は、インダス平原全体が潜在的に有していた生産力・生存基盤の豊かさあるいは柔軟性の一側面を反映したものであるといえよう。また自然氾濫農耕は毎年の耕作地が流動的になることから、土地の私有化につながりにくいという側面も当文明社会のあり方に重要な意味をもった（小茄子川 2024）。

以上のような「環境」にあったインダス平原における集落および集落規模の分布は、五ha以下の小規模集落が圧倒的に優勢なことを第一の特徴としてあげることができる（小茄子川 2021, 2022, 2024）。初期都市が出現する文明期の総遺跡数は現状で一〇七〇カ所ほどを数え、そのうち規模の明らかな五四六遺跡についてみれば、五ha以下の遺跡で全体の七割ほどを占める（一〇ha以下とすると割合は八割五分ほど）。また初期都市の少なさも大きな特徴であり、モヘンジョダロ（八〇ha強）、ハラッパー（八〇ha強）、カーリーバンガン（二〇ha前後）、バナーワリー（二〇ha前後）、ドーラーヴィーラー（貯水槽を除くと二〇ha弱）などをあげることができるのみだ。

文明期の集落分布は、基本的に古河道とその支流または旧海岸線に近接して分布し、かつ各地に散在するという傾向をもつ［図3］。さらに初期都市間の距離も離れており、たとえばモヘンジョダロ―ハラッパー間で約六〇〇km、モヘンジョダロ―ドーラーヴィーラー間で約四五〇km、ハラッパー―カーリーバンガン間で約二〇〇km、距離の近いカーリーバンガン―バナーワリー間でも約一二〇kmである。

つまり文明期における集落規模・集落の分布傾向は、各地に散在した数多くの五ha以下の小規模集落とそれらよりもすこし規模の大きい中規模集落への人口の分散に特徴づけられるのだ。こうした様相は、インダス平原の「環境」に担保された人口の散在性あるいは集住度の低さを示しているものと考えてよい。初期都市ができても人口の散在性に変化はなかったのであり、文明期のインダス平原は、広大な地理的範囲に人口を散在させることで成り立っていたいくつかの人口小規模世界の集合体として理解できる。全体としての人口は多いが、特定の空間に人口が集中するような人口大規模世界とは大きく異なるのだ。広大な地理的範囲に安定した生活を営める「環境」が散在していたので、集住ではなく、各地で盤石な地域社会を維持することを主体的に選択したものと推察される（小茄子川 2021, 2022, 2024）。

またこうした様相は、いくつかの人口小規模世界の集合体として広大な土地に大きな人口を散在的に保持するのであれば、大規模灌漑にもとづく集約的農耕などは不在でもかまわないということも示している。社会の安定性・盤石さという側面で、環境多様性に特徴づけられる亜周辺とい

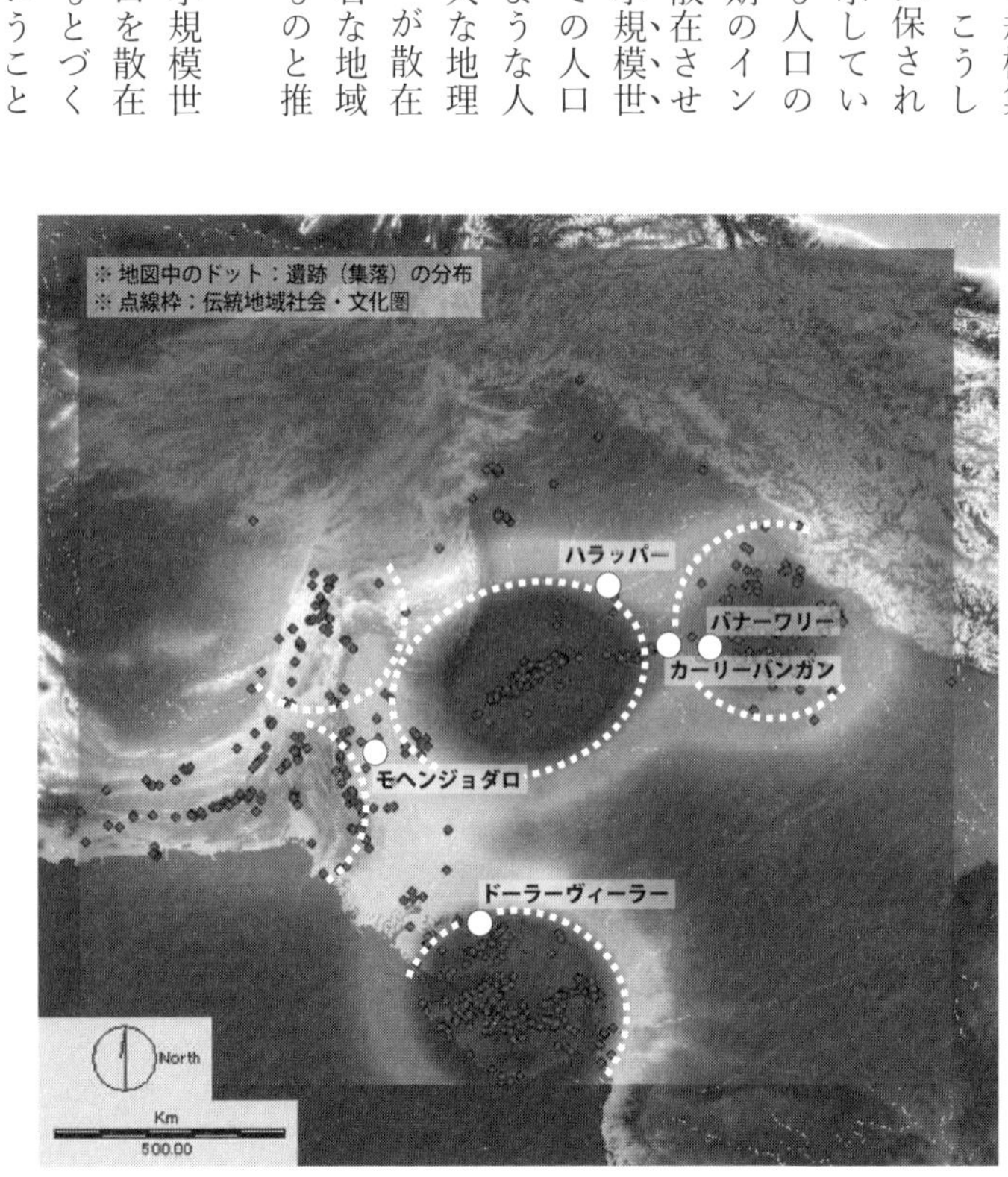

図3　インダス文明関連遺跡の分布（筆者作成）

う「環境」に展開したいくつかの人口小規模世界の集合体の存在は、「環境」の開発ではなく、「環境」への適応という自然への負荷がすくないポジティブなあり方（交通）[7]をわれわれに示してくれている。さらにこうした「環境」への適応プロセスにおいては、特定の場所に集住する必要がないので、人口の季節的移動や変移、その流動性も考慮しておく必要があるだろう。

（2）社会構造

①初期都市モヘンジョダロの創出

南アジア最古の初期都市モヘンジョダロは、盤石な伝統地域社会のど真ん中ではなく、シィンドゥ・ナディー古河道（当時のインダス川の流路）とこの古河道に並走するかたちで流れていたナーラ・ナディー古河道の中洲的な場に建設された。その場が更新世の地形成形に由来する周囲よりは小高い丘の上に立地していたとはいえ、かつ各地に展開していた伝統地域社会の接触／境界領域であったとはいえ、雨季時における洪水の危険性のきわめて高い制御困難な氾濫源をその建設の地としてわざわざ選択しているのである。つまり既存の地域共同体が存在し、在地の伝統文化というしがらみ（しきたりや伝統からなる慣習的規範）に縛られた土地ではなく、過去に利用されたことのないまっさらな地が戦略的に選択されたものと理解できる（小茄子川 2016）。

「市場」としての初期都市モヘンジョダロは、数学（マス）や暴力と結託した量的等価原理にもとづく「商品」世界が進行していた南メソポタミア（当時の中心の一つ）との事件的な接続にその生成要因の一つを求め得る。「商品」の受け皿として、モヘンジョダロは新設されたのである（小茄子川 2016, 2021, 2022, 2024）。すなわちモヘンジョダロは、中心を特徴づけていた量的等価原理へと転倒しはじめた社会経済システム（「商品」世界）と亜周辺を特徴づけていた質的等価原理が支配する社会経済システム（伝統地域社会）の「あいだ」に創られた空間であったといえる。

くわえて雨季の大規模な洪水により、少なくとも一年の一定期間は湿地的環境となったであろうこの地に、二〜四万人とも推定される人口が通年居住することは可能であるのか。もちろん通年居住していた人口もそれなりにあったと思われるが、湿地的環境における度を越した人間と動物の群衆状況がもたらす感染症や伝染病、マラリアなどの疾患からなるさまざまなリスクを回避するための（スコット 2019）、モヘンジョダロにおける季節的な居住、とりわけ乾季における人口増、そしてそれにともなう社会の季節的変移をも考慮する必要がある。

②初期都市結節型広域ネットワークと伝統地域社会

　インダス文明社会において「貨幣」を担保していた「信用」形成にふかく関わっていたと推察されるおもりや印章（＋文字）[8]の大量生産、併用、そしてそれらの広範な分布は、モヘンジョダロ出現以前にはみられない。つまりこの「市場」としての初期都市が新設されたタイミングで、質的等価原理が支配する既存の社会経済システムとは異なる、量的等価原理へと転倒しはじめた社会経済システムが顕在化されるような状況が生じたものと考えられる。外部からもたらされた「商品」は、「反作用的に内部的共同生活でも商品になる」（マルクス 1972: 161）。危険な「商品」の受け皿としての初期都市の創出にともなう、限定的だが本格的な「商品」の内部的始動は、量的等価原理へと転倒しはじめた社会経済システムを顕在化させ、それを周囲になかば強制的に波及させるという方法で、新しい集落を生みだしたり、既存の集落に大きな変化をうながした（小茄子川 2016; 2021; 2022）。

　現状でおもりや印章（＋文字）は、モヘンジョダロ、そして量的等価原理へと転倒しはじめた社会経済システムを受け取るかたちで初期都市化したハラッパー、カーリーバンガン、バナーワリー、ドーラーヴィーラーを中心とし、それらを結節点とする広域のネットワーク（以下、初期都市結節型広域ネットワークと略記）に関連する四四遺跡からしか出土しない（文明期の総遺跡数は現状で一〇七〇カ所ほどを数えるのに！）（小茄子川 2016, 2021, 2022）。おもりや印章（＋文字）は、面的に均質に分布するのではなく、点と点を結ぶように広域ではあるがきわめて空間限定的かつスポット的に分布するのだ。

　いっぽうその他の一〇〇〇カ所ほどの遺跡、つまり圧倒的多数を占めた各地に点在する中・小規模集落を特徴づけていたのは、文明期以前から存続する土器様式などから構成される「多様性」の表徴としての伝統地域文化であったと考えられる。そうした社会のあり方については、おもりや印章（＋文字）の不在から、慣習的規範や互酬、再分配というような関係を主体とする質的等価原理が支配する「市場」や「貨幣」をもつ部族制あるいはリニージ社会（モラル共同体）、いうなれば「市場」としての初期都市誕生以前からの既存のあり方を保持・温存していたものと推察できる（小茄子川 2016, 2021, 2022）。

③国家なき「文明」社会のアレンジメント方法

　インダス文明社会のあり方は、おもりや印章（＋文字）を共有する初期都市結節型広域ネットワークと、「多様性」を保持・温存しつづけた盤石な伝統地域社会という二重構造として理解できる（小茄子川 2016, 2021, 2022）。当文明に関わる一〇七〇ヵ所ほどの遺跡のうち四四遺跡からしかおもりや印章（＋文字）が出土しないことをふまえれば、この二重構造とは、平準化・平等原理としての質的等価原理が支配する社会経済システムに特徴づけられた分厚い伝統地域社会という構造に、量的等価原理へと転倒しはじめた初期都市結節型広域ネットワークという薄膜が覆いかぶさるかたちの「二重社会」として評価することができる〔図4〕（小茄子川 2016, 2021, 2022）。

この「二重社会」としてのインダス文明社会には、王や王墓、武器・軍隊・戦争、数学（マス）や暴力と結託した権力をともなう中央集権的な社会構造、労働集約的な大規模灌漑事業、社会全体にいきわたるような強力な宗教、そして極端な富の集中も不在なのであり、そこにはいわゆる国家を想定する必要はまったくない（小茄子川 2016, 2021, 2022）。つまり「商品」との接続により発現した初期都市結節型広域ネットワークに限定的にみられたおもりと印章（＋文字）による「信用」のシステムも、「貨幣」も、量的等価原理へと転倒しはじめていたとはいえ、さいごまで数学（マス）と暴力から構造化される権力とは結託せずに、質的な平準化・平等原理を優勢的に保持したのである。

こうした「二重社会」を可能にした空間として考え得るのが、「市場」だ。さきにみた「市場」に潜在する「二重運動」の構造は、ここで指摘した「二重社会」の構造と同一視できる。すなわち社会的結束にたいする非常につよい要求と質的等価原理のなかに常に潜在している利得への動機のせめぎ合いの構造である。さて「市場」には量的等価原理への転倒の契機を斥け、平準化・平等原理としての質的等価原理が支配する社会経済システムを保持するためのさまざまな社会のアレンジメント方法が、社会的知として埋め込まれていた。そのうちの一つが、「質的等価原理⇄量的等価原理」という価値転換をうながすバッファとしての特質であった〔図2〕。

「商品」との接続により「市場」のバッファという特質が顕在化したタイミングで、共同体の秩序を保持・温存するために、自己意識をもつ政治的アクターである人間が「市場」からバッファの特質を切り離し、それを「商品」世界と伝統地域社会の「あいだ」に、バッファとしての「市場」として具現化させたのである〔図4〕。マルクスの指摘にある量的等価原理にもとづく「貨幣」や「商品」、そしてそれらの交換の場は共同体の内部からではなく、外部から発生したものであり、「共同体の果てるところで、共同体が他の共同体または成員と接触する点で、始まる」（1972: 161）というのは、おそらくこのことを意味している。

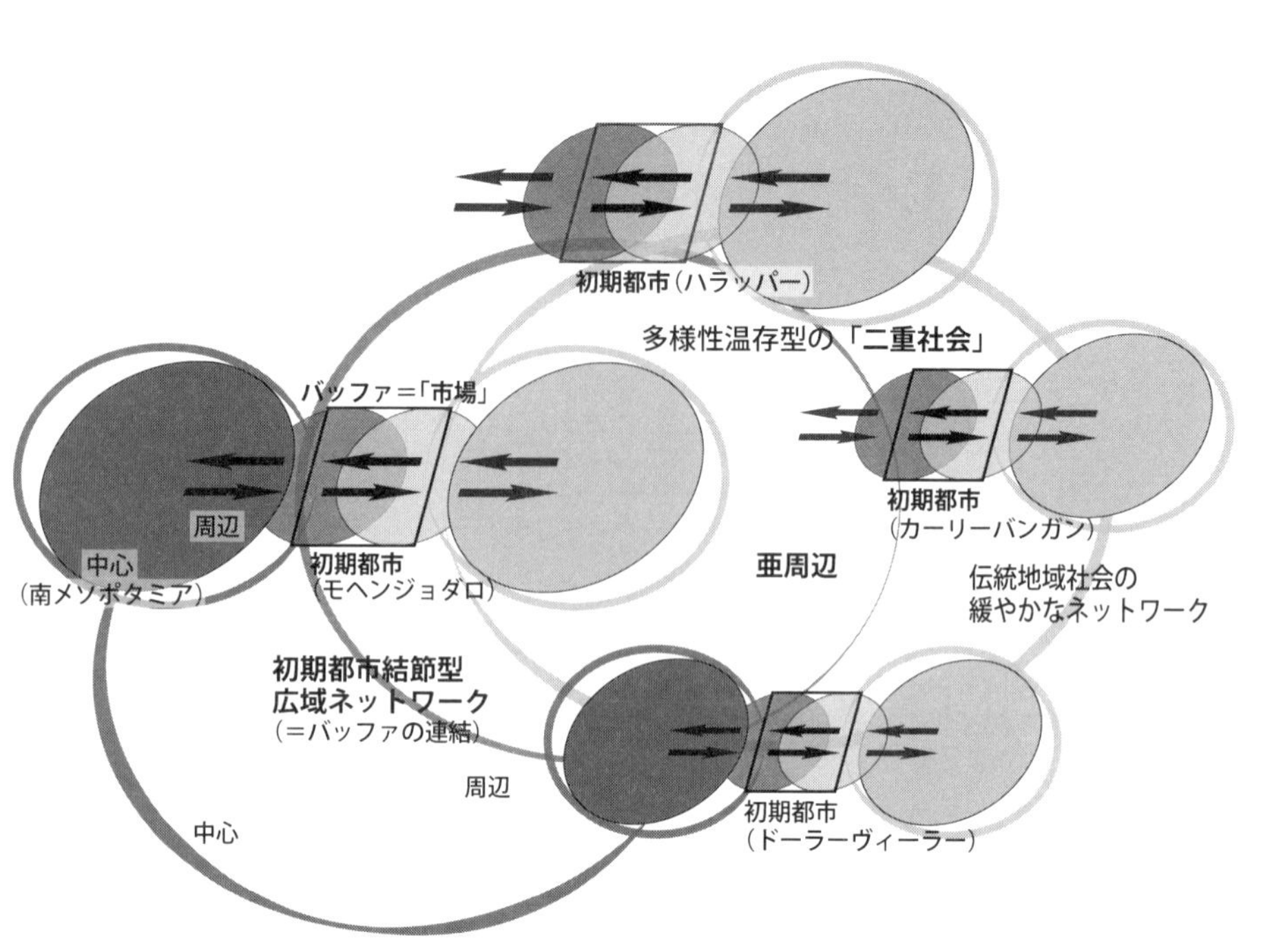

図4　多様性温存型の「二重社会」とバッファの連結（筆者作成）

だからこそモヘンジョダロ新設のため戦略的に選択されるべき空間は、既存の共同体が存在し、在地の伝統文化というしがらみ（慣習的規範）に縛られた土地ではなく、各地に展開していた伝統地域社会の接触／境界領域としての過去に利用されたことのないまっさらな地である必要があったのだ。モヘンジョダロ以外の初期都市の立地についても、各地域社会のど真ん中ではなく、周縁あるいは他の地域社会との接触／境界領域であったことは同様な視点から重要となる〔図3〕。

量的等価原理へと転倒しはじめた社会経済システムと関連したおもりと印章（＋文字）による「信用」システムが初期都市結節型広域ネットワーク内にのみ確認でき、各地に点在する中・小規模集落ではまったく確認できないのは、バッファとしての「市場」における「質的等価原理→量的等価原理」という価値転換の結果である。「信用」システムは、バッファで、各地の伝統地域社会の「市場」を特徴づけていた平準化・平等原理としての質的等価原理へと適合する価値に転換され、おもりと印章（＋文字）を介する方法とは異なるやり方で共同体へと組み込まれたのである〔図4〕。伝統地域社会の「市場」で機能していた「貨幣」のあり方については今後の検討課題の一つであるが、伝統地域社会の集落から退蔵されたかのような状態で発掘されることのある大量の凍石製円形小型ビーズなどは最有力候補として想定できるだろう。

初期都市結節型広域ネットワーク内への「信用」システムの限定、そしてバッファとしての「市場」で繰り返されたであろう価値転換は、量的等価原理にもとづく特定の権力や支配形態の萌芽をその度ごとに解消し、その危険性の伝統地域社会への浸透をけっしてゆるさない、多様性温存型の「二重社会」のアレンジメント方法として、人類史に位置づけることができるのではなかろうか。[9] さらにインダス文明社会の初期都市結節型広域ネットワークの存在は、そのままにバッファの連結を意味していることも強調すべきだろう〔図4〕。ついでに言っておくと、「都市」に普遍性というものがあるとすれば、ここで述べたバッファを念頭においた「都市論」が必要になるはずである。

以上のような社会のアレンジメント方法は、クラストルの議論(1989, 2021)を引き合いにだせば、クラストルが明らかにした社会構造とは異なる発現型の、国家に抗するための人類の発明であるとも理解できよう。かれらがボトムアップ式に創りあげた社会は、各ディシプリンにしたがって、部族連合とか隣保同盟、あるいは分節社会といったかたちで記述されるかもしれない。ここで重要なのは、かれらにはオルタナティブな社会秩序を想像する能力があり、われわれが高度な政治システムと関連づけている恣意的な権力や支配の形態がけっして出現しないような方法で、固定化した包括的権威のシステムを組織的に避ける社会を自覚的に組織化していたということを素直に認めることである(グレーバー、ウェングロウ 2023)。

7 「文明」論へ

国家なきインダス文明を構造化していた社会のアレンジメント方法とは、バッファとしての「市場」においてもっとも顕在化した、「質的等価原理⇄量的等価原理」という価値転換であった。質的等価原理のなかに常に潜在している利得への動機あるいは量的等価原理への転倒の契機を斥け、平準化・平等原理としての質的等価原理の支配する共同体の秩序や社会経済システムを保持するために、社会に組み込まれていた社会的知である。それは利得への動機にもとづく量的等価原理の危険性とつねに隣り合わせに存在し得た、数学(マス)や暴力による権力とはけっして結託しない、ありふれた人びとがボトムアップ式に創りだした小さなモラルであったといえる。なぜならば国家なきインダス文明社会には、トップダウン式の管理運営システムは不在であったのだから。

この小さなモラルは、バッファとしての「市場」を点と点で結ぶことで（バッファの連結）、初期都市結節型広域ネットワークとして最大限に拡大化もし得た。[10]既存の共同体を保持したままに達成し得たこの小さなモラルの拡大化、すなわち拡大したモラル共同体こそが、本稿でいうところの「文明」だといえる。いうまでもなく、小さなモラルそのものもまた「文明」である。こうした意味でインダス文明社会は、国家に抗する社会ではあったが、「文明」に抗さない社会であったのだ。それはモースがいうところの偉大な歓待地帯（ホスピタリティ・ゾーン）（グレーバー、ウェングロウ 2023: 584; 傍点筆者）でもあったのではなかろうか。

本稿でみてみたように、考古学は、目的論的進化論に規定されてきたような社会的複雑性のシステムとしての文明を相対化することできる。筆者はけっしてインダス文明を「すごい文明」としてもちあげたい訳ではない。これは「文明」の発現パターンの一つにすぎないのだから。すなわち環境多様性に特徴づけられた亜周辺に発現した国家に抗する社会のアレンジメント方法（あるいは発展径路）も、「文明」の一つのかたちであるということを指摘しただけである。

じっさいにわれわれは、人類史の中からすでに多様な「文明」をとりあげてきた／いる。それが（ネガティブな）ポストモダニズムや目的論的進化論にかかり、従来の文明の枠組みで語られてきた／いるだけだ。『万物の黎明』は「文明」論でもある。「文明」は衝突などしない。そして都市でも文字でもないし、国家や権力・暴力とわざわざむすびつける必要もない。グレーバーとウェングロウが言うように、われわれは「文明」についての議論を、そろそろ真剣にはじめる必要がある。それは現状のオルタナティブを構想し得る大きな「力」をもつ。

注

1　本稿は、拙論「国家なきインダス文明社会における「市場」とモラル、およびそのスケールについて」（長岡慎介編著『貨幣・所有・市場のモビリティ』東京大学出版会、2024）の内容を、当読本仕様に改めたものである。

2　西川長夫（2001）が示した文明開花以前の「文明」理解はこれに同調するものであるし、関雄二（1998）が提示した「文明の創造力」は目的論的進化論を考古学研究にもとづき脱却した先駆的理解である。

3　ウィットフォーゲルの議論（1991）およびそれを再評価しつつ展開された湯浅赳男の議論（1984）には、とくに「水力社会」という分析概念にたいして多くの批判が存在する。しかしそうした批判を承知のうえでも、ウィットフォーゲルが異なる社会のあり方を単線的な歴史的発展段階を示すものとして把握するのではなく、共時的な空間構造において複線的に存在するものとして把握する視点を提供したという事実は評価すべきである。こうした立ち位置から、本稿における中心—周辺—亜周辺の枠組みについては、ウィットフォーゲルの見解を再評価するかたちで分かりやすくまとめられた湯浅（1984）および柄谷行人（2014）による理解に拠ることを明記しておく。目的論的進化論の否定として展開されたにもかかわらず、結局のところ、「ミニシステム→世界帝国→世界経済」というような発展段階論化してしまった、イマニュエル・ウォーラーステインの中枢、辺境、半辺境の枠組み、つまり「世界システム論」（2013）に拠るものではない。

4　「経済発展のための成長モデルを指すのではなく、地域固有の生態環境の基盤と地域間交流のなかで、その地域が人びとの暮らしをより豊かなものにするためにいかなる社会文化・政治経済のかたちをつくってきたか、その歴史的につくられて展開してきた地域のかたち。」（田辺 2015: 8）

5　異社会・異文化集団の「あいだ」に創りだされたバッファを「水平軸のバッファ」とするならば、一社会・一文化内に生成される内なる異社会・異文化の存在、そしてそれに関わる価値転換の構造、すなわち「垂直軸のバッファ」の存在も想定する必要がある。研究史上では、神／彼岸／来世への贈与などと言及され、それは共通祖先／民族性／集合心性の想像・創造に帰結し、現世における富の蓄積、金銭の贈与／再分配、商品交換を可能にするものと理解されることもある（網野 1987 など）。アクターとしては、教会／シャーマン／海民／遍歴商人などがあげられる。また「水平軸のバッファ」も「垂直軸のバッファ」も、常態的な社会のアレンジメント方法として機能することもあれば、一時的あるいはその都度ごとに創造・破棄される社会のアレンジメント方法として機能することもある、ということを認識しておく必要がある。後者はとくにフェティッシュとも関連するだろう。

6　国家や暴力・権力などとは直接結びつかない都市を、本稿では「初期都市」とよぶ。このような都市を何とよべばよいだろうか。新しいターミノロジーも必要である。

7　ここでいう「交通」とは、マルクスのいう「人間と自然との間にみられる物質代謝」の問題を意味する（マルクス 1972）。

8　主としてローフリー丘陵産の縞目のあるチャートでつくられた立方体もしくは直方体のおもりの詳細と、印面に一角獣をはじめとする主モチーフと平均二〜五文字程度のインダス文字が陰刻され、裏面に紐を通すためのつまみ（鈕）をもつ方形・押捺型の判子状の遺物である印章の詳細は、拙論（小茄子川 2016; Konasukawa 2020）にゆずる。ここで確認しておきたいのは、前者は〇・八六gを比率一とした二進法と十進法を併用する明確な単位にもとづき、後者は印面に刻まれた諸モチーフを相互に構造化する明確なデザインシスにもとづくなど、両遺物が厳格な法則性にのっとって製作され、使用されていたという事実である。両遺物の使用者が認識していたであろうこの法則性は、これらを使用していた集団内の共通認識・合意の存在を示唆する。何のための合意かといえば、秤量や判子と関わる両遺物の機能を考慮すれば、それはインダス文明社会において物品取引や情報の交換を円滑にするという行為に関わる「信用」であったと考えられる。印章にほぼかならず刻まれているインダス文字（未解読）も、こうした役割と関連するシステムであった可能性が高い。

9　「質的等価原理⇄量的等価原理」という価値転換を実践し、二重社会をつなぐ役割を果たした人物・集団がいたとすれば、初期都市にのみ限定的に認め得る角と植物の信仰（近藤 2011）に関連するシャーマンのような存在をふくむマージナルな集団を想定しておきたい。

10　そのスケールは初期都市結節型広域ネットワークの規模をみれば明らかなように、このネットワーク内に限定されるという空間限定性をもつとはいえ、ダンバー数（ダンバー 1998, 2011）やスカラー・ストレス理論（グレーバー、ウェングロウ 2023）がいうところの閾値をはるかに超える。さらにバッファとしての「市場」が、季節限定性も有していたことを思いだしておきたい。社会が季節的に変移することが常態であったことをふまえれば（グレーバー、ウェングロウ2023）、われわれは人類史のなかから、季節的に解体・再構築を繰り返すモラルとそのスケールをとりだしてみてもよいのかもしれない。

参考・引用文献

明石茂生　1994「通貨圏の生成と交替――交換理論の視点から」『成城大学経済研究』121: 305–326.
網野善彦　1987『無縁・公界・楽』平凡社
ウィットフォーゲル、カール・A　1991『オリエンタル・デスポティズム――専制官僚国家の生成と崩壊』湯浅赳男訳、新評論
ウォーラーステイン、イマニュエル　2013『近代世界システムⅠ〜Ⅳ』川北稔、名古屋大学出版会
梅棹忠夫　1967『文明の生態史観』中央公論社
加藤泰建・関雄二編著　1998『文明の創造力――古代アンデスの神殿と社会』角川書店
柄谷行人 2014『帝国の構造――中心・周辺・亜周辺』青土社
――――2022『力と交換様式』岩波書店
クラストル、ピエール　1989『国家に抗する社会――政治人類学研究』渡辺公三訳、水声社
――――2021『国家をもたぬよう社会は努めてきた――クラストルは語る』酒井隆史訳・解題、洛北出版
グレーバー、デヴィッド　2016『負債論――貨幣と暴力の5000年』酒井隆史ほか訳、以文社
――――2020『民主主義の非西洋起源について――「あいだ」の空間の民主主義』片岡大右訳、以文社
――――2022『価値論――人類学からの総合的視座の構築』藤倉達郎訳、以文社
グレーバー、デヴィッド&ウェングロウ、デヴィッド　2023『万物の黎明――人類史を根本からくつがえす』酒井隆史訳、光文社
黒田明伸　2003『貨幣システムの世界史――〈非対称性〉をよむ』岩波書店
小茄子川歩　2016『インダス文明の社会構造と都市の原理』同成社
――――2021「インダス文明と「亜周辺」における社会進化――バッファ・都市・文明・国家」北條芳隆ほか編著『社会進化の比較考古学――都市・権力・国家』雄山閣

——2022「古代都市の二つの類型について——南アジア先・古代史の長期的展開をめぐって（前3千年紀初頭から前1千年紀半ば）」藤田幸一ほか編著『南アジアの人口・資源・環境』NIHUプロジェクト「南アジア地域研究」京都大学中心拠点
——2024「南アジア型発展径路の基層——「人口小規模世界」の人類史的位置について」脇村孝平編著『近現代における熱帯アジアの経済発展——経済史と環境史の架橋』ミネルヴァ書房
近藤英夫　2011『インダスの考古学』同成社
嶋田義仁　2010『黒アフリカ・イスラーム文明論』創成社
——2012『砂漠と文明アフロ・ユーラシア内陸乾燥地文明論』岩波書店
スコット、ジェームズ・C　2019『反穀物の人類史——国家誕生のディープヒストリー』立木勝訳、みすず書房
瀬川拓郎　2005『アイヌ・エコシステムの考古学——異文化交流と自然利用からみたアイヌ社会成立史』北海道出版企画センター
——2007『アイヌの歴史——海と宝のノマド』講談社選書メチエ
ダンバー、ロビン　1998『ことばの起源——猿の毛繕い、人間のゴシップ』松浦俊輔・服部清美訳、青土社
——2011『友達の数は何人？——ダンバー数とつながりの進化心理学』藤井留美訳、インターシフト
西川長夫　2001『［増補］国境の越え方——国民国家論序説』平凡社
田辺明生　2015「カースト社会から多様性社会へ」田辺明生ほか編『現代インド1——多様性社会の挑戦』東京大学出版会
バルト、フレドリック　1996「エスニック集団の境界——論文集『エスニック集団と境界』のための序文」青柳まちこ監訳、内藤暁子・行木敬訳『「エスニック」とは何か——エスニシティ基本論文選』新泉社
北條芳隆ほか編　2021『社会進化の比較考古学——都市・権力・国家』雄山閣
ポランニー、カール　2005a『人間の経済——市場社会の虚構性』玉野井芳郎・栗本慎一郎訳、岩波書店
——2005b『人間の経済II——交易・貨幣および市場の出現』玉野井芳郎・中野忠訳、岩波書店
前田芳人　2010「人間の経済と「市場」——K・ポランニーの本来的市場論の構造」『西南学院大学経済学論集』44/2-3: 67–113.
マルクス、カール　1972『資本論1』岡崎次郎訳、国民文庫
湯浅赳男　1984『経済人類学序説——マルクス主義批判』新評論
Flam, Louis 1993 "Fluvial Geomorphology of the Lower Indus Basin (Sindh, Pakistan) and the Indus Civilization," Shroder, jr, J. F. (ed.), *Himalaya to the Sea: Geology, Geomorphology and the Quaternary*, London and New York: Routledge.
Konasukawa, Ayumu. 2020 "Regional Variations of the Harappan Seals in Light of Their Design and Carving Techniques Observed through SEM and PEAKIT (3D) Analyses," Myrdal, E. (ed.), *South Asian Archaeology and Art 2014*, New Delhi: Dev Publishers & Distributors.

（考古学）

『万物の黎明』から新しい哲学がはじまる

近藤和敬＋森元斎＋酒井隆史
司会　早助よう子

近代の社会体とは異なるもの

――誰もが今の社会の限界を感じていて、それを超えるには近代を手直しするだけではだめだという危機意識が深まるなかで人類学が注目されています。あらためて人間とは何なのか、人類とは何だったのか。それを問う作業があちこちから生まれていますが、とりわけ『万物の黎明』は衝撃的でした。では哲学はこれをどう受けとめるか。ちょうどグレーバーも参照して『人類史の哲学』を上梓したばかりの近藤さんと、哲学から始まってアナキズムへ向かう森さんと、酒井さんにお話いただきます。

近藤　『人類史の哲学』（月曜社）を書き始めたのが二〇二〇年九月くらいで、グレーバーとウェングロウによる『万物の黎明』の原書（*The Dawn of Everything*）が出る少し前です。私の本では同じくグレーバーの『負債論』をかなり大きく扱っていますが、『負債論』の後で可能になる議論を、人類学の議論と突き合わせつつ、哲学が本来何をすべきだったのかを考え直すことを試みました。そうしたのは、ジャレド・ダイアモンドなどのポップ人類学もそうですが、心理学者を含めたサイエンティストたちがビッグ・ヒストリーを語りたがっていることに対して強い危機感を感じていたからです。その語りのなかでは一九世紀後半くらいから二〇世紀に人類学や哲学を含む人文諸学が蓄積してきた様々な考え方やアイデアが全部なかったことにされていると感じていました。そこを取り込めない、取り込まない、むしろ取り込む必要がないかのように語られていることに対して、危機意識を抱いています。人文学的に身体化された常識においては「人類史の哲学」というような大きな話は語ってはならないという自戒があるのですが、しかしそれを語らないという抑制が、むしろ余計に人文諸学を取り巻く事態を悪化させているのではないかと考えて、ここは思いきって書くことを決断しました。そのときに気をつけたことは、グレーバーが『万物の黎明』でまさに言っているようなことで、進歩があるということを前提にしないとか、「自然状態」など存在しないということをきちんと考えなくてはいけないということです。そこで何が問題になるかというと、哲学の一部がやってきたような近代の社会体とは異なるものを思考すること、この本では「近代を裏返す」という言い方をしていますが、そういう思考方法です。近代の問題点を、どうやれば事実のなかに位置づけ、それを帰結するメカニズムを捉え返すことができるのか。まさにこのようなことをグレーバーとウェングロウは『万物の黎明』で確かにやっていて、私も『人類史の哲学』を書き終わった後で全部読みましたが、まさにこれは私がしたかったこととも重なるし、共通点が多いなと思っているところです。

哲学のなかでも実は社会性を問題にする哲学の系譜というのはありました。典型的なのは、私が最近よく言及するエミール・デュルケームです。ドゥルーズはデュルケームを批判の対象としていますが、でも私はあえてデュルケームのテキストの哲学としての面白さを主張したいところがあります。日本人の哲学者だと、三木清の『構想力の論理』はデュルケーム的な観点を前提としつつ、史的唯物論を再構築する試みとして読むことができると考えています。そこで問題となるのは、どうすれば個人主義的な、つまり近代資本制社会において構築されたイデオロギーを前提しない仕方で、社会性を把握し直すことができるのか、ということです（三木はそこで、「基礎経験」と「アントロポロギー」と「イデオロギー」の三重構造のあいだの解釈学的関係を考えます）。そういった問題性を哲学者は正面から受け止めるべきだと思うのですが、ただ近年、このあたりの意識がますます弱まっているように感じます。哲学というと、個人化された意識の内的構造を整理し分析するようなものである、といった印象が共通了解になりつつあるように思います。しかし、これはマルクス主義が退潮しているという話と相関関係があるのではないでしょうか。そこを本当はもう一度最初からやり直す必要があると考えています。廣松渉や今村仁司がかつてやったことを、哲学のある種の基盤的な部分として捉え返すことで、二〇世紀の哲学をもう一度やり直す必要があるだろうと私は思っています。これはまさにグレーバーの試みに対して哲学から応えることでもあると思います。

人間は実は社会をつくるときに、我々が想像して考えている以上に多種多様な実験的試みを大量にやってきたし、しかも現にやっているということをグレーバーとウェングロウは『万物の黎明』で再三強調しています。このようなまっとうな指摘にとって最大の障害となるのは、我々自身がそれをやれないと信じてしまっていることです。でも実際、現実的にはやれる能力があるし、かつて確かにあったし、その証拠が歴史のなかに大量にあるということをグレーバーは考古学者のウェングロウとともに『万物の黎明』のなかで論じています。資本制的な、あるいはヒエラルキーを前提とした市場における等価交換構造に基づく社会体ではない社会性の編成の仕方というのが絶対に可能なはずだし、またそれが可能であるということを含んだ仕方でしか、我々は人間としての自然的諸力をもっていないはずです。そして、そういったことを考えられる哲学といったものを、哲学史のなかから拾い上げなければいけないのだと思います。たとえば、近代のなかにありながら、近代を裏返す重心点にいるような、近代から排除されてきたような哲学者です。たとえば典型的には、スピノザ、ヒューム、ニーチェという人たちでしょう。その人たちが何を言っていたのかということを、裏返って見る。近代から見るのではなくて、近代ではない側、『万物の黎明』でいうとカンディアロンクの側、ヨーロッパ人たちに虐殺されることになる北米インディアンたちの視点の側から、彼らが言っていることをもう一度読み直してみるということです。ドゥルーズが「器官なき身体」ということで言いたかったことも、「器官なき身体」という概念が、アルトーの『タラウマラ』を見ると明らかですが、メキシコの先住民のタラフマラ族との対話のなかで現れた言葉であったということと無関係ではないように思われます。『人類史の哲学』を書くにあたって私がいちばん頻繁に議論していた人類学者の大村敬一さんは北米イヌイットの研究者なのですが、彼と議論しているなかで大村さんに無理を言ってスピノザ『エチカ』を読んでもらったことがあります。そして次に『神学・政治論』も読んでもらいました。すると大村さんが「彼ら」と実際にフィールドワークのなかで話している立場からすると、スピノザの言うことには違和感はほとんどないし、逆に「彼ら」と話しているとなぜ近代人は近代人ののようにしか考えられないのかと思うというようなことをおっしゃっていました。要するに、同じ人間のなかにもその人間が生きる社会体に応じて異なる思考というのがあるということです。これはもちろん文献学的に面白い問題でもあります。一六三〇年頃に出版された宣教師とアメリカ先住民との出会いを宣教師がレポートした『イエズス会書簡集』をスピノザが読んでいたのかどうかはまだ調べられていないのですが、でも当時、それが出回っていたことは、グレーバーとウェングロウが指摘しているとおり、おそらく間違いないのだと思います。ホッブズはあれを読んでいたかもしれませんし、そのホッブズをスピノザは読んでいたことは間違いありません。そのへんの検討はいまだ全然手つかずになっているように思いますので、ちゃんと資料を調べながら、検証したいところではあります。しかし、そこで近代を裏返すターニングポイントをつくっていく作業は哲学の側からも本当はできると思っています。

哲学は統治者目線だった

森　哲学が個人化しているということでいうと、典型的なのものとして分析哲学と現象学を挙げることができると思います。この間の多くの哲学研究者の手法が分析系か現象学系に偏っています。現象学はフーコーが意識の哲学と概念の哲学に区分けした中でも、意識の哲学に多くが依拠しているし、分析系はある種の意識の哲学というか脳科学化していくものです。人間個人の意識に関わる研究です。そもそも現代哲学は様々な可能性に満ちているはずなのに、個人化した意識の哲学にほとんどの研究が収斂してしまっていることは問題だと思っています。現象学からケアを論じてもほとんどは意識の変遷や解釈、ともすれば忖度の問題です。せいぜい制度的問題をなじったとしても、その基盤には意識や個人が基盤にある。それはそれで構いませんが、それだけでは集合性や社会性は論じることは不可能です。分析哲学も現象学もどことなくネオリベ臭もするし、そこに与したくない。私も近藤さんと同様に、個人化されたものよりも、ある種の集合性みたいなものを哲学のなかから拾って検討しています。

　近藤さんの場合は哲学からある種、哲学を救ってやろうという野望がありますが、自分の場合は、グレーバーを読んでいくことで、哲学の外側に出て考えるという傾向が強いです。アナキズムを研究しているというのもあるのですが、何よりも『万物の黎明』で衝撃を受けたのは、「哲学って本当にだめな学問じゃないか」と思わざるを得なかったことです。自分はもともと「哲学っていい学問じゃないか」と密かに思っていた人間なんですよね。もちろん、ある時代ごとにいつも「哲学はだめ」「哲学はいい」がくりかえし出てくるんだけれども、『万物の黎明』を読んではっきり思ったのは、哲学は統治者目線でずっと白人の男性がやっている概念ばかりを提出してきているものなんだと、自分は改めて気づかされました。こうしたことはダイレクトに『万物の黎明』で書かれているわけではないですが、このようにも読解できます。

　そして哲学のみならず、社会思想史、あるいは政治思想史で語られている問題が相対化されているのがグレーバーの面白さです。たとえば民主主義や平等や自由といった概念について、それらはギリシアに生まれ、ヨーロッパに移行し、それが醸成されフランス革命が起きました、とされてきました。

　それが嘘だったことになぜ私は気づかなかったんだろうというところに一番衝撃を受けたんです。もう一度、グレーバーとウェングロウが検討した見立てから、フランス革命みたいなものを見直してみてもいいんじゃないかと思います。もっといえば、いわゆる近代なるものを見直してみてもいいんじゃないかという論点です。自由、平等というフランス革命的なものは、ギリシア以来の概念がフランスの啓蒙の時代に醸成されてきたとされて、そこでルソーをひとつの起点とするならば、ルソーからバンジャマン・コンスタン、そしてロベスピエールという思想史的な流れがずっと語られてきたし、そういう流れがあるのは事実だと思うんですね。その根幹であるルソー（やホッブズ）の話が、ジャレド・ダイアモンドとかスティーヴン・ピンカーとかフランシス・フクヤマとかユヴァル・ノア・ハラリとか、さんざんいろんな人たちに蒸し返されてきました。煎じ詰めれば「昔はよかったよね。狩猟採集、楽しかったよね。そこから農耕はじめたよね。そんで定住したよね。そうこうしているうちに近代だよね。最悪な大量殺戮とかある現在の時代に至ったね」みたいな話のもとになってきましたが、そういう考え方みたいなものが揺さぶられた。

哲学の話に戻ると、私自身は自然という概念について、ヨーロッパの哲学・思想史を軸にずっと検討していました。自然の概念の変遷を検討すればすぐわかることですが。ギリシアから中世を経過して、デカルトくらいまでは、ただの「いいね」くらいの射程しかない概念なんです。要するに神の世界。「いいね、いいね。早く神の世界に行こうよ」という感じです。能動的理性はまさに人間本性（＝自然）のもととなっているものですね。ですが、デカルト、あるいは括弧つきの「近代哲学」あたりから、物理学化していくというか、自然法則として語られていくようになります。これはよく言われていることだけれども、人間が自然について介入することができるような時代が現れてくる。それは普通に教科書的にもその通りだと思います。そこから、私自身は近藤さんの『人類史の哲学』のラインとは別の流れを考えていて、たとえばその後に現われてくる啓蒙思想家やその他の人たちの自然観です。テュルゴーとかケネーとか、マンデヴィルなどです。彼らはフィジオクラートと呼ばれ、その思想はフィジオクラシー呼ばれていますが、日本語だと重農主義と訳されています。語のとおりに訳すならある種の自然主義者ですね。もちろん、これだけでなく経済学説史的には重商主義などの流れも重なったり離れたりしている事実もあるわけですが、自然という概念やその近傍を眺めていると、このフィジオクラシーの議論は哲学や社会（政治）思想史上に強烈に残っていると思います。このフィジオクラシーの流れから、レッセフェールも出てきます。菜園が趣味なので、よくわかっちゃうところもあるのですが（笑）、土いじって、タネやら苗を植えてやれば、まさに「自然と」土から何か生えます。自由だよね、みたいな。これは農業ではある程度そうかもしれないけれども、経済や社会とは異なります。マンデヴィルの『蜂の寓話』なんて、蜂のモデルを人間社会に適応させてますが、やはり、そんなことはあり得ない。ここから想起できることとして、社会有機体論やその後のスペンサー、はたまたナチスの政策なんかも思い浮かべることは容易です。蜂と人間はそもそも違うし、それぞれの社会も当たり前ですが違うわけじゃないですか。だけどそういうところに思い至らず、その後にアダム・スミスなんかが出てくるわけです。彼が考えた「利己的」であるという人間の規定は、明らかにマンデヴィルらの影響です。もちろん、後にアダム・スミスは重農主義とは袂を分かつのですが、それでもなお、統制経済を批判する過程でも「利己的」であるという議論は出てくるわけです。このほかにも、フランス革命のエキセン現象をつくり出していく流れもあります。フランス革命の渦中にエキストリーム・センターとのちに呼ばれる流れを作り出したシエイエスもアダム・スミスから影響を受けた上で、その立場を規定し、右でも左でもなく、ど真ん中で責任を取らず、結果体制の擁護のために謎に尽力するわけです。だからいまのリベラルとか右派とかみたいなものの根源は、自然概念が人間が語りうる枠のなかでのみ語られてしまう万能感に満ちた世界にグッときちゃったせいなのかなと。もちろん一方で、自然に重きを置いたシルビオ・ゲゼルのようなアナーキーな経済思想もあり、今後は自然を語る中で何が分水嶺なのかを見ていきたい。

無文字文化と物質が「正史」を食い潰す

酒井　いまの森さんのお話は哲学史、思考の歴史についてのもので、近藤さんのお話は哲学の可能性についてのものでした。おそらく近藤さんのお話は、自然にも裏から見る自然、つまりオルタナティヴな自然があって、それを見ることのできるのは哲学である、近代を裏返しで見ることのできるのも哲学であるという議論だったと思います。森さん、そのような議論はどうお考えでしょうか？

森　要するに、自然という概念を扱っている多くの哲学の議論が統治の手法になっていく。そこで、その根幹をもう一回考え直そうといったときに、『万物の黎明』で取り上げられているカンディアロンクの姿勢はすごく重要なんじゃないかと。カンディアロンクは未開社会のただのバカではないどころか、むちゃくちゃすごく賢い政治家なんですよね。フランスの統治者側の軍人貴族であったラオンタンとの議論の中で、カンディアロンクはラオンタンをことごとく極めて論理的に論駁していきます。このように、哲学・思想史の「正史」で語られたこととは異なる、裏側からの論点を丁寧に掬って見れば、つまりカンディアロンクの哲学みたいな側からもう一回考え直すべきだということを、この本によって促されました。

近藤　私は「生きられた存在論」という概念を『人類史の哲学』のなかで提出してみましたが、あらゆる社会体には、言語活動、語りの活動のなかで、神話とか民話を使ったりする場合もあるけど、そういった様々な語りの技法をとおしてある種の社会体の組織化の原理が働いていると考えます。語りをとおして作動する「生きられた存在論」のようなものは、そのようなものとして自覚はされてはいなかったと思うのですが、ただグレーバーとウェングロウの『万物の黎明』の議論を見ると、しかしかなり自覚されている場合も、私が思っていた以上にあったかもしれないとも思います。それは我々が記録していない、知らないだけだと。我々、とくに西洋哲学史に係るものが知っていて参照できているのは、せいぜい古代ギリシアしかないように思います。もし、哲学というものの定義をもっと緩く考えれば、人間が社会体を営むときに必要としているオントロジーの語りの問題だと思うのです。ここでいう語りというのは一方的にしゃべるということではなくて、対話のなかでどうやって社会体のなかに語りを埋め込んでいくのか、その相互行為の技というものを広く哲学として見直していいと思うのです。むしろ、そのように拡張しないのであれば、もはや哲学は死なねばならないとも思います。とはいえ、まあ死ぬなら死ぬで別にいいのだけれど、でも生かす道もあるかもしれないとも思うのです。そうなったときには、いまの哲学者は誰も納得しないかもしれないけれど、いまの大学にいる哲学者は誰もそれを哲学と呼ばないかもしれないけれど、それでも哲学を生かす道というのを提示する必要が私はあるというふうに思うんですが、それはどう思いますか？

森　すごく元も子もないことをいえば、ヨーロッパ由来の多くの学問、つまり活字文化をのみを研究するあり方なんて全部死ねばいいのにみたいな、とも思っているんです（笑）。文字通り書かれた言葉を研究する必要もあるかもしれませんが、やはり無文字の言葉、あるいは物質的なものが語るあり方にこそ、私が知りたい思想が宿っている。『万物の黎明』もそうなんですよね。人類学と考古学、つまり無文字文化と物質が訴えかけてくるものからこそ、「正史」を食い潰すことができるのではないか。

酒井　重要なことだけど、グレーバーもウェングロウも、みずからのディシプリンに反逆的どころか、むしろ忠誠たらんとする人たちなんですよね。グレーバーにかぎっていうと、それがしばしば、現状のディシプリンへの強い批判となってあらわれる。たとえば、かつてマナやハウ、ポトラッチのように現地語を翻訳しないでそのまま利用して考えることがヨーロッパ人の思考の可能性を拡大したのに対し、現状では大陸哲学からの応用になってしまっている。そういう危機感が、「存在論的転回」への厳しい批判としてあらわれたりもする。近藤さんによれば、哲学にもそういうことが言えるのではないかということですね。

近藤　そうですね。私なんかでいえば、最初から古代ギリシアの民主制起源説なんてまったく信じることができなかった。なぜならプラトンの『国家』やアリストテレスの『政治学』でも読めば、彼らが民主制なんて全然支持してないだけでなく、そもそも近代社会が思考するような意味での「民主制」なんて出てきてないともいえるわけですから。

森　プラトンもアリストテレスも政体として民主制の可能性を否定していますよね。

自然権も自然法則も「擬制」だ

近藤　基本的には民主制を理念としてそれをどうやって実現しようか、なんて出てきてないのではないでしょうか。むしろ、プラトンの問題設定は、アテナイの民会が貨幣制にやられた企業家たちに牛耳られているのにたいして、どういうカウンターパートを立てられるかという話なわけだと思います。たとえば寡頭制による哲人政治のようなでも近代社会のなかの大学における哲学の存在意義みたいなものに紐づけられて哲学者がしゃべった瞬間、そういうあるべき「民主制」の起源の話になってしまう。古代ギリシア以来の、ルネサンスを経て、近代を花開かせ、そして民主制をつくって、我々の自由と権利を擁護する最終審級は、西洋哲学です、みたいな。わたしは、そこにはある種の自己欺瞞を感じとります。そもそも権利という概念にしても、ある意味ではホッブズが擬制した概念だという側面もあるのではないかと疑うわけです。『人類史の哲学』にも書いたのですが、あれは法lexからjusが区別されるものとしてホッブズがjusにrightという英語を割り当てたわけです。しかし、そういう用法がそれ以前からあったわけではないように思います。

森　powerもそうだしね。

近藤　しばしば自然権と紐づけられるProperty、つまり「所有権」はたしかにローマ法からずっとあった。これはグレーバーが言っているとおり、まさにローマ法のなかにあって、あそこはまさに奴隷を所有する権利というのが位置づけられています。でもあれは自然権じゃない。そもそも自然法と区別される自然権があるわけではないですから当然ですが。所有権は法的に認められた権利としてあるわけです。それは近代のいう意味で、「自然状態」において認められる「自然権」ではない。ということは、もともと「所有権」と紐づけられるような「自然権」はなかったのだとも考えられるわけです。なかったけどホッブズが捏造、あるいはホッブズの言い方でいえば、「擬制」した。なぜ「擬制」したかという話が問題で、近代という話をまさにつくりだそうとするときに社会を、それまでの中世社会にない仕方で、つまり神が法を立て、神の法を人間が解釈し、神が定めた秩序を反復していくという中世的秩序ではない仕方で、より世界を拡大し、どんどん物を収奪し、大量の物を所有し、それによって富を蓄積する自由を拡大することを正当化するためにホッブズが思いついたのがrightという概念だというように思うのです。だからそれが「実在する」というのは自己欺瞞ではないでしょうか。要するに哲学のテキストを実直に読めば全部書いてある。自然法則も同じです。あれもデカルトがつくった擬制的な概念だと思います。自然法則という概念について、私はできる限りデカルト以前のテキストから探したんですけど、たぶんないんですよ。マルクス系の科学史家たちが二〇世紀前半にはすでに指摘していたように、概念としてちゃんと体系的に位置づけてバシッとつくったのはやはりデカルトなのだと思います。でも、そこでデカルトが実際に使っている用語は「自然法」という概念で、もともとあった中世のトマス・アクィナスが使っているようないわゆる中世自然法の体系、要するに人間と被造物を統べる法律が自然法というものを（たとえばおそらくフランシスコ・スアレスらの新スコラの議論をもとにしつつ）、ニュートン力学の三大法則のようなものとして措定し直したのだと思います。だから近代社会が理解する意味での「自然法則＝自然法」なんていう概念は、デカルト以前にはなかったんだと思います。それは近代でつくられただけではないでしょうか。それをあたかも「実在する」というふうに我々は信じるわけです。「自然法則」が「実在」して我々はそこから逃れられませんと、我々は言っているけど、そんなのはデカルトがつくった哲学の中での話にすぎない。

大きな物語しかない

森　考古学も活字ではなくて物ですよね。自分は哲学が嫌いだというのは、歴史学とか哲学とかは活字や文字が中心になっているからです。言葉遊びみたいなものも嫌いではないのですが、とはいえ、そういった世界観のものではないものを拾い上げていくということに可能性を感じてます。人間のほとんどの歴史に活字はないわけだし、そもそも数千年前から活字を書けるやつはインテリしかいない。私はインテリの人たちの歴史、あるいはインテリの人たちの、とりわけ白人男性の思想しか語られていなかったという点にむちゃくちゃ不満があって、だから嫌いなんですよね。しかしその一方ですごいなと思ったことがあるのは、レヴィ＝ストロースです。サルトルに対して、『野生の思考』の最終章で、活字の世界じゃなくて無文字社会の人たちにとって「じゃあ歴史って何ですか？」みたいなことを問いかけるわけですね。レヴィ＝ストロースのサルトル批判的なラインの話というのがすごく面白い。これは西洋中心主義批判みたいな文脈もあるし、もちろん時代もあると思うんですけど、私からすると、人類の多くは無文字だったし、日常を活字化してもやはり論理的ではないし、アナロジカルな言葉に満ちて生活をしている実感があります。要するに、ヨーロッパ的な価値観なるものが本当にあるかどうかわかりませんが、仮に歴史学や哲学で一部のインテリどもが培ってきた活字のようなものとは違う、異なる世界を我々にまざまざと見せてくれるというのがレヴィ＝ストロースのすごさであり、同時に『万物の黎明』のすごさです。この間、さんざんポストモダンだの小さな物語だの大きな物語の断片化だとかいわれていても、何もピンときたことがありません。この流れで語るとすれば、実は『万物の黎明』がすごいのは、むしろ人間には、大きな物語しかなくて、それも大きな物語がいっぱいあったし、今もあるということなんですよね。

酒井　小さな物語なんてない。

森　大きな物語も活字だけではない。最後のほうの章の手さばきがすごいなと思ったのが、考古学がパズルの片方だとすると、神話や民話がもう片方のピースになっていて、これらが合わさって「ほら、一緒じゃん」みたいな仕方で説得力がある。こんな書き方があるのかというので衝撃を受けた。だからある意味で哲学に内在して言うんだったら、そして近藤さんの立場に即して述べるのであれば、哲学的にそれはどのように可能なのか。自分の場合はその都度その都度目の前にある雑草と土にまみれて見えにくくなっている土台から、雑草を刈って土を掘り起こして、ほら土台があったじゃんと見えるようにしてみたい。考古学者や人類学者と一緒に仕事してみたいです。こんな妄想を掻き立ててくれる。妄想って悪い意味じゃなくて、本当に創造的なdelusionですよね。もちろん、哲学が嫌いだとは言いながらも哲学・思想史の手つきでしか文章を書いたことがないので、どうすべきか考えあぐねております。こんなときにグレーバーってすごい便利なんですよ。自分のかわりにフィールドワークしてくれていて、それを活字にしてくれて、しかもその活字のフォーマットがアナキズムを前提としている。あるいはある種のマルクス主義だったりモースだったりとかを前提としながら語ってくれている。モースはアームチェア人類学者と言われたりしていましたが、私もモースになりたい（笑）。

酒井　近藤さんにちょっとおうかがいしたかったのですが、たしかに『人類史の哲学』ではデュルケームが重視されています。そこは、とても興味深い論点でした。三木清の『構想力の論理』であれば、デュルケームも参照されてますが、でもモースの影響が強いでしょう。そこで、デュルケームに注目することの意味をここですこしお話しいただければと思います。

個人的表象と集合表象、ケアとシェア

近藤　もちろんモースは大事です。それ自体は間違いない。しかしモースを押すだけだと、何が問題だと私が考えているかというと、現代の議論では市場経済に対して贈与経済を立ち上げれば話が終わると思われているところがちょっとあるように思うのです。要するに、贈与は正義で市場はだめだみたいな、そういうひじょうにわかりやすい善悪二元論みたいなものがあるのではないでしょうか。モース自身はそんなようなことは言っていないのですが、モースの現代における受け取られ方がだいたいそういう話になっているとい

うことです。人類学者でも経済学者でもそういう傾向が、少なくとも一部にはあって、これが論理的におかしいというのが私の言いたいことです。そこをはっきり書いているのが実はグレーバーの『負債論』で、あれはモラリティの三つの分類のなかのエクスチェンジというのがあって、贈与と等価交換はそこにおいてグラデーションでつながっていると指摘しています。贈与と交換のモラリティは同じエクスチェンジの図式の程度の差異にすぎないと言っていて、私もまったくそのとおりだと考えます。『負債論』によれば、他にヒエラルキーとシェアリングあるいは基盤的コミュニズム、あるいはケア的コミュニズムというモラリティがあるわけです。モラリティというのは、人間の相互行為を導く行為規範のようなものですね。最後のシェアリングに相当するものが本質的に大事だと思います。これこそが、やはり、いま取り出す意味のある話だし、贈与か交換かというういわゆる二項対立的な話ではないものとして、より基盤的で、かつよりフレキシブルな議論が可能な原理としてシェアとケアの議論があるだろうと考えています。これをどうにかして哲学のなかに落としこめないかということを考えたときに、モースでもいいんですけど、より原理的かつ人間学的に根源的な問いを問う必要があると思います。また、モースは、デュルケームの「集合表象」概念をどうやって民族史的に実証化するかという話でずっと考えていたということもあります。そのような議論の論拠としてモースらのエスキモー、つまり北米イヌイットの民族誌とかが出てくるわけですよね。そう考えてみると、デュルケームが言っているように、人間の意識のなかに個人表象と集合表象という二重性があって、私のなかにある私ならざるものが常に不可避な仕方で混ざっていて、このダブルバインド的な構造である人間学的原理こそが、ケアとシェアの共通原理だろうとわたしは考えています。この共通原理となるものを概念化できないかと考えて、私は「異律」という言葉を『人類史の哲学』で提案したんですけど、これはまさにさっき言ったシェアリング、ケアリング、あるいは基盤的コミュニズムとグレーバーが言っているところの理論的かつ人間学的基盤となるはずだと考えています。

「集合表象」の概念について文献学的に探索してみると、モースに影響を与えているデュルケームこそがまさに「集合表象」概念を一八九三年という日付においてつくったことがわかります。この概念こそが、彼の博士論文である『社会分業論』を可能にしている。さらに私のちょっと誇大妄想気味の図式としては、これが実はモースを媒介して、レヴィ=ストロースを経て、五〇―六〇年代のフランスの構造主義の議論にまで伸びていると考えています。実はフーコーが講義録で述べているように、精神分析と人類学の言説はこのデュルケームの「集合表象」を問題的な場として形成されているように思います。そしてもう一つ、ソシュール言語学も、そこに含める必要があるかもしれません。たとえば、ソシュールの有名な「ラング」概念の起源は一八九三年のソシュールの講義だったのではないでしょうか。ソシュールの「ラング」概念がデュルケーム由来なんじゃないかという論争が一九三〇年代くらいからずっとあるようです。諸説あり、決着はついていませんが、私は結論としては、やはり何等かインスピレーションのようなものはあったのではないかと疑っています。「社会的事実」というデュルケームの有名な概念がありますよね。あれは一八九五年なんですけど、「集合表象」は一八九三年でそれよりも二年早い。ソシュールの「ラング」概念も一八九三年から一八九四年と推定される一般言語学講義のための草稿で現れているようです（高木敬生「ソシュールにおける「社会的事実」の問題――ソシュールの概念か、デュルケームの概念か」『Azur』〔成城大学フランス語フランス文化研究会、一八号、四五―六〇頁、二〇一七年〕。この論文では、むしろソシュールの「社会的事実」という概念は、デュルケム由来ではないということが、詳細に論じられている。デュルケムの影響を指摘するものに、伊藤邦武『フランス認識論における非決定論の研究』晃洋書房、二〇一八年がある）。時期的には、偶然かもしれませんが、一致はしています。このときソシュールはパリにいませんでしたが、その直前の九〇年まではパリにいたことがわかっています。しかし実際には影響関係はなかったのかもしれません。ただ、いずれにせよ、二〇世紀前半から六〇年代の構造主義にかけて自と他が混ざり合うようなものの分析が問題になっていたコンテクストがあったように思えるのです。森くんが挙げてくれていたけど、レヴィ＝ストロースの思想の根底にも、この問題の解析、それをどうすれば解析できるのか、たとえば女性の交換であったり、あるいは北米全体を神話がぐるぐるまわるという議論であったり、あるいったところでそういったものを具体的な事例のなかで描こうとしていたのじゃないかと考えています。一応私としては、ドゥルーズの『差異と反復』すらも、そのコンテクストで読み直すことができると思っています。そう読み直してしまったほうが筋が通るはずだと考えています。ですので、モースはもちろん大事なのですが、デュルケームも、あえて出してみました。それに、みんなデュルケーム嫌いじゃないですか。

酒井　私もあんまり好きじゃないですし（笑）。

近藤　たしかにデュルケームが偉そうで学問政治的にいやな感じがするということは、そうかなと思います。ただ、私は最近、一九世紀哲学にけっこう凝っているので、一九世紀後半のコンテクストのなかでデュルケームの立ち位置を見ますと、たとえばちょっと手前のアルフレッド・エスピナスとかテオデュール・リボーとかの議論、あるいはアルフレッド・フイエとかもそうですけど、あのへんの前社会学的な、あるいは哲学的な社会学についての議論を彼は全部引き受けていることがわかります。まさにエスピナスが「集合表象」という言葉を最初につくっているのではないかと思います。エスピナスのこの概念はあまりたいしたことのない概念ですが、それを受けて、哲学的に洗練された概念として鋳なおしたのがデュルケームです。そしてその手つきに関してはひじょうに評価できると思っています。実際フランスの二〇世紀前半、一九一〇年くらいから一九三〇年くらいまで、短い期間ですけどデュルケームとベルクソンの時代と呼ばれていた時期があります。いま日本ではベルクソンしか挙げないことが多いですけど、デュルケームも、当時のフランスにおいては、哲学者として見られていた側面もあるわけです。そこをちゃんと拾ってあげると、これまであまり見えなかったものが見えるんじゃないかというのが、デュルケームをあえて取り上げる意図です。

酒井　デュルケームの集合表象論は、構造主義につながるような規定性、私たちの意味世界をつねにすでに規定しているようなリジットな規定性とつながる印象です。想像力との連関性が、デュルケームからは直には見えてこないんですけど、これはどう考えればよいのでしょうか？

近藤　私の分析としては、「集合表象」論が出てくるデュルケームの『社会分業論』の議論の箇所で論じられるのは、感情の問題、集合的感情の問題です。そこでは、他者への恐怖、他者への期待、愛、そういったところから集合的なものというのが出てくるという話になっています。ここの議論というのが実はスピノザの『エチカ』の感情論とかなり似たかたちをしているように読めます。これはおそらくたまたまではなくて、レヴィ＝ブリュールが一八八〇年に「スピノザの感情の理論」という論文を書いており、当然、デュルケームもそれを読んでいると思います。実際それ以外にも、デュルケームのまわりの実証主義者はかなりの頻度でスピノザの感情論に言及しているということもあります。典型的には、ルネ・ヴォルムスなどです。エスピナスもフイエも、リボーもそうです。

酒井　イマギナチオの作動の論理というのはスピノザに由来してるんですか？

近藤　そうだと私は思っています。ポイントは私の自由意志では自覚的にコントロールできない部分があるということだと思います。私が自覚的にコントロールするイマギナチオではなくて、それは自然というふうに言われたりするし他者と言われたり、無意識と言われたりするし、たとえばテオデュール・リボーは催眠術に関する議論のなかで使ったりするわけですけど、そういうところとひじょうに関わっていると思います。

酒井　私が、むしろそこから浮上するような働きみたいなイメージ？

近藤　そうですね。私が私自身のものとして思っているものではないものによって、私が何かをしてしまうみたいな、そういうところです。まさに私のなかにある境界の曖昧な他者みたいなことなんですけど、そこが問題になっているような感情の理論というのがあると思います。三木だったら、パトスとは「無によってうたれることである」と言うかもしれません。このような「感情」は基本的にイマジネールなもの、まさに想像力の問題でもあると思います。たとえばその後にレヴィ=ブリュールがまさに「融即の論理」を出してきますよね。

酒井 融即ってフランスの原語はなんでしたっけ?

近藤 participationです。レヴィ=ブリュールのドイツ哲学史家としての文脈を踏まえるなら、プラトンの意味、というか前近代としての古代ギリシアの文脈をひっかけるために、「分有の論理」と訳してもよかったのかもしれません。

酒井 そうなんですね?! 融即って日本語を当てちゃったからその語彙の連関と広がりがみえなくなってますね。翻訳あるあるですが、最初に訳した人が融即と訳しちゃって、それがずっと踏襲されて、概念の知的連関がみえなくなったわけですね。

近藤 レヴィ=ブリュールはもともとドイツ近代哲学史のポストでソルボンヌに就職しています。最初のうちはドイツ近代哲学史を教えていたようですが、デュルケームの議論に触発されたのか、すぐに民族史のほうに関心を移していきます。それで有名な『未開社会の思考』で出してきた概念がparticipationなんですけど、私から見ると、イデアの分有の話と重なって見えるところがあります。あの当時、コーンフォードというイギリスの哲学者がいて、『宗教から哲学へ』という彼の若いころに書いた古代哲学史の研究書があるのですが、そこでの議論の展開を支える構造としてデュルケームとレヴィ=ブリュールによる「集合表象」の議論が出てきます。古代哲学の固有の論理、あるいはむしろプラトン、アリストテレス以前の、いわゆる前ソクラテス期の哲学のなかには、近代合理主義の論理ではうまく説明できない思考がかかわっているのではないかという話があります。そういう議論が一方であったわけですよね。ここはなかなか難しいですが、レヴィ=ブリュールの「融即participation」の話と、古代哲学のある種の非近代性みたいなものがおそらくかかわっていたんじゃないかなと想像するところがあります。私はparticipationというレヴィ=ブリュールの命名を見て、哲学史の専門家である彼がそうつけるからには、そういう観点も多少はあったのではないかなという気がしています。だから三木清が拾っているのはモース、レヴィ=ブリュールで……。

酒井 あの当時、三木清はモースの講義に参加してますもんね。

近藤 そうですよね。三木が足を突っ込んでいるのは、要するにデュルケーム派と呼ばれている人たちの議論の蓄積です。デュルケーム派の学問的な文脈を形成しているコアな問いというのがあって、それが「集合表象」概念だと思うのです。たしかに酒井先生がさっきおっしゃったとおり、デュルケームの「集合表象」概念は、集団やその方向性を規定するとか、集団の全体性を定めるという方向に、デュルケーム自身はとりわけ関心をもっていたかもしれません。しかし、モースはそれを引き受けて、その「集合表象」を可能にしている内的メカニズムは本当のところ、どれくらい多様性や可塑性や重層性があるのかということを明らかにしようとしていたのだと思います。そこにいろんな人が巻き込まれていて、三木の「構想力の論理」も、基本的にはそこに一つの源泉があるだろうと思います。もちろん、もう一つの重要な源泉は、ハイデガーによるカント書の読解だと思います。しかし、三木の議論の面白さは、それに対する独自性として、デュルケーム派の議論を一つのベースとして考え直しているところかなとも思います。近代社会における個人主義における個人意識を基本として、個人と個人が何かをしますという話だけしかないのであれば、たとえば逆にいうと、グレーバーの「基盤的コミュニズム」が、あるいはケアとシェアが行為の基盤としてないのであれば、グレーバーが描き出すような多様な社会の試みというのは歴史的に出てこないというふうに私は思っています。そもそも〈私〉というもののなかにそれほど輪郭のはっきりとしない他者が入ってしまっているという、このパラドキシカルな状態を問題として主題化したのが「集合表象」という概念だと私は思っています。「集合表象」という概念はある種、実体のある概念というよりはむしろ、「集合表象」という問いとしてこれを解かなければいけないというのが、デュルケームが影響力をもった理由だと考えています。

酒井　デュルケームは亡くなるまで、集団的プロジェクトの『社会学年報』の公刊に熱意を注いでいたわけですが、そこでは毎号、公刊物のレビューにきわめて力を入れていて、なかでも異文化関係の文献渉猟の膨大さには圧倒されます。異文化を学ぼう、そこから自分たちの思考を相対化しよう、さらにそれを通して普遍的な社会の論理にいたりつこうという情熱には驚嘆します。

近藤　「集合表象」という問いを近代社会のなかだけで考えてもわからないという前提が共有されていたのだと思うのです。デュルケームも一八八〇年代のサンス高校の授業ではそれなりにスピノザに触れているようですし、確かに『社会分業論』でも、集合感情にかんする箇所で、一度だけスピノザを関連付けています。その一方で、私が社会学の入門的な議論でいちばんわからないのは、なぜヴェーバーとデュルケームが並べられえるのかということですね。

　ヴェーバーは新カント派の図式で考えていて、カント哲学を社会学として展開した人だと考えています。かたやデュルケームはカント的なものは一切ありません。

酒井　デュルケームとモースの共著である『分類の未開形態』は、カントのカテゴリー論批判ですもんね。

近藤　そうですね。フランスの実証主義の系譜は、根本的には反カント的です。むしろ、カントを批判する立場で、理念や観念や理想よりも、自然やピュシスの側の近くにいます。その自然の側の哲学として参照されるのが、まさにスピノザの名前なんですよね。いちばん面白いのが、フランスにおけるスペンサーとスピノザの関係です。イギリスの哲学者であるスペンサー自身はスピノザとか全然意識してないと思うのですが、スペンサーがフランスに輸入されてくると、おお、スピノザだ、というふうに一部の実証主義者たちは受け取るわけです。たとえば、イポリット・テーヌとかジャン＝マリー・ギュイヨーとかアルフレッド・フイエとかがそうです。ベルクソンも彼の『講義録』を見るとそういうふうに受け取っている印象があって。そのフランスの実証主義の独特のコンテクストが面白いんですよね。そのコンテクストのなかにデュルケームがいたはずで、そう考えるとやっぱり、デュルケームの「集合表象」の議論もそことなんらかの連続性があるのではないかと思うわけです。

――スピノザって文学界でいうカフカみたいですね。カフカの影響って大きいですから、作家は皆心の底で思ってますよ、あれにもカフカの影響がある、これにもカフカの影響がある。我々は最終的にはカフカ誕生以前の作家にもカフカの影響をみますから。

一同　（笑）。

近藤　たしかにスピノザの研究者はやりがちです。すべてのものにスピノザの痕跡を見出そうとしてしまう。

酒井　でも個人の思考というものでも、人類史のすべての集合的思考に参与するプロセスといったようにスピノザみたいな人は考えますよね。だから、スピノザの前にスピノザが見出されてもおかしくないかもしれない。

近藤　「近代を裏返す」ということを考えるうえでスピノザの名が呼び出されるときのポイントとしては、自然法と自然法則の両方が出た後で、それをスピノザはちゃんと最初につなぎ直そうとしたというところにあると思っています。

酒井　原語でいうとどう違うんですか？

近藤　それぞれlexとjusですから、ラテン語のもともとの使用、あるいは『ローマ法提要』のあり方としては同じ語群だと考えられているようです。自然法はlex naturalisとも書かれますし、jus naturaleとも書かれることがあります。またlex naturaeと書かれることもあります。lexが法で、naturalisが自然のという意味ですね。ホッブスの欺瞞は、lexが法でjusはrightだと言い切ったことにあると思います。当時はみんなが知っている嘘のはずなんですけど、誰もこの嘘が何を意味しているのかをしゃべってくれない。スピノザは、違うよねとはっきり言っているように思います。

酒井　自然法則と自然法を分けるのは日本語の翻訳？

近藤　はい。ちなみに本性と自然の翻訳も輸入物です。あれも両方ともnaturaですからね。

ロジャヴァ、現在進行形の革命

近藤　ここでケアについてもう少し話をしてみたいのですが。私がいちばん聞きたいのは、ロジャヴァにおけるケアについてです。ただしケアっていうのは老人介護などの典型的な話だけじゃなくて、もっとケアの意味を広くとって、人のことを気にかけて共同生活をすること全般についてという意味においてです。ロジャヴァは狩猟採集民ではありませんが、たとえば狩猟採集民で考えてみれば、ケアというのは生活のなかでもっとも大事な仕事の一つであるだろうと思うのです。狩猟採集民にとって大事なのは、たんに狩りをすることだけじゃなくて、日々の生活のなかでいろんな人に配慮して、いろんなことがまずくならないように、暴力的な権力性が発動しないように、つねに相互行為を調整することだと思うのです。まさに中央集権的なものを排除するのもケアだし、細かいことに権力関係が発生しないように何かまずかったら排除するとか宥めるとかするのも、全部ケアの一部だというようには考えられないでしょうか。そう考えたときに、ロジャヴァのケアってどういうかたちになってるのかなと。

森　グレーバーが二〇一四年頃に、ロジャヴァに二週間ほどだけですけど滞在して、そののち、アーニャ・フラッハらロジャヴァのサポートをしている作家たちが出した『女たちの中東　ロジャヴァの革命』（青土社）という本の序文にグレーバーが書いています。

酒井　「なぜ世界はシリアの革命的クルド人を無視するのか？」という論説をグレーバーが二〇一四年の一〇月にガーディアン紙で発表する。自分もそうだけど、あれでロジャヴァで何が起きているのかを世界の多くの人が知ることになったんだよね。

森　アナキズムを看板にして現在進行形で革命が起きているということが世界に知れ渡ります。私もこれを知ってから、本当に素晴らしいことだなと思って、ゆっくりとではありますが、ロジャヴァのことを調べているのがここ数年です。私はロジャヴァそのものは行けてないんですけど、ロジャヴァをサポートしている人たちがハンブルクに何人かいて、その人たちに話を聞きに行って、インタビューをしていたら、反対にインタビューされてしまったりして、逆に私が日本のロジャヴァのスポークスパーソンかのような記事が各国語で上がったりしています（笑）。そもそもロジャヴァのスポークスパーソンで代表的なのは、アブドゥッラー・オジャラン。彼の思想や実践は極めてアナキズムの思想史として注目に値するものです。たとえばオジャランが述べて、ロジャヴァが実践しているものは基本的にはある種のケアリングと言えるかもしれません。徹底したボトムアップで話をしていった結果がオジャランにも話がいって、オジャランも「それ、いいじゃないか。ちょうどフーコーとかブクチンとか読んでたし」みたいな感じである種のボトムダウンで一緒になっていきます。彼自身が表に立って発言はしているということになっているけど、実際はあらゆる議論を積み上げていくのがロジャヴァの新しさです。オジャランになにか決定権があるわけでもない。むしろ運動の突き上げによってこそ決定されていく。活字を書いているという点でオジャランを参照せざるを得ないのですが、そのオジャランが文献的に参照しているのが、例えばマレイ・ブクチンのコンフェデラリズム。トルコやシリア北部、イラン、イラク、本当はアルメニアとかも入るのですが、国家をまたがっていくなかで、最初は国家の独立を目指してオジャラン率いるPKK（クルディスタン労働者党）が八〇年代から武装闘争をしてトルコ内部で国家独立を目論んでいたんですけれども、彼らから聞いた話では一九九〇年代半ばから実はもう国家の独立はやめようやみたいなのがあって、それを受けてオジャランも国家の独立を目指すことをやめたというタイミングが刑務所に収監されるとき。コンフェデラリズムというのは、国家の独立ではなくて自治、地域の自治をどう作っていくかというもので、そういった地域の自治の横や縦のつながりで、より大きな地域、例えばクルディスタン地域の政治や経済の大筋の決定を作り上げていく。ロジャヴァ、シリア北部で行われていることがひじょうに面白いのはやはりこのボトムアップなんです。いちばん小さい単位でコミューンというのがあって、七世帯くらいまでの最初の評議会というか話し合う場がある。

酒井　積み重ねをしてるわけね、意思決定プロセスが。

森　最終的にMGRK（西部クリディスタン人民評議会）というのに積み重ねの結果が伝達されていくのですが、これはグレーバーも言っていたし、ハンブルクで聞き取りをした人も言っていたんですけど、最初にコミューンで決定したことがむしろ一番重きを置かれるんです。実際、最初のコミューンでの決定が上のほうにいくとだんだんずれていったりするんですね。ずれていって、「これをしなさいよ」と上からも一応命令は下されるのだけれども、最初の決定と違う場合は、そもそもの決定を下したコミューンに依拠していい。これについてグレーバーが述べていたのは、命令に従わない自由があるということです。これはまさにアナキズムなのだと。これには本当に目を開かされました。

酒井　ロジャヴァの人たちは、これはチアパスの人たちもそうだったけど、自分たちは決して模範ではないし、理想的な闘いをしているわけでもないといつも強調しますよね。私たちは、限界を抱えている。「自分たちから学ぶものがあるかもしれないが、あなた方からも学ばせてほしい」と。そういえば、昔から国際連帯のなかではこういう態度に本当に私たちは感動したんだけど、いま日本からみえなくなったな、と。

森　オジャランたち自身、サパティスタからすごい影響も受けているんですね。サパティスタのいろんなトライブがいて、これも面白いと思ったのが、もともとあったいろいろな決め方、土着的な決め方を否定して、もともといたシャーマンが偉いみたいなのも嫌だよねと。ただ自分たちで決めたいこともあるよね、と。かといって上から「こういうやり方があるよ」とやるのではなくて、自分たちで作り上げていく。いままでのも否定しつつ、上からのも否定して、自分たちで作り上げたものを地域ごと、あるいはトライブごとを基盤にして話し合いを行っていきます。ロジャヴァもそうで、オジャラン自体は悪くいえば単純なので、クルドのトライブはもともとみんな下から決めていったんだと素朴に言っちゃうんだけど、これまでの習慣も取り入れつつ、やはり新たにその地域ごとに決定していく方法を皆で編み出していった。でも、話し合いって、複雑なことではなくて、どんなところを調べたってそれはある。日本だって宮本常一が対馬で資料借りるのに、貸すべきか貸さざるべきかをずーっと酒飲んで話し合っていた事例とかを出していますし。今宿のことを回顧している伊藤野枝もまさにそこに「無政府の事実」を見出しています。これらを土台に作り替えていって、地域ごとの話し合いと決定を行っていく。

酒井　ただただネガティヴに扱われているけど、いわゆる「根回し」とか「飲みニュケーション」のうちにもそういう芽はある。飲めば言えることもある。もちろん飲んでも言えないこともある。ヒエラルキーが、どのように作用しているかによって。脅迫として作動することだってもちろんある。でも基本的には会議でいえないようなことが言える。

森　先の「問題もたくさん抱えている」というのも事実で、グレーバーが建設的な批判をいくつか述べています。例えば、毎週のようにコミューンで集まってしゃべっているのはいいけれども、やはり仕事とか育児とかで忙しい人もいて、結局その話し合いの場に行ける人だけが政治的な決定を下せてしゃべれてしまう。ある種のプロ独裁みたいなことが起こりうるのではないかという批判もあります。あとはいきなりいままでとは違うアナキズム的なやり方をすれば、「やっぱり俺たちはマルクス主義者となって国家独立を目指した方がいいだろう」と地に足ついてないようなことを言ったりして、嫌になって大量に人が逃げたんです。

酒井　たしかにわかりやすいよね。

森　わかりやすい。だけど、逃げたなんちゃってマルクス主義者たちは当然のように国家独立なんてできっこない。一方でアナキズムサイドはみんな飲みニュケーションしているから楽しそう。それでどうなったかといえば、結局また逃げた人たちは戻ってくる。それも七、八割の人たちがまた戻ってきたらしいです（笑）。

──やっぱり楽しそうにしてるって大事ですね。

森　なによりもパレーシアですよね。言論の自由に重きをおいていて、私はよくみんながドン引きするようなことを平気で言っちゃうんですけど、ドン引きするようなことをみんな言いまくってるらしいんですよ。で、みんな「は？」みたいになるんだけど、それでも「そうだよね」みたいな感じで話していく。要するに自由が奔放にあると。『万物の黎明』でも書かれてますが、結果、平等が担保されていますよねという話になっていく。平等が先にあるんじゃないよと。

酒井　より正確にいうと、自由が形式的なものにとどまらず実質的になるためには、平等の契機が必須である、ということですよね。平等のないところに、真の自由はない。

森　あとロジャヴァに関しては軍隊がいるということですね。ＹＰＧ（人民防衛部隊）やＹＰＪ（女性防衛部隊）と、ロジャヴァの政治経済の決定部門は実は分かれていて、軍部には基本的にはタッチしませんし、逆もまたそうです。ある程度は「ここで危ないことが起こるから逃げておいてね」とか、そういうつながりはある。これはＥＺＬＮ（サパティスタ民族解放軍）にもある思想なんですよね。軍部もあれば、先日解散したサパティスタの評議会のうちの一つであるＭＡＲＥＺ（サパティスタ反乱自治州）とかもそうだし、いくつかいろんな評議会があって、そことは付かず離れずというか。ただそこである種の軍部みたいなものが必要不可欠な状態であるのは事実です。戦争状態ですから。そこをどうやって肯定して語るのかという難しさもあるし、でも武装組織がなければ非武装の人々はＩＳやトルコ軍にレイプされまくるし殺されまくるし、全員死んじゃうわけですよね。だからこの間の、本当に限定的な意味で言いますけど、ウクライナにもアナキストはいるわけだし、パレスチナにもアナキストはいるわけですよね。そういった人たちで、しかも実際に武器を持って戦っている人たちもいるわけですよね。そういった人たちをどうやって肯定するかというところがすごく肝になる。本当に限定的な話なんです。何でもかんでも暴力がいいですよと言ってるわけじゃないので、こっちだってね。

──それで『死なないための暴力論』（集英社新書）というタイトルになるんですね。

森　そうです。

酒井　若干付け加えておくと、一応、治安部隊のアサイッシュというのがあって、一方に市民防衛隊のＨＰＣというのがある。アサイッシュのほうが交通整理とか犯罪者を逮捕したりとか、ドメスティックバイオレンスの被害者の保護とか、物とか移動の管理とかもしている。ＨＰＣという市民防衛隊のほうは、訓練を受けた人が自分の居住地区だけをパトロールしていて、これは両方とも目標はテロリストの外部からの脅威から守る。居住地区を守るのがHPC、アサイッシュは都市を守る。ではその分担に関することよりも大事なのは、二つともジェンダークオーター制をとっているんです。これはケアと関わってくると思うんですけど、四〇パーセント以上が女性からなっている。そう決まっている。

森　コミューンもそうだし、ディストリクトとかMGRKとかも全部そうです。女性が四〇パーセント以上いなければ、その会議は開催されません。

酒井　権力や権威のヒエラルキーが制度化される可能性をかなり低くする見通しがそこにはある。治安部隊が守るのはいつも顔見知りでしょう。近所付き合いをしてるから横暴なふるまいがなかなかできないんだって。「デモクラシー・ナウ!」の彼が亡くなった後のウェングロウのインタビュー動画で、グレーバーがティーチ・アウト、大学キャンパスの外で話している場面があるんですよね。二〇一八年頃みたいですが。そこで彼は、『万物の黎明』の問題設定を、たぶん運動の弾圧の文脈もあってだろうけど、こう語ってるんですよね。「私たちは、「不平等の問題はさておき、本当の問題は、不平等がどこから来たのか、ヒエラルキーがどこから来たのかではなく、どうして私たちは一つのモードに閉塞してしまったのか」ということなのではないか、と話しはじめたのです。というのも、だれかが警察官になったら、来年も警察官だし、再来年もやっぱり警察官であるというのとでは、警察官のあり方がまったくちがうからです。つまり、一年の半分は、ヒエラルキーが解体し、全員がたがいに対等につきあうことになれば、そのヒエラルキーだってちがった風に作動するようになるでしょう」。『万物の黎明』では、北米グレートプレーンズの先住民たちにみられる、「バッファロー警察」、つまり特定の季節だけに選抜され、すぐに解散する警察のありかたを「季節的変異」の文脈で論じてますが、それも想起させます。こういう暴力に裏づけられたヒエラルキーの発生を抑止する構造が、ロジャヴァでも自覚的に採用されているんですね。

意思決定と哲学の可能性

近藤　そういう場所が我々の現代の社会のなかにないというか、我々の社会体のなかでそういう場所をうまく作れてない、あるいは作れていても偶発的で局所的だということがひじょうに問題かなという気がしていて。

酒井　やっぱり、実践はいつもローカルな文脈に囲まれてるから、同じような志向が作用していても、それはちがったふうに表現されている。それがどう表現されているのかを見きわめることも大事ですよね。

近藤　やっぱり人間の相互行為が形成されるメカニズムをちゃんと把握することが大事なのではないかと思うのです。そこで作動している原理みたいなものがあるはずだと。それをなんとか取り出して次に活かすというのが大事だなと思います。その知はひじょうに役に立ちますよね。

酒井　意思決定をボトムアップでやるという方法が日常的に習慣化していない、反射神経になっていないというのは、たしかに我々の社会では問題だとは思うんです。山本七平の『「空気」の研究』がいいから読めって多くの人がいうから、こないだ読んだんですよ。そしたらこれが、とんでもなくつまらない。ところが、その前の『一下級将校の見た帝国陸軍』はすごくいい本で、印象的だったのは、アメリカの捕虜が、たとえば物資を渡すとかいろいろ日本兵とコミュニケーションしなきゃいけないでしょう。そのとき彼らはすぐボトムアップのシステムをつくるんだって。それに山本は感心するんですよ。ところが日本兵はいわばホッブズ状態になる。

一同　（笑）。

酒井　すぐに少ない物資の争奪戦がはじまり、たちまち牢名主的人間があらわれ、横暴をふるいはじめ、その人物に気に入られるかどうかで物資の配分も決まり、リンチが横行し、みたいな。グレーバーは、ホッブズ的幻想が実際に起きることがあるといってますよね。それはトップダウン構造が長年強制されてきたようなところ、つまり、人が議論し、判断し、みずから意思決定できるという「大人」と遇されず、「子ども」のように扱われてきたところだ、と。「子ども」のように扱われると、人は本当に「子ども」（ステレオタイプのという意味ですが）のようにふるまうようになる。ボトムアップの意思決定がふだんから日常のなかに埋め込まれているから、災害ユートピアのようなものがあらわれるんだけど、そういう芽が日常からつまれていると、いざというとき本当にホッブズ状態になってしまう。この点でいうと、日本社会は小さい頃からそういう芽をつむことにすごく熱心でしょう？　かくいう私たちも決してうまくない。それこそ飲んでグダグダのなかでなにか決めていくというのは、得意かもしれませんが……。そこに可能性がゼロとはいわないけれども、そうじゃなくてもう少し日常的に自覚化された土壌を広げていくのは大事だと思うんだよね。そうじゃないと、上をすげ替えて「いい人」にすればいいという話にどうしてもなりがちじゃない？

近藤　自分の裁量権が大きくなるというのは、たしかにつらいことではあるのですが、一方では楽しいことでもあると私は思うんですよね。でもそれに対して不安を感じる人もたしかに多いのだと思います。自分の裁量権が大きくなったときに何をしていいかわからないみたいな。別に好きなことをすればいいと思うのですけど、裁量権を認めるということは自分たちで決めるということで、自分たちで決める領域を増やすということです。そのときに問題なのはおそらく相互性というか対称性というか、相互ケアの関係が問題になるんだと思います。つまり、そういう裁量権が増えるときに、相互ケアの関係がちゃんと成立しているかということです。たとえばある共通の作品をケアするようにして自分たちの裁量権が十分にあれば、いろいろやり始めるとは思うんですよ。共通のオブジェクトがあって、そのオブジェクトに対するケアをみんなでシェアして何かを考えるということであればいけそうな気もします。

酒井　話を強引に戻すと、そのなかで哲学の役割はあると考えますか？

近藤　私はその意味で言うと、哲学の役割は、二重の仕方であると思っています。一つは、すでに述べたように、ケアやシェアということにかんして、これまで顧みられてこなかった様々な言説や概念を歴史的に掘り起こし、それを現代のコンテクストにおいて取り上げ直し、人間が相互行為を形成するメカニズムとして主題化するということです。その一方で、もう一つは、哲学を読むという行為において、ケアという相互行為の観点を取り入れるということです。ケアの相互行為の関係を基盤とした仕方で普段から体が動いているかどうかということと、あるタイプのテキストが読めるかどうかというのは、私はひじょうに連関があると思っています。

酒井・森　それは間違いないね。

近藤　そういうテキストが読める人間になることと、そういうケア的な相互行為ができることは連関するはずなので、実践的行為と理論的行為のあいだにうまく相互作用が起こせれば、面白いことになるかもしれないと思います。

酒井　それは哲学カフェとかとはちょっと違った意味で、哲学の可能性を感じますよね。

近藤　ある側面から見れば、ということですが、哲学カフェというのは、商品経済のなかの一部としておさまっている側面もあるように思います。コンテンツとしての哲学や対話を消費して、体験を手にしたという感じですね。しかし、わたしが考える哲学の役割というのは、それとは逆の事柄です。まさにかつて、貨幣経済の最初の爆発的拡大という社会変化のなかでソクラテスが批判したとおりで、哲学や徳というものを貨幣に変えてエンターテインメントにしましょうという話とは逆のことが、哲学の役割だと思うのです。

森　哲学に興味がないとか言いながら、鶴見俊輔のアナキズムとプラグマティズムの受容や方法について、素晴らしい哲学論文をちょっと前に私は書きました（笑）。鶴見は自身のアナキズムの立場を「実質的アナキズム」と言うのですが、「それって何でしょうね？」という問いを立てて、「こういうものです」という解をちゃんと与えた論文です。私もなんだかんだ哲学しちゃってます。そこで鶴見にとって「反射」というのは重要な概念で、これはある種の直観みたいなものに基づいているんですけど、それが基盤になって思考を開始するのだと鶴見は述べています。彼の実体験として、鶴見は執拗に親のことが嫌いというのもあるんですけど、彼自身の親に対する反発が、マルクス主義者に対する嫌悪と結びついて、完全に合体してるんですね。鶴見の考える両親は、圧倒的な権威。マルクス主義者たちも権威主義。マルクス主義者なんかは、マルクスやレーニンの書いていることを聖典のように崇め奉り、それらに対して、公式見解とは異なる読解を使うものならば、お前らは本が読めないのかということを言われるわけです。しかしそれに対して、まず自分で本を読むということは、自分で自分なりに独創的に解釈を与えることじゃないかということを鶴見は言っていきます。これこそが「反射」なんです。なによりもまず最初の反応というのは、そこに自分が立ち上がるわけじゃない？　哲学論文なんて、どんなに問いを立ててどんな解を与えていくにしても、どの人も固有の問いと解があるから哲学はずっと可能になっているわけですよね。これと同じように鶴見も、なんで彼自身がプラグマティズムにすごい興味を引かれたのかというと、「私」から思考が始まる点にあるんだということがわかります。Iから始まる哲学というのを、鶴見はプラグマティズムから持ってきて、議論を展開する。そのときに「私」、あるいはたまに複数で「我々」「私たち」とも言うのですが、「私／私たち」から始まって、いかにこれが思考の順序として正しいのかということを述べていきます。この点は本当にDIYの精神というか、アナキストらしいなと思うんですけど、自分たちでそれを逐一全部検討したうえで「合ってましたね」と言わないと納得ができない。ある種の民主主義的なあり方で、時間がかかりますよね。民主主義は妥協の産物という側面もあるんだけど、そういった側面というのを基盤に据えるというので、それが「実質的アナキズム」だと。アナキズムは上から「こういうものですよ。こういう原理があるんですよ」というものではなくて、自分を出発点にして、あるいは他者と一緒に出発点を共にして一緒に納得するということが根拠地になってくるのだということを言っている。鶴見はやはりアナキストです。

近藤　それはソクラテスがやろうとしたことでもあったのだと思うのです。貨幣経済にポリスが完全に溺れていくなかで、どうすれば自分たちの生を取り戻せるのかということが、ソクラテス自身が問題にしたことだったのではないかと私は思います。その問いにある種、命じられる仕方で、ソクラテスはいろんな社会階層の人間と、それこそ娼婦から政治家までいろんな人たちと話して、その人たちの言葉、相手の言葉にちゃんと合わせながら、おたがいに「よくわからんね。わかっていたと思ってたけど、やっぱりわからんね」という会話を延々と続けるわけです。とにかく何がわかっていて何がわからないのかということを、ちゃんと全部やり直していくということをソクラテスはやろうとしていたのではないでしょうか。彼の実践をアナキスティックに再解釈することもできるのではないかと私は思うのです。そしてだからこそ、だと私は思いますが、彼はポリスを危険にさらした罪で告訴されることになるわけです。それに対して、ソクラテスの弟子のひとりであったプラトンは、エリートの資産家にして政治家の出自でから、そういう人たちが上からポリスをどうやって再構築するかという話をするわけです。しかし、ソクラテスは石工という一般市民なので、支配階層としてどういうしようというよりは、そういった起源や中心ではないところでケアとしての哲学という相互行為をやろうとしていたように思います。

酒井　それがプラトンになるとモノローグになっちゃう。そして統治の言語になっていく。やっぱりダイアローグ、あるいはもっとカジュアルにカンバセーション、おしゃべり、会話ですよね。これもグレーバーがよくいってたことですが、二〇世紀後半にまずフランス、次にイタリアがどうして、知的にあれほど創造的でありえたかというと、その一つは知識人たちが運動のなかでいろんな人と対話せざるをえなくなって、そこで彼らの言葉や発想を取り入れていったことがある、と。やっぱり哲学のひとつのアーキタイプじゃないですけど、原型としての対話、ソクラテスというフィギュアというのはひとつ接点かもしれないですよね。

――ウェンズロウとグレーバー二人の手による『万物の黎明』自体が、対話的な思考の好例かもしれませんね。この本の3章にも西洋哲学の伝統は記述方法としての対話を棄てたけれど、人間の思考は本来は対話的なものであるという記述があります。ひとりでものを考えようとしてもいくらも持たないけれど、誰かと対話すれば長い時間考えを巡らせたり、問題を検討したりできると。

酒井　デリダが『声と現象』だったかで、これもニーチェだったかの引用をエピグラフに掲げてますよね。「ソクラテス、この書かぬ人」という。あれを逆転させてね。「ソクラテス、このおしゃべりの人」ですね。

（近藤・森＝哲学、酒井＝社会思想、早助＝作家）

――二〇二三年一二月二五日

物語をくつがえす

『万物の黎明』が拓く可能性

阿部小涼

本書は考古学者と文化人類学者との共作である。遺跡発掘調査の成果と、同時代を生きる人びとの観察調査の成果とが、両者を等し並みに取り扱うような西洋史観の錯誤を徹底的に批判しつつも、まさにその誤読の起点となった征服年代記の洗い直しの成果も含めて、ふんだんに採り上げられている。著者たちの大風呂敷から縦横無尽に繰り出される珠玉の諸事例を、相応しい場所に置いて読み解くためには、空間だけでなく歴史の時間軸も組み込んだような壮大な3D地球儀が必要だろう。また、びっくりするようなアイディアが詰まった思考の道具箱のようなこの本には、沢山のアイテムが用意されているのだけれど、この本を貫いて提示される二つのツールキットについて確認することから始めたい。

まず、自由の原理について。これは第四章で記述的に述べられる（『万物の黎明』一四九―一五〇頁（以下（　）内は同書頁数を示す））ほかはいろんな箇所に散漫（ディスカージヴ）なかたちで繰り返し示された上で、ついに、表題にピエール・クラストルを刻印した第一〇章「なぜ国家は起源をもたないのか」において、根源的ないし基本的自由の諸形態として定式化されている。それが、移動し立ち去る自由、服従しない自由、新たな社会関係をつくったり異なる社会関係間を往来したりできる自由という、相互に補完関係にもある三つの自由だ。

これは、ルソー、ホッブズの名に代表させている西欧近代の概念、すなわち自由を私的所有に基礎付ける思考に対して、明確に「そうではないもの」を現出させる公式として成功している。これこそ「不平等の起源」（ルソー）を遡行するのとは「逆のアプローチ」に結びつくことは結論部でも再度強調されるとおりだ。拒否（ノン）を自由の始原に据えることで、支配の諸制度に「つながらなかった五〇〇〇年」、「奴隷制が拒絶された」事実の重視、戦争も奴隷制も「何度も廃絶されている可能性」（五九〇頁）を検討可能にした。

このように自由の原基から問いを建て直す本書は、それゆえに、平等論を展開することに抑制的である点にも注意したい。平等とは、自然状態ないし初期状態はそうであったという自然法学者の思弁ゆえに議論すべきものだった。だが、平等とは条件依存的で実態としての観察が難しいというのが著者たちの立場だ。

次に、国家の定義について。本書は国家の構成因子として、主権・官僚制・競合的政治フィールド（民主制の語を当てはめるか、簡素に政治と表現されている箇所もある）を挙げ、これら三つは起源を異にする異質な要素であること、歴史上の国家はその組合せとして多様な形態をとってきたことを確認している。また三つの因子は、主権は暴力を、官僚制は知識（情報）を、政治はカリスマ性を、それぞれ基底に持つという、それぞれ起源の異なる型に係属させてみている。この定義を人類史に照らすことで、国家は「第一次レジーム」「第二次レジーム」と呼べるような、単一要素、二要素の組合せなどに展開した類型とみる見方を可能にしている。複雑さや多様さを説明可能にするこうしたアプローチは、西洋近代によって典型化される「国家」観でガチガチに凝り固まった頭をゆるめてくれる。さらに、国家が不在でも都市や人口規模の拡大を実現可能にしてきた人類史が相応しく注目することで、国家の誕生を農耕革命と強く関連づけるような歴史観から脱することを可能にする。

いっぽう異なる起源から姿を現してくる「初期国家」には、別の領域に属する共通の特徴を観察している。それは家父長制的世帯組織をモデルとする軍事とそのスペクタクルな暴力（五七五頁）である。なおかつ、その暴力が、親密な社会関係におけるケアに取り憑いていく点に議論を展開するのは、本書の魅力でありつつ、未整理な部分でもあるだろう。この文脈でこそ議論すべき私的所有の契機としての奴隷制に、顕著なケアの要素を看取することで、すなわち暴力が親密な領域に嵌入したところに、国家が軍事主義を帯びる契機をみている。この軍事主義についての議論は「結論」で展開されるが、詳細の検討は課題として残されており、ジェンダー視角から軍事主義の問題について本格的に議論する機会は、読者に委ねられている。

この二つの道具を携えて大学の教室で教科書として本書を活用することを想像するとワクワクする。まずもって本書は、人類学・考古学の基本文献の解題であるが、さらに分野横断的な、「グローバル・ヒストリー」などの科目名を付した教科書として相応しい。もっとも、帯に「新・真・世界史！」と扇情的に書かれているのが目に付くが、本書の盛り上がりのひとつでもある第九章が採り上げる「ヌエバ・エスパーニャ」征服史のような、「正史（イストリア・ヴェルダデラ）」を書きたい、読みたい、という欲望の現代版のようで、これは真っ向歴史学として採り上げる際には少々居心地が悪いのだが。

「グローバル・ヒストリー」などというカタカナ科目名は軽薄と感じられるだろうか。そもそもカリキュラムに含まれていないかもしれない。その場合でも、いやその場合こそむしろ伝統的な「政治学」科目の文献として本書を活用すべきだと言おう。「文明の衝突」がまだ真面目に読まれているという周回遅れを生じやすい日本語翻訳文化圏では特に、本書を用いることでヨーロッパ中心主義による学術の誤謬を解きほぐすことが可能になる。

筆者は大学の教室で、自由と平等とは原則として矛盾ないし対立するよね、とか、アメリカ英語圏でリバティとフリーダムは歴史的に異なる意味を継承している、とか、奴隷制度からの解放を勝ち得た黒人のほうがむしろ米国の自由という大義を体現しているのでは、という問いを投げかけて初年次学生たちに議論を促すことがある。その前提となる自由の概念を構築した西洋政治哲学を再審することが、本書の要諦であるのは冒頭で示したとおりだ。本書で繰り返し参照されているように、ウェンダット、ホデノショニなど西洋啓蒙思想に影響を与えた北米先住民思想から政治哲学を紐解くのは、極めて妥当なことで、それらを「人類学」の範疇に留めおくべき理由はどこにもない。

つまるところレイシズムと植民地主義、そしてセクシズム批判によってテクスト再読が行われなければならないというのは、自由と平等の政治学しかり、考古学や人類史の省察においても、同じなのだ。逆に、これほどの博覧強記をもって挑戦しなければ、強固な常識を覆すことが今なお困難であるという事態に、呻吟させられる。

だが自由と国家をめぐる政治哲学・政治思想が刷新されるならば、強権的な国家への従属を桎梏として解釈されてきた琉球・沖縄の島嶼政治史にも、別の記述の可能性を検討できる。クラストルやジェームズ・C・スコットらが示してきた国家から遠ざかろうとする社会の物語を踏まえるだけではなく、ひとつの社会内で社会関係を季節毎に使い分ける、などの観察眼は、近世近代をくぐり抜けた小国の政治史の記述にインパクトを与えるかもしれない。諸大国による国境画定の欲望が、こうした柔軟な支配・係属関係の言説を歪めたり抑圧したりしたとみる見方を与えてくれるだろう。

政治学・社会学・歴史学の分野横断性の高い専門科目の各論として「社会運動論」科目の参考文献にも本書

を含めておきたい。二人の著者たちのうちグレーバーのほうは、日本語圏においては社会運動の実践的思想家として広く読まれてきた経緯があるために、ついに人類学者としての面目躍如たる本書を、再び社会運動論の本棚に戻すのは少々気後れするところもあるのだが。

ここでも自由の定義が効いてくる。逃げる、不服従する、関係を刷新するとは、社会運動の目指すもの、いや、目的というよりは原動力を説明するのに相応しい定義だろう。はじめに抵抗あり、なのだ。

社会運動思想の文脈において本書を読むとき、人口規模の拡大にともなって統治機構が現れることを当然視するスケールの前提を批判し覆そうとするグレーバーの脳裏には、大規模人数での直接討論を可能にしたオキュパイ・ウォール・ストリートの実践経験が思い出されていたのではないか。また、シーズンオフに解散する警察部隊のことや、奴隷制や戦争が何度も廃絶（アボリション）された史実に言及するとき、どのような読者を想定ないし期待しているか、容易に想像できるのだ。

本書で展開される「分裂生成」概念については、対抗関係において生成される相似した共同体について語っているのだが、これは裏を返せば、共感や共振によって引き起こされる社会運動の同時多発、すなわち連帯の理論を考える上で重要なアイディアを示唆している。

本書は、三〇回ほどの授業回数を使ってじっくりと通読するシラバスを提供したいと思わせる章構成になっているのも、なかなかよい。だが本体価格五千円、一冊八五〇グラムと聞くと、新自由主義の刹那を生き抜く貧しい日本の大学生たちは及び腰となるだろうか。そしてテレビ番組編成でいう「一クール」のごときサイクルに裁断されている大学のカリキュラムでは、かつては一般的だった通年科目はもはや叶わぬ夢だろうか（授業すら「なんとか授業実行委員会」みたいな形式でプロジェクト化予算の対象にされそうな、もう悪い予感しかしないのだ）。米国では、大学生協が併設する古書販売コーナーにずらっと並ぶ定番の電話帳のような教科書（悪夢のようなギデンズの『社会学』などが思い出されるが、「電話帳」というのがすでに歴史的事物となりつつある）をキャリーケースに沢山詰め込んで右往左往する学生たちの姿は、つい最近まで大学キャンパスの風物詩だったように思うのだが。

章構成の下に配置されている奇妙に冗長な小見出しについては、訳者の酒井隆史がスペインの年代記作家たちのパロディと解説しているが（六二七—六二八頁）、スマートフォンサイズの画面とデジタル検索によってテクストをブラウズする世代、二八〇文字以内に要約して時短で済ませようとする世代の要請に合致しているように見える点も興味深い。筆者は、諸事情から英語版と日本語版をそれぞれ印刷版と電子テキスト版で入手し、勢いで英語Audible版もコンプリートしそうになるという、よく分からない事態に陥っているついでにいうと、日本語版でヨコ書きをタテ書きに変換する労力はそれじたい並々ならぬものがあるが、印刷版は原注と訳注が各見開きページの左側に配されて視野に収まる。読みやすさという点であらゆるヴァージョンを凌駕している。

どの形式で入手するにせよ、グレーバーとウェングロウの対話から生み出されたという本書が必然的に帯びている饒舌に、学生たちはまず魅了されるだろう。また、「プロジェクト」や「戦略」など日常の語感で先史を理解させる語彙選びや、「遊び(プレイ)農耕とまじめ(シリアス)農耕」、「創造的拒絶」など、魅力的なワーディングのセンスもこの本を読み物として好ましいものにしている。随所には、過去の学知へのオマージュか、あるいはそれらを反転させるための意地悪な仕掛けが施されていて、文献学としての読み解きの楽しみも味わえる。

だが本書の特徴として際立っているのは、「根本からくつがえす」というときのくつがえすための論述方法にあるだろう。これはくつがえすべき足場としての既存の思考を首尾よく名指し、それをくつがえすための梃子となる疑問を設定すること、この二段構えにかかっている。

たとえば本書では、既存の考古学が農耕の開始と王権との関連付けを当然視してきたことに疑問を設定することで、実はこれに当てはまっていない数々の事例を洗い出し、別の系譜を検討可能にしている。人口規模(スケール)やそれを支える「都市」が当然に統治組織として国家の勃興をもたらしたとする証拠はないし、ひとつの社会内であってもその関係は季節的な多様性を持ちうるという解釈が示される。こうして反農耕、反国家などの「拒否する」という選択肢の存在へ想像力が拓かれるのだ。

その反面で、根拠のない新発見や新解釈については手前のところで慎重に踏みとどまって、「分からない」という、きわめて率直で禁欲的な態度を維持している点にも学ぶべきところが多い。こうして各章は、問いに始まって、問いそのものの妥当性が検討され、刷新された問いを提示して締めくくられる。

そうなると、そもそも、くつがえされるというその知的基盤は日本でも同様なのか。日本語版を採用した教室で学生たちと検討するときには、新たなテクスト批判の楽しみが追加されるだろう。ここでは西洋か非西洋かという文明の二分法のことではない。「博覧強記」などという評価は得てして、ないものねだり論難とセットにされがちだ。たとえば、せっかくのこの二分野の組合せであるにもかかわらず、形態人類学の植民地主義批判には手が付けられていないのは残念だと思うし、弱点と呼ぶかどうかは別として、中国大陸や東アジア文化圏についての典拠や言及はやはり寡少と言わざるを得ない。三内丸山遺跡への言及（一六三―一六五頁）が、極めて例外的な挿話としてかえって目につくのもこのためである。日本語文化圏を生きていれば、縄文文化を「無味乾燥」などと矮小化する見方の存在には瞬時に異論を覚える。

だが過日、たまさかに訪問した某国立博物館の常設展示で「稲づくりから国づくり」などというパネルに接してしまい、「博物館を訪れる人や高校の教科書を読む人」が依然としてこのような解釈に曝されている事態を目の当たりにし、著者らの批判を正面から受けとめなければならないと痛感してしまった。つまり、あくまで西洋史観の系譜を批判的にたどり直す本書に対して、著者たちの提示する枠組みを応用しつつ、稲作という独特な国家欲望の物語にどっぷりと浸かっている地域から批判的に展開する別のグローバル・ヒストリーの仕事が依然として必要ということを示している。

また、たとえば老境の研究者と教室で出会う学生たちとで、初等・中等教育でどのように世界史という教養を学んできたのかは、当然に文脈が異なる。日本の学校教育に狭く限定しても、最近の「歴史総合」の例のように、科目体系とは政治性を帯びて変わりやすいものなのだ。著者たちがくつがえそうと名指すそれと、わたしたちが立っている地盤とは、どのように共通し、どのように多様化しているのか。この場所からどのような問いを追記していけるだろうか。

このような観点（比較文献学的と呼べるだろうか）は、グレーバーの著作でいえば、ジョブ型社会批判として読むべき『ブルシット・ジョブ――クソどうでもいい仕事の理論』（酒井隆史、芳賀達彦、森田和樹訳、岩波書店、二〇二〇年）や、『民主主義の非西洋起源について――「あいだ」の空間の民主主義』（片岡大右訳、以文社、二〇二〇年）を非西洋で読み解く際にも必要と感じていたものだが、本書でもますます、読み手の立ち位置の検証との往復運動が要請されるだろう。

酒井隆史はすでに、ピエール・クラストル『国家をもたぬよう社会は努めてきた――クラストルは語る』（洛北出版、二〇二一年）で、まるで合評ゼミに参加しているような気持ちにさせてくれる解題の巧者である。日本語版を手に取るわたしたちは、オリジナルの重厚な一二章に加えて、酒井の解説にも、授業回を割り当てる幸運を得ている。酒井訳版は、「仮面ライダーのショッカーのように」（一四二頁、原文では“like cannon-fodder minions”とあり、弾よけにされるミニオンたちというような含意で、ゲーマー世代には果たしてどちらが通用するのか……）など、翻訳者のこだわりの痕跡を見つける楽しみもあるのだが、こうしたフレーズの置換に象徴されているように、翻訳が付け加える解釈や意味の増幅を読むのも、教室でのテクスト・クリティーク実践の楽しみとなるだろう。

最後に本書の読み方というよりも使い方として、フィクションへの応用のことを挙げておきたい。この本はもちろん、人類学と考古学的実証に徹頭徹尾こだわって執筆されている。だが、印刷出版業界不況の克服が目的ではないにせよ、学術分野よりもずっと広い読者層を狙っているのも確かだろう。本書が科学もとい啓蒙を解体して建て直せと呼びかけるとき、科学をも包含する、読み物としての物語じたいを根本からくつがえすことで、これに応唱することも目指されているはずだ。

とすれば、私たちが日頃どっぷりと浸かりきっているあらゆる物語の基本的枠組みが、父権的で男根主義暴力的に構造化されていると覚醒させる本書から学んだ道具を使って、その解体のためのバリエーションを豊かに編み上げることもできるだろう。本書でも僅かにル＝グウィンに言及したり、縄文文化の美学が任天堂のゲームに与えた影響について注記で促している（一六五頁）のだが、真面目な話、わたしたちは非戦の憲法や女性解放を掲げているのに、フィクション世界は宇宙戦争や男の子たちの成長物語で溢れかえっている。せっかく革命や社会変革の話をしているのに「ぼくらの」とかぶせたがる輩だらけのこの世の中なのだ。

先史・古代史の物語は、アニメ、ゲームからライトノベルまで、異世界転生や勇者と魔道士の旅のロマンの源泉を提供している点で、近い将来大人になる世代に、強い影響力をもっている。こうした物語の再生産を支える現場で『万物の黎明』に覚醒した人たちが、編集者として作家をサポートするとき、広告メディアの企画を立案するとき、世界はもうちょっとマシにならないだろうか。「ヤツラからおもちゃを取り返せ“you have to take the toys back from the children”」といって、ダイアモンドやピンカーら「ポップ文明史」の大家たちや、その影に映っているホッブスやルソーを名指して冷笑するだけで満足してはいけない。真にこどもたちへの素敵なおもちゃをばらまくべきなのだ。人類史ガチャから楽しいカプセルトイが出て来る可能性は、まだまだある。無前提な「国家」「家族」の起源を排して、豊かに語る可能性を、本書は拓いてくれているのである。

（『万物の黎明』合評ゼミへの参加を快く受け容れてくださった長崎大学の森元斎さんとゼミナールの皆さんに感謝いたします。本稿執筆に際して大いに参考になりました。）

（地域研究）

不定称の思想史と歴史的アナルケーイズム

李珍景
影本剛・訳

1. 方法論的鋭角化と不定称の思想史

『万物の黎明』は、著者たちの予想どおりであろうが、わたしたちを驚かせるある物語histoireからはじまる。身分なき社会、階級なき世界なるものをまったく考えることができなかった西欧の「思想家」たちと、西欧社会の実像に驚いて批判した先住民「哲学者」との出会いがそれである。先住民たちの暮らし方に驚き、かれらが語る言葉に当惑したイエズス会の神父たちの書信、そしてラオンタン男爵の本をはじめとして、先住民との出会いや対話をモチーフにして書かれたさまざまな本をとおして抽出されるこの出会いは、啓蒙思想や自然法論はもちろん、それ以降の無数の哲学や思想に慣れているわたしたちを驚かせる。そしてこのような文書や本、とりわけ大衆的人気を得た本によって、当時の啓蒙的思想家たちが受けたであろう衝撃と、それに対して苦労してつくりだした諸反応が啓蒙思想やその後の「社会進化論」の母胎になったという主張もまた驚かざるをえないものだ。「人類の幼年期」としてのルソー的「自然状態」概念や、そのような自然状態において人間がもつ「自然権」に対する諸理論、そして社会が大きく複雑化するにしたがい不可避に発生する不平等の失楽園的な進化理論など、一八世紀や一九世紀だけでなく現在も多くの人びとが当たり前に感じる近代的観念が、ウェンダット族の酋長である「カンディアロンク」という名前に凝結されたアメリカ先住民との出会いを発生因とするという主張（『万物の黎明』第2章）は、いくら強調してもしすぎにならないほど驚くべきものであり、新鮮である。

ヨーロッパ中心的な思考に対する批判は、以前からいくつかのやり方で提出されてきたが、それらを「寛容的」態度で受けいれてきた者たちも、グレーバー／ウェングロウのこのような主張をそのまま受けいれることは簡単ではなかっただろう。それゆえたとえ著者たちが押しだしたカンディアロンクという人物や、かれの「思想」というものに対し、実証的真実性や科学的事実性というものさしをもってきて、この本で語られる歴史histoiresは「人類の誤った歴史」である非難する者たち（たとえばDavid Bell, "A Flawed History of Humanity", *Persuasion*, November, 2021）がいるのは、むしろ自然なことだ。実証性や科学性がなければいかなる物語も人類に害になるであろうというような非難にうなづく者もまた、少なくないだろう。

しかしいかなる主張を展開する背景やその理由を提示する方法の適切さを考慮せず、そのような人物がほんとうにいたのか、かれの言葉として提示されたものがほんとうにかれが語った言葉なのかを検討するだけであれば、科学という言葉は、正しい知識を求める羅針盤であることを停止し、実証性という言葉は闇のなかに埋められていたあるものの探索を妨害することになるだろう。なぜなら問題は諸事実の実証性ではなく、実証的諸事実のあいだにあるからだ。諸事実の系列化がもつ力に。

思想史のみならず、歴史とは概して諸事実の系列化をとおして構成される物語である。考古学ほどそれをよく見せてくれるものはないが、どうして考古学だけなのか。しかし諸事実の系列化がすべて歴史になるのではない。諸事実のあいだにはそれぞれなりの引力と斥力がある。おおよその場合、ある歴史の説得力は、諸事実のあいだで形成される表面張力と相応する。この張力は事実のあいだの最大値の引力ではなく、諸事実の引力と事実のあいだの距離がつくりだす緊張によって形成される。ある事実の確実さに安住するだけの系列化はわたしたちにあくびをもたらし、張力が切れる系列化はわたしたちに笑いをもたらす。

このような言い方で語るならば、ここでグレーバー／ウェングロウがカンディアロンクに対して叙述するやり方は「鋭角化」の方法をとおし「不定称の思想史」を開いたといってよいだろう。鋭角化とは歴史的ナラティブを構成する諸事実を最小角度の尖った鋭角的な物語histoireとして系列化するやり方であり、いかなる批判の余地も与えないための「確実な」事実や要素のみを選別し、最大角度の鈍重な物語で系列化する「鈍重化」と対比して定義することができるだろう。多くの関連証拠にもかかわらず、「まだ○○とは確実に言うことができない」に留まる、反論や批判を許容しない最小主義的minimalistな慎重さに、学者たちは非常になじんでいる。これは早とちりの断定が生じさせる誤解から大衆を保護するものである。しかし反対に、たとえば気候危機に対する学者たちの過度な慎重さがそうであるように、確実さのために、ただちに重要なことを限りなく延期させることでもあり、時には最終的に逃しもするものだ。

本書で著者たちが対決しているものは、関連した新事実が繰りかえし発見されているにもかかわらず、あれこれの理由で既存のナラティブの表面張力の下に埋めこむという、強力で粘りづよい社会・歴史的通念である。このような通念は、みずからをヨーロッパ中心主義者と信じていないであろうジャレド・ダイアモンドや、ユヴァル・ハラリのような書き手たちが、人類の歴史を描く時すら、ほとんど意識してみたことのない、古くからの根深い通念の丈夫な皮のようであり、そのような歴史に切れ目を入れるためには、資料の意味を最大主義的macimalistなやり方で解釈し、諸事実をできるだけ尖らせ鋭角化することが必要だ。もちろん「実験的」と言うべきこのような解釈が、あらゆる実験がそうであるように、後に誤ったものだと判明することもある。しかしゴードン・チャイルドのように人類の歴史を新しく書きなおさせた慎重かつ優雅な解釈すらも、その後の研究によって反論されることは避けられなかった。確実だと信じる歴史とは、じっさいそのような実験的な試みをとおして構成された、可能な無数の物語のうちの一つであるだけだ。

著者たちはこのような鋭角化の方法をとおして新しいやり方の「思想史」を描く方法を創案した。批判者たちはラオンタン男爵が書いた「先住民との対話」の先住民が、じっさいにカンディアロンクなのかどうか、その言葉がほんとうにラオンタンではないかれ自身の言葉なのかどうかを疑うだろう。それはこの本の著者も、ほかの誰も、確実に証明することはできないだろう。しかし文字がなかったり文字で思想を記録する伝統がなかった社会の人物や思想に対し、文字記録を基にする社会で用いるやり方で実証性を証明しろという要求こそ、一方的な「自民族中心主義」であることは明らかだ。人類学者であれば、このような問いに代えて、「情報提供者(indormant)」の言葉に代わるなんらかの痕跡を調べあげ、ある人物や事件に近づく情報を収集し、そのいくつもの破片をとおして記録されていない記録を調べあげ、書かれていない「思想」を読みとるであろう。

とはいえ、あらゆる記録はすべて真実だという純真な仮定の下に、歴史は構成できはしない。真実と信じるなんらかの理由を探しだし、信頼に足る物語を構成しなければならない。それゆえ著者たちはまず、捕虜としてであれ「代表」としてであれ、ヨーロッパを訪問した先住民たちがいたことをあげ、アメリカ先住民たちがヨーロッパに対して下した判断や言葉が想像的なものではなく、直接見聞きしたものであることを示している。先住民たちは、当時ヨーロッパ社会について自分なりによく知っていたのであり、それについてヨーロッパ人たちが簡単に反論できないような批判的態度をもっていたことを、宣教師たちの書信などをとおして確認する。その反対に、当時先住民の社会や生き方に対する宣教師たちの批判的報告書をとおして、非難する者の視線が注目したものであるがゆえに好意的に誇張される可能性のないかれらの社会の形状を発掘する。カンディアロンクは、名前や履歴の正確性を疑うかどうかとは関係なく、少なくともかれがその時代のヨーロッパ人と接触し論争した先住民のうちのひとりであり、おそらく卓越した能力を持っていたことが明らかな「ある人物」の名前である。

次に、著者たちがカンディアロンクの思想が表現されていると見なすラオンタンの本がある。この本でヨーロッパ人を批判する先住民の思想家は、ほかの名前（「Adario」）で登場する。かれの発言もまた、あるがままのかれの思想ではなくヨーロッパ人の著者ラオンタンによって脚色され色づけされたものであることは明らかだ。おそらくそれはヨーロッパ人ラオンタンが理解したとおりに、またほかのヨーロッパ人が理解できるように、ヨーロッパ的スタイルへ変調された文章であるだろう。しかし実存人物の名前を書きかえる報告の形式は、現在も心理学者や記者たちがしばしば用いるものだ。名前がどうちがうというのだろうか。その当時、そのようなカンディアロンクであろうがカンディアモンクであろうが「ある人物」がいたというだけで十分だ。ラオンタンが執筆しながら変調し色づけしたことが明らかであるが、「だれか」から聞いたことを変調したのだ。つまり聞かずにラオンタン自身が考えたものを書いたわけはない。もしその程度であれば、かれはルソーやテュルゴーのような思想家だと自負しただろうし、じっさいかれら以上の独自的な思想家として認められなければならない。しかしかれも、かれの本を読んだ者もそのようにしなかったがゆえに、その先住民の言葉はラオンタンがだれかから聞いたこと、つまりはかれを感化させた言葉を増幅し、脚色したものであると言わなければならない。

したがってかれの本の先住民の発言は、ある人物の考えをそのまま伝えるものではないが、その発言や思想の全体像は、ある人物に基づくものであると言わなければならない。不穏なる思想であることを理由に捜査と裁判を受けたことがある人であれば、名前と身元の正確性を除けば、一六世紀のヨーロッパのある製粉所の主人に対する裁判記録のようなものが、当時の宣教師たちの報告書や先住民と直接会って多くの対話をしたという人の記録より、真実に近いという考えに、簡単には同意しないであろう。その次に、この本の著者たちはラオンタン男爵の本のような先住民の話が、一八世紀ヨーロッパで広く読まれたという証拠を探しだす。ルソーなどの啓蒙思想家が先住民について言及した文章を見れば、いかなるやり方であれ、かれらが広く読まれていた先住民の思想に言及している本を読んだことは、否定できない事実と思われる。

慎重な鈍角的思考をもつ者であれば、その人物がカンディアロンクなのか確認できない限り、先住民思想家の実存を語ることはできず、実存しない人物の思想とは作家の小説的創作物と言うだろう。それゆえかれのように実存したかどうかわからない人物がヨーロッパの思想家たちに影響を及ぼしたということは考えすらできないだろう。その反面、身元の実証性や語られた思想の正確性は確認できないが、そこに書かれた言葉の母胎になった「思想」を持つある人物が存在したのであり、その人物の思想が啓蒙思想家たちに伝達される経路があったのであり、その影響の証拠があるならば、名前は確認できないあるひとりの先住民の思想とその影響について十分に語ることができると言うならば、少なくとも諸事実を鋭角的な最小角度で、尖るように系列化し、みなれた歴史の分厚い皮に穴をあけることだと言えるだろう。

本書で「カンディアロンク」という人物について鋭角化されたやり方で書かれている物語は、具体的に身元の実証的確認は不可能であるが、「ある人物」という不定称で表示されるある思想家の生と軌跡と思想、そしてその影響を叙述することだという点で「不定称の思想史」と言ってもよいだろう。つまり本書の著者たちは身元を特定化できないが、かれがいなければありえなかったであろうある事実と、その周辺の諸関係をとおして、闇のなかに埋められていた「ある人物」の思想とその影響について書いているのだ。このような不定称の思想史は文字なき社会や、歴史を書かなかった社会、歴史によって無視された人物のようなものを歴史のなかに呼びだすマイナーな歴史叙述の方法と言ってもよいのではないか?

2. 存在論的転覆

本書で使用される鋭角化の方法は、たんに不定称の思想史に限られない。単純社会と複雑社会のあいだで設定された「必然的」進化という歴史の図式を壊すために、本書はこの方法を多角度で使用する。簡単にその方法的構成要素をいくつか識別してみることもできる。

第一、鋭角化は増幅の方法を使用する。つまり鋭角化のために著者たちは小さくて聞こえなかったり記録されなかったりして見えなかったものをできるだけ増幅させる。隠れた痕跡や周辺情報が提供するものの音波をそれと混ざっているいくつかの音から分離して増幅させたり、それ自体だけでは曖昧なあるものを、似た類型のほかの事例と比較したりして識別可能な音へと「マスタリング」する。たとえばウクライナの「メガサイト」と呼ばれる紀元前四〇〇〇年ごろの遺跡は、巨大な円の形態で住居が配列されているが（三二九―三三五頁）、似た円形的配列を取って長期持続したバスク社会の事例と比較され（三三六―三三七頁）、巨大な規模の「平等主義的」共同体の音色をもつようにマスタリングされる。高位城塞区域に大沐浴場があり、汚染と浄化の程度で区別されるカーストがあるがゆえに「ヒエラルキー」があったことは明らかであるが、支配者の記念碑や王族の彫刻のような権力の痕跡がなく「顔なき文明」と呼ばれるモヘンジョダロの遺跡については、おおよそはあらゆる痕跡の解釈を簡単に吸収してしまう高位城塞区域から低位の市街区域を分離し、ヒエラルキーでは回収されない社会生活と労働の証拠を検討し増幅させる（三六一―三六四頁）。そしてこのような結果を、初期仏教のサンガ共同体やバリ島のスク・システムのようにヒエラルキーがあるとはいえ平等主義的であった共同体と比較し（三六五―三六七頁）、ヒエラルキーという「騒音」に隠された平等主義的な社会の可能性に息を吹きこむのだ。

波動の振幅を拡大して得られ、紙を響かせて構成されるスピーカーの増幅された音は、もともとの音とは異なるが「偽り」とは言わない。ある音をより鮮明にとらえるために、波動の振幅を選別しミキシングし、騒音を縮小させたり除去したりし、マスタリングをとおして特定の音域のボリュームと音色を調整して、聞きやすい音にすることは、一種の変調であることは明らかであるが、そのようにつくられた音は偽りではなく「真実」に属する。知られているように、わたしたちが聞く音楽はほとんどそのようにつくられたものだ。公演会場でマイクをとおして出てくる音ですら、すでにそのような変調を経たものだ。そのように構成された音や物語は、直接的な情報よりもさらに現実に近い真実、増幅された真実だ。それはそのままではよく聞こえないものを聞こえるようにするという点で、無いものを追加することではなく有るものの大きさを増幅させることだ。ランシエールが、聞こえないものを聞こえるようにし、見えないものを見えるようにすることを、「治安」と対比させて「政治」と定義したこと（ランシエール『不和あるいは了解なき了解』）を知るならば、このような増幅の方法は「政治」概念と相応する歴史化の方法であると言わなければならないだろう。その逆に、慎重な鈍角化の方法は「勝手にでしゃばるな」と、つまり与えられた場所から離脱するなと要求するものだという点で、歴史における治安に属するのではないかと問わなければならない。

第二、偏位化（declination）の方法。偏位化は描こうとする歴史／物語と関連し、既存の解釈や通念から抜けだす微分的なクリナメンに注目し、微分的な接線の連続性にしたがいながら、新しい離脱の角度をつくりだすものだ。テオティワカン遺跡に神殿が存在するという事実に留まらず、それが破壊された痕跡、人身御供が中断された痕跡に注目して増幅させ、これを「平等主義的」形態の集団住居地とつなげる（三八五―三九〇頁）ことをもって、その都市のよく知られた歴史から、その遺跡の意味を離脱させることや、ミノアのクレタ遺跡で発見された絵や貿易品目録から、既存の解釈にはなかった女性たちの中心性を読みとること（四九六―四九七頁）が、このような場合だろう。

第三、特異化（singularization）の方法。これは諸変数の普遍的関係を探そうとしたり、そこにあわせて諸事実を解釈する普遍化の方法（たとえばダイアモンドやその他の生態学的解釈、科学主義的解釈が使用する）と異なって、またそのような普遍性へと回収されない対象の固有性に注目する個別化の方法（人類学がしばしば使用する方法）とも異なって、ある社会や文化、遺跡の特異な側面に焦点を当て、反復可能な特異性へと研ぎなおすことだ。これをとおして「普遍性」とみなされる進化の軌跡を曲げたり途絶えさせて無化したりし、そのように曲げられたり途絶えさせられた点（特異点）の周辺において隣りあう別の特異点を探しだし、これをとおして歴史の新しい分岐線を描きだす。

たとえるなら季節によって権威的統制体制と反権威的平等主義を行き来する「季節的変異」という特異な現象に焦点を当て、それがナンビワラ族（一一一―一一三頁）やイヌイット（一一二―一一三頁）、大平原の先住民社会（一一二―一一四頁）など、とても異なる地域で繰りかえされたことに注目し、狩りのための不可避な統制と、それゆえそれが持続しないようにする自覚的な試みが一つの社会で共存することを、一回的事例ではないことを予示することがそれである。これは経験していないことを予感する神秘的能力のようなものを仮定せずとも「国家に抗する社会」を解明できる新しい資源として浮上する（一二四―一二五頁）。耕作の痕跡が確実であるが、仕事として開墾し耕作する「真摯な農耕」とは異なり、氾濫によって肥沃になった土地を選んで移動し、狩猟採集とともに遊戯的に耕作していた特異性を「氾濫農耕」（二六六頁）や「遊戯農耕」（二九六頁）と命名し、それが複数の地域で反復され、三〇〇〇年のあいだ持続された（二六四頁）という事実を増幅させ「農業革命」の通念だけでなく「農耕」自体の概念を解体することもそうである。これをもって耕作の発明による農耕社会へと移行という普遍的文明化の歴史が途絶える地帯があらわになる。その途絶えた地帯は、耕作をめぐる相異した歴史のさまざまな分岐点によって満たされることになる。

このような歴史的鋭角化をとおして、グレーバーとウェングロウは、フーコー式に言えば「同一者」と「他者」の支配的関係を取りかえる。しかしかれらが行うのは見えない「他者」たちの存在様相を見えるようにし、それらに西欧的「同一者」と同じだけの確実な地位を、「存在」という地位を付与することに留まらない。他者たちの文化や歴史、思考や想像力に「存在」の地位を付与することは、同一者によって抑圧されてきた他者性が存在できる場所を確保し、人類の未来を思考する解釈的地平を拡張することであるのは明らかだ。しかしそこに留まるのであれば「原住民の哲学」（デ・カストロ『食人の形而上学』）は、たとえ「存在論的転回」という壮大な平面の上に載せるとしても、ヨーロッパ人の哲学に劣らないもう一つの哲学以上にはなりえない。これはレヴィ＝ストロースが、西欧の「抽象的科学」と対比される「具体性の科学」が分類法の単一平面の上にあるもう一つの科学であることを主張した時、かれが既に行ったことでもある（『野生の思考』）。じっさいその時にもレヴィ＝ストロースは両者に対等な地位を与えることに留まらず、野生の思考に人間精神の普遍的構造の地位を与えようとしたという点で、存在様相の存在論的併存とは距離が離れていたことを、わたしたちは知っている。

本書の著者たちは、この転倒された普遍性の観念を受けいれない。だからといってなじみはないが魅力的な他者性の世界を追加し、相異した存在様相に同等な存在論的地位を返してやろうという考えとも遠い。本書は他者性と命名される人物や社会、文化を尖った鋭角的武器へと鍛えなおし、「人類の歴史」を構成する支配的な観念や普遍的「法則」と対面させ、それらのなかへと深く打ちつける。確固とした普遍的地位を確保していた、左右を問わず古くからの社会・歴史的観念に他者性の歴史が掘りはいっていき、とうとうあの同一者を浸水させる無数の亀裂をつくりだす。著者たちは同一者の攻勢から他者たちが存在できるよう防護壁を積みあげる守備者ではなく、いくつもの方向から呼びおこされた他者たちと手をつなぎ同一者の城を壊しにいく攻撃者のポジションに立っている。それゆえ、たとえば「存在論的転回」の人類学と対比するならば、本書が試みているのは「存在論的転覆」の人類学だ。さて、本書における他者たちの鋭角的歴史化をとおして壊されるものをもう少し検討してみれば、本書からわたしたちは人びとを一つの集団に統一する単一な統治権（archos）に対抗する白昼のアナキズムが、万物を統一する単一の原理（arche）をバラバラにしてみせる黎明のアナルケーイズムへと転化されていることを目撃することになるだろう。

3. 強制なき剰余と国家以前の国家

個人的な話が許されるならば、本書が展開する攻撃に、わたしもまた大きく傷つけられてしまったことを告白したい。わたしにとって本書は、実に当惑させられ、衝撃的なものだった。しかしそれは本書の著者たちが狙ったものとは別の理由ゆえであった。「自然状態」や「人類の幼年期」、「単純社会」に対する批判や、文明化された複雑社会への進化に対する批判は、じっさいわたしにとってそれほど驚くべきものではなかった。カンディアロンクをはじめとする先住民のヨーロッパ批判が啓蒙主義や自然権の思想の発生源であったという話はきわめて驚くべきものであったが、それは喜んで受けいれることのできる愉快な話であって、当惑させられるような困難な話では決してなかった。

わたしが本書に当惑させられたのは、西欧的偏見に対して強く批判し、階級と不平等、あるいは国家と権力の抑圧に対抗しようとする問題設定のなかで、思考の柱や理論的資源にしたものすらも、本書の各所に提示されている諸事実によって、もはや守りぬくことのできないものへと無力化されてしまうという事実ゆえであった。「歴史法則」のようなものは言うまでもないが、新しい種類の道具や耕作方法など、新しい技術の発明が剰余を生産できるようにし、そのような剰余の蓄積が冶金術や職人、行政管理のような専門家たちを可能にし、耕作による農地開墾と灌漑などが動きまわっていた人びとを定着させ、これは都市の発展につながるという考えは、ゴードン・チャイルド（Man Makes Himself）だけでなく、左派的な歴史観をもつ者であれば、ほとんどが当然な常識として受けいれていたものであろう。ところが階級や国家発生につながらない剰余の生産、遊戯的性格の農耕について、本書が伝えてくれる歴史は、このような常識はもちろん、剰余をめぐる解釈の発想法自体を根こそぎひっくりかえしてしまうものであった。階級と国家に対するマルクス主義的理論もまた同様である。

他方で、このような剰余と階級、国家に対する理論を批判しながら提示された諸概念もまた、本書をとおして大きく揺るがされた。たとえばマーシャル・サーリンズ（『石器時代の経済学』）やクラストル（『国家に抗する社会』）のように、原始社会こそ最初の豊かな社会であったと、近代的進化の観念自体を批判していた人びとは、食べていくために必要な剰余生産物はそれを生産するよう強制する特別な理由や条件がなければ苦労して生産する理由がないことを指摘していた。さらにドゥルーズ／ガタリは耕作が可能であるならば、すでに食べていくために必要な食糧を超過する別途の備蓄（stock）がなければならず、そのような備蓄は農村ではない都市からもたらされるものであることを指摘する（『千のプラトー』）。備蓄を提供した対価として剰余生産物を捕獲する「原国家（Urstaat）」がすでに存在するということだ。しかし本書で提示されるさまざまな姿の「遊戯農耕」は、剰余と備蓄、捕獲や搾取に対するこのような考えを一挙に打ちたおす。苦労せずに農業をする耕作があり、剰余の強制のない耕作があるということだ。そのようにして生産された剰余がただちに階級や搾取につながるわけでもないのだ。さらには季節的に狩猟と農耕を行き来し、権威的体制と平等主義的体制を循環する「季節的変換体制」は、なんと一つの社会ですら相異した体制を行き来し持続する場合が広く存在したということを示している。これをもって自給経済と搾取経済、狩猟・採取社会と農耕社会、自然経済と文明、平等主義的体制と権威的体制で二分化された文明史は、曖昧模糊とした「中間地帯」のなかへまきこまれていく。

国家と非国家を分かつ境界線も同様だ。本書は、国家装置という概念自体が、なにか権力や権威的体制が存在することを狙って使用される瞬間、それが近代国家に過度に依拠しているという事実によって、過度な意味を付与しているのではないかと問う。マルクス主義的な階級国家（エンゲルス『家族、私有財産および国家の起源』）のみならず「捕獲装置としての国家」（『千のプラトー』）やジェームズ・スコットの「穀物国家」（『反穀物の人類史』）もまた、このような問いから自由ではない。このような難点を解決するために、グレーバー／ウェングロウは、国家という概念を、それに含蓄された核心的な三つの要素に分解する。暴力に対する統制権としての主権、情報に対する統制と結びついた官僚制、カリスマ的権威のための競争的政治がそれである。この三つの要素が結合する様相によって、異なる類型の「国家」が構成されるというのだ（四一六－四一八頁）。このうちどれか一つの要素だけがある場合を「第一次レジーム」、二つの要素が結びついた場合を「第二次レジーム」という。

ところがナチェズのように王が存在し、その王が自分の近隣（「大村落」）については生死与奪を含む恣意的暴力（主権）を行使するが、そこから少し遠ざかりさえすればその権力は無効化され、だれも王の命令を実行しようとしない場合（四四八頁、四五二頁）、これを国家と言うことができるのかと問う。ウバイド期の都市やアンデスのアイリュのように官僚的書庫や記録が存在するが、これを「平等主義的」同等化のために使用した場合（四八一―四八二頁）も、オルメカのように指導者がいるが祭儀的性格をもつ球技の競争的政治だけがある場合（四三七―四三八頁）も同様だ。第二次レジームでもマヤのように主権と英雄政治が結びついた場合（四七二頁）は、国家社会と言うには困難であろう。

けっきょく著者たちの論旨を整理すれば、祭儀や国家的要求と結びついた農耕をとおして「真摯な農耕」が出現し、これが例外的な暴力の主権と官僚的行政政治をもつ（四七四―四七五頁）第二次レジームと結びつく時、わたしたちが知っている国家という概念を使用するに足りるということに要約できるであろう。三つの要素のうち一つだけが存在する場合、あるいはマヤのように英雄政治と主権が結びついた場合は、国家と言うに十分ではない国家、「国家以前の国家」と言わなければならないだろう。ニーチェが提案し、ドゥルーズ／ガタリが積極的に受容した「原国家（Urstaat）」概念を、このような「国家以前の国家」として再定義すればどうだろうか？これは国家社会へ一歩踏みだしているが、わずか一歩にすぎない国家という意味で「初歩」国家、あるいは片足でぴょんぴょん跳ねていくので少しの抵抗や障害だけで倒れる不安定な国家という意味で「けんけん国家」と言ってもよいだろう。ここで国家なき社会と国家社会のあいだに国家があるともないとも言いがたい、曖昧な中間地帯があらわになる。国家の芽になるさまざまな「原国家」が、あるいは国家化の相異なるさまざまなポテンシャルが、多様な様相で実存する中間地帯が。

4. アナキズム、アナルケーイズム

このように本書は技術と発明の文明史、剰余と搾取の経済史、権力と国家の政治史を方向づける二つの対立概念のあいだに存在する黎明の中間地帯をさまざまな様相であらわにする。その中間地帯とは、二つの極端の平均ではなく二つの極端の境界が消される浸水と氾濫の地帯であり、「中庸」という言葉で表象される調和と平穏の地帯ではなく相異なる方向の風が吹いてくる荒野であり、確固たる線にしたがって上向する進化の中間ではなくあらゆる方向に向かった線が出会い別れる分岐点であ

る。事物であれ歴史であれ中間で捉えることは簡単ではない。しかしその曖昧な中間で知覚し考えはじめる時、わたしたちは以前には考えられなかったものを考えるようになるだろう。社会も歴史も生も運動も、以前には行かなかった道にそって毎回、毎地点で新しくはじめることになるだろう。ニーチェであれば永遠回帰と命名したであろう、「もう一度！」のサイコロ投げに飽きることなく、習慣的な常套さに依拠しもせず、続けることができるだろう。

本書は、至高の地位を占めるアルケーに依拠して書かれた格好よくて鮮明な歴史的風景画のあちこちに切れ目を入れ、そのキャンバスの後に隠されたものを、外部の風を歴史の場のなかへと吹きこませる。中間地帯とは、その外部の風によってアルケーが飛んでいってしまったさまざまな空席である。歴史を支配する単一なアルケーが、社会を支配する単一なアルケーが、後戻りできないほど浸水された肥沃な氾濫地である。一つの統治権に行動を帰属させ、一つの原理に万物を帰属させようとするアルケーイズムが崩壊する多様性の湿地である。逆から言えば、このような中間地帯をとおしてあらわれるのは、政治と歴史におけるアルケーイズムの不可能性だ。本書はそのような不可能性をとおして、「あらゆるもの」を強力なアルケーの鎖から解放させる。これをもって一つのアルケーへ回収されえない社会・歴史的多様体が、薄暗い「黎明」のなかで顔をあらわす。アルコスを否定するアナキズムの政治学は、アルケーなき歴史、アルケーから抜けでた思考のアナルケーイズムになる。

しかしこのアナルケーイズムは、いかなるアルケーも「ない」と主張すれば十分だと信じる手軽な否定の思考ではなく、どこであれ一つに収斂されない多様な「アルケー」によって満ちていることを見る、細やかな肯定の思考である。新しいアルケーを創案し、実験しようとする想像的思惟だ。無数の諸「アルケー」が出会い、交差し、時には衝突し、時には共存することを見るマルチアルケーイズムである。かくも多いアルケーが入りまじる時、アルケーはもはやアルケーであることを終える。アナーキーは無秩序ではなく無数の秩序の共存と競合であり、無政府ではなく自己‐統治する無数の「政府」が織りなす、その時ごとに変わる諸「政府」である。マルチアルケーとしてのアナルケーは、あっさりと描かれた凍りついたコスモスではなく、混沌させられるほど多様な形象へと変わるわくわくするカオスモスなのだ。

（哲学）

出来事への想像力を奪回するために

『万物の黎明』と（反）革命の社会理論

山下雄大

革命とは人類の共有財産である。時代や場所を問わず、誰にとってもその伝統に連なる道が開かれている一方で、誰であっても「正統」な遺産相続人であることを主張できない。フランス革命の一七八九年、ヨーロッパ各地に広がる二月革命の一八四八年、パリ・コミューンの一八七一年、ロシア革命の一九一七年、そしてフランスの五月を頂点とする一九六八年……。それぞれの出来事に付された年号が惹起する集合的記憶が、現代を生きる人々の道標となって久しい。しかし、革命の「起源」を近代という時代区分のなかに、つまりはせいぜい二五〇年に収まる範囲に限定することもまた、ひとつの「神話」に由来する固定観念なのではないか。『万物の黎明』の読後に残されたこうした疑問は、わたしたちの想像力を悠久の彼方まで押し拡げる点でもっともラディカルな学問領域と言いうる人類学と考古学の泰斗たちからの贈与（ギフト）として、しかと受け取るべき課題となる。本稿は革命史研究の側から、さらには思想史研究の側からのささやかな返礼の試みである。

I

結論に相当する第一二章で、著者たちは本書の出発点を「不平等の起源を問うことは、必然的に神話づくりに帰着するという見解」[1]と要約する。ホッブズの有名なテーゼである「万人の万人に対する戦争」としての自然状態のみならず、ルソーが『人間不平等起源論』

で展開した「孤独」と「分散」に特徴づけられる自然状態にも抗いながら論を進める著者たちが、本書の仮想敵として設定しているのは今日の思考様式を拘束する「社会理論（ソーシャル・セオリー）」である。注目すべきは、こうした理論が「啓蒙主義の革命家たち」への反作用のなかで筆を運んだ「反動思想家たち」、言い換えれば「保守主義的思想家たち」の嫡子と名指されている点である。ここで名前を挙げられている人物がボナール、ド・メーストル、バークであることを踏まえるならば、思想史的観点からすれば「反革命」の思想家たちと定式化するのもけっして無理筋ではないだろう。[2] 要するに、われわれが普段から親しんでいる社会理論は反革命の産物だというわけである。

唐突にも思える著者たちの議論を補足するかたちで、啓蒙主義とりわけルソーとフランス革命の師弟関係を自明視する傾向もまた、ロベスピエール処刑後に権力を掌握した反動勢力であるテルミドール派以来の「神話」であることを指摘しておきたい。[3] さらに言えば、反革命の思考様式が一九世紀に隆盛を誇った自由主義（リベラリズム）に合流していく過程も見逃してはならない。本書でも「社会進化論」の典型として槍玉に上げられているテュルゴーから、革命は必然的に全体主義的支配へと到達せざるをえないとする通俗的解釈まではそれほど離れていないことは容易に理解されるはずである。革命家たちのルソー読解についての研究はすでに数多く積み重なっており、場合によっては『人間不平等起源論』が批判的考察の対象とされていた事実はもはや動かしようがない。そこから目を逸らしたままで、紋切り型の記述がリアルタイムで再生産されている事例に欠くことのない現状は、われわれの革命観を無意識のうちに規定する自由主義的進歩史観がいかに根強いかを証し立てている。[4]

孫引きに次ぐ孫引きの果てに、その出どころが引用者にも不明となっていると言わざるをえないクリシェがなぜ通用するのだろうか。この観点からすれば、本書がたびたび呈する「思想史家たち」に対する疑義は真摯に受け止めるべきだろう。本書の前半と後半を繋ぐ蝶番となっている、フランスの貧乏貴族ラオンタンと五大湖地域に暮らすウェンダット連邦の並外れた「知識人」たるカンディアロンクとの対話から確認してみよう。それぞれがヨーロッパの入植者と北アメリカ先住民の立場を代表するかたちで実現した両者の知的交流は、後者による前者の文明批判によってヨーロッパに大きな影響を及ぼしたとされるが、このことは一八世紀初頭に刊行されたラオンタンの回想録の売れ行きに照らせばほとんど確実である。問題は、同時代人たちがその事実を認めているにもかかわらず、後世の人々がどうしてそれを真に受けることができないのかという点に尽きる。テクストを虚心坦懐に読むという愚直な姿勢すら軽視されがちな現代において、これは大いに注目すべき議論であろう。著者たちによれば、思想史家たちの間違いはそれぞれの時代を画する思想をあたかも特定の偉大な書き手の名前のもとに一括する手法が可能かのように振る舞うことにある。つまり、「知の歴史（インテレクチュアル・ヒストリー）とは、偉大な書物を書いたり偉大な思想を抱いたりしている個人によっておおよそ生みだされるものである」と想定し、書物の体をなすまでの辛抱強い作業は書き手とわずかな友人たちのあいだでの「内輪」のやりとりだけで完結すると結論づけるというわけだ。[5] こうして出版に先行する公共空間での無名の人物たちによる議論の蓄積、思想史の用語を当てれば「コンテクスト」が見落とされていく。カフェやサロンを舞台とする対話が啓蒙の時代を彩ったことはすでに通説となっているとすれば、なぜ先住民をその「客人」のリストから排除してしまうのか。「偉大な書き手」のひとりであるルソーと彼が提示した不平等の問題を検討する本書の著者たちの問題意識は、こうした傾向への異議申し立てから出発しており、かなりの程度まで首肯しうるものである。

それではいかなる理由によって、思想史の単線的記述は西洋外部での知的交流という事実を脇に避けてしまうのか。著者たちは発見のための「単純化」が行われるからだと主張する。ルソー的な「起源」の問いそれ自体に、あらかじめ準備された発展段階のストーリーに沿って題材を配置する神話づくりに向けた意志がすでに潜んでいる。本書が指摘するもうひとつの重要な要素は、先住民との対話が啓蒙主義者たちに与えた影響を覆い隠す「バックラッシュ」に見られる「進化」への信仰である。進歩や文明も含めたこうした社会理論の基本概念は、ヨーロッパの優越性を主張するためのものであり、先住民が突きつける後進性を眼前にした反動から生じていることを忘却してはならない。著者たち曰く、「社会理論とは、議論をつくるために、事象が単一の次元だけで存立しているかのように装う、いわば「ごっこ遊び」のようなものである」。[6] こうした手痛い批判は甘受される必要がある。

ルソーに対する本書の評価があまりに厳しく、他方で既存の膨大な研究史にそれほど手を伸ばした形跡が見られない点に不安を覚えた読者もいるだろう。かく言う本稿の筆者もそのひとりであることを率直に告白したい。しかるに、著者たちが批判しているのはルソー自身というよりもむしろ、「愚かな未開人の神話」という負の遺産の相続人たち、すなわち彼の思想を安易にあれこれと結びつける後世の「社会理論家たち」だと仮定すれば、本書の筆致は受け入れがたいものではないはずである。この視座は、フランス革命に端を発すると考えられている右翼と左翼の二項対立を論じた箇所を理解する上でも肝要となる。[7]周知の通り、右翼の起源である保守主義者はほとんどあらゆる論点をルソーあるいはその後継である左翼と結びつけ、ギロチンに象徴される恐怖政治の責任を彼に負わせる範例を創出した。本書の七七頁に引用されているバリュエル神父はフリーメイソンの陰謀論を唱えたことで知られる筋金入りの人物であるが、陰謀の主体の位置に誰を代入するかに応じてさまざまな攻撃対象のヴァリエーションが生まれるのが革命をめぐる言説の特徴であることを示す好例である。[8]前代未聞の出来事が生じるには誰かの手引きが秘密裏で進行していなければ説明がつかないとする発想は、コロナ禍を経験した今となっては既視感があるはずだ。こうした立場からすれば、攻撃対象となる革命家たちが実際にルソーを読んでいたか否かはさほど問題とはならない。著者たちが言うように、陰謀論を理解するための要点は「ルソーの思想が左翼の革命活動を鼓舞したと右翼がみていた」[9]ところに存するからである。言うなれば門外漢である著者たちによるいくぶん都合の悪い見識を前にして、思想史研究はイデオロギー不在という装いのイデオロギーを直視する義務に迫られている。

II

フランス革命を母胎とする陰謀論が、理解の範疇を超えた出来事に対して何らかの「合理的」な説明をつけようとする人類の「神話」的な欲望を示しているのだとすれば、出来事を「科学」の名においてモデル化するという「客観的」な試みもまた、それと親和性が高いと言ってしかるべきだろう。著者たちはこれを「「社会科学」の神話的下部構造」と呼ぶ。[10]反革命と社会理論の相性の良さを示唆する本書の議論には多少なりとも驚きが予想されるとはいえ、思想史の視点に立てば腑に落ちるものである。そもそも、出来事は神話と科学の道具箱を駆使して理解可能なのだろうか。できない、というのが著者たちの結論である。この点で、科学者であることを自負する人々による研究対象の設定にまつわる問題について言及した以下の一節は興味深い。「歴史上の出来事は予測不可能なものだから、実際に予測できる現象、つまり、ほぼおなじようにくり返し起こりつづける現象を研究するほうが科学的にみえた」[11]。科学的説明にそぐわない領域は神話の助けに訴える。社会を論じる場合にも、両者の共犯関係に基づいた役割分担が遂行されているということである。

長期に渡る水面下での胎動を経て突如として到来する出来事を馴致しようとする構想が社会理論と呼ばれるならば、飼い慣らしの対象には革命も含まれると言ってよい。著者のひとりであるグレーバーが民主主義(デモクラシー)を論じる場合に絶えずその根拠の乏しさを告発し続けた、「西洋的伝統」の枠内に革命を閉じこめようとする傾向がそれである。仮に革命の語義を求めてギリシア・ローマといった西洋の原点たる古典古代に立ち返った場合、確認されるのは天体運行のアナロジーのもとで始点と終点を同一の地点に定める、本書の表現を借りれば「政体変革(コンスティテューショナル・チェンジ)」の無限円環である。政治哲学の立場から革命を論じたアーレントは、「合法則性」に囚われていたこの政治的現象が近代的な意味での「不可抗力性」へと変貌する契機として、一八世紀末の二つの革命、すなわちアメリカ独立革命とフランス革命を取り上げる。彼女によれば、近代的な革命概念は「歴史過程は突然新しくはじまるものであり、以前には全然知られていなかったか、語られることのなかったまったく新しい歴史が展開しようとしているという観念」[12]によって際立つ。幸か不幸か、人類が無限円環による拘束を破壊し、登場人物たちには制御不能なまま革命がその軌道から野放図に逸れていく「はじまり」までには、「西洋的伝統」の成熟を待たねばならないという主張である。このような出来事の時間性は、本書も伝えるエリアーデの「循環的時間」のイメージとも少なからず符号する。これに対して、『万物の黎明』が出来事を把握するために要請する時間性は、第一章の開幕を飾るユングからの抜粋に登場する「基本的な原理と象徴の転換の時期」としてのギリシア語のカイロスである。著者たちは終幕に際してこの概念を再び召喚し、それを「ある社会の歴史のなかで、参照する枠組みが変化し、それゆえ真の変化が可能になるとき」として、それゆえに「〈出来事〉の生じやすい時代」というように定義を試みる。[13]ここでひとつの疑問が浮かぶ。再びエリアーデの言葉を借りれば「直線的時間」とも言える時期は、少なくとも革命に限れば「西洋的伝統」についてのみ当てはまるのだろうか。これは人類の歴史を扱う『万物の黎明』の読者にとって面目躍如たる問題設定となる。なぜならそれは、本稿の冒頭で提起したように、アーレントも踏襲しているわれわれの標準的な革命理解を転覆するポテンシャルを孕んでいるからである。

本書の主張は、「政体変革」自体はヨーロッパに留まらず全世界的な現象であり、文明の程度に依存しないというものだ。一例として、第九章に登場するテオティワカンの「ある種の革命」を見てみよう。この都市では差し当たって権威主義的な支配が行われていたが、ある時期を境としてより平等主義的な方針へと転換する逆行が生じた。本書の表現では「政治的な都市革命」の勃発である。大切なのは、こうした変革が当事者たちによって自覚的に実践されていたということだ。予測できない出来事に翻弄される哀れな未開人という固定観念に亀裂を入れるのは、そこでの「対話」の存在だろう。著者たちは「人間が完全に自己意識をもつのは、たがいに議論を交わし、意見をぶつけ合い、共通の問題を解決しようとするとき」[14]だと想定している。プラトンに代表されるように、「西洋的伝統」における哲学はこうした対話を重んじていたが、近代に合理的かつ自己意識を有した個人を前提とするに及んでその発想は遠ざかっていった。奇妙にも、啓蒙主義とその落とし子である二つの革命を経た結果として、自らの願望に沿って理想的な社会秩序を思い描きそれを実現する政治的自己意識は近代以前には不在だったという結論に人々は到達したのである。先に言及したカンディアロンクの例からも明らかなように、著者たちにとってこうした転向は、先住民との知的交流の末に生じた思考革命のバックラッシュにほかならない。『万物の黎明』が参照する都市革命の事例は、自覚的に出来事を待ち構える「予見的政治（ヴィジョナリー・ポリティクス）」が存在していたことを教えてくれるのである。つまり、近代を待つまでもなく、人類はすでにカイロスの時間性を生きていたのではないか。かような主張は、「西洋的伝統」の負荷に縛られた革命観に再考を迫るものだろう。

本書のキーワードのひとつが「自己統治（セルフ・ガバナンス）」であることもまた、見落としてはならない。思想史の伝統において古典古代の紆余曲折から引き出される教訓とは、民衆（デモス）の政治参加を意味する直接民主主義は限られた領土と人口といった条件のもとでしか実現せず、近代国家にそれを移植するのはなおさら困難だというものであった。民主主義のアイコンとして通用しているフランス革命であっても、この言葉が肯定的な響きを持つまでには出来事の到来から数年を要したのであり、それも実現不可能な「純粋民主政」ではなく代議制統治を媒介とした共和政との融合を旨とするという但し書きを添えてようやく認められたにすぎない[15]。ところが、共同体のスケールと自己統治の困難の度合いが比例するという「常識」に本書の著者たちは敢然と異を唱えていく。言い換えれば、「たがいに対等に接しながら民主主義的に意思決定することは、比較的少人数の集団であれば比較的容易であること、人数が増えれば増えるほど困難になること」[16]という一見すると妥当な見解が問いに付されるのである。人類が集住を始めて都市が形成されると、それを治める集権的権力が不可避的に要請され、結果として統治者と被統治者の分割が生じる。これがホッブズ的な自然状態の帰結とも通じるような、読者が親しんできた国家誕生までの物語である。他方で、民主政的自己統治の証拠は王による支配と同様に数多く発見されており、前述のような物語の前提にも反論の余地がある。実際に多くの都市は民衆合議体を設置しており、本来の意味での民主主義的な合意形成過程を介して都市を運営しようとする意向を有していたことがわかる。そうだとすれば、貴族政や君主政の存在を想起させる国家はむしろ、民主政に対する「反作用」として理解するべきではないか、著者たちはそう問題提起する。[17]ここでもまた、「近代科学」と呼ばれるものと国家の観念の誕生が同時代的である事実に注意を向ける必要が生じる。[18]つまり、平等主義的都市と国家のあいだの階層秩序は事後的に成立したものであり、前者から後者への「進歩」はけっして自明ではないのだ。[19]スケールの小さい共同体は構成員相互の摩擦が表面化しやすいが、拡大すればそれだけ敵対性がぼやけていくのだから、むしろ支配と服従の関係なしでもうまく回していけるのではないか。現実の手触りを無視しない著者たちのこうした論調はいつも魅力的に映るが、カイロスとしての革命の時間性についても同様に、常識的だと承知されているわれわれの認識がいかに座りの悪いものかと目を開かせてくれるのである。

III

著者のひとりであるグレーバーにとって、研究者としては駆け出しの時期にフィールドワークで訪れたマダガスカルに彼の言うところの「革命」の原風景があったことは無視できない。初期の著作であり、日本における彼の仕事の紹介に大きな貢献を果たした『アナーキスト人類学のための断章』では、当時が次のように述懐されている。「もしも革命が、抑圧的だと見なされた何らかの権力形態に抵抗し、この権力の鍵となる何らかの側面について根本的に異議を申し立てるべきものの源泉であると見なす人々にとって、そして日常生活からこの類の権力を完全に取り除くべく、自らの抑圧者たちを厄介払いしようとする人々にとっての問題だとするならば、ある意味ではここで起こったことが本当に革命であったのを否定するのは難しい。現勢的な蜂起こそ伴いはしなかったにせよ、それでもこれは革命だったのだ」。[20]グレーバーが滞在していた地域では、財政危機の余波で中央政府の機能が実質的に停止していた。一般的な見解からすれば政府の不在は無秩序(アナーキー)に陥ることが予想されるが、彼が目にした光景はそれとは異なっていた。住民たちはあたかも「何も変わっていないように装い、公式の国家の代表者たちが威厳を保つのを認めながら、ときには役所を訪問し書類を埋めさえしながらも、他の場面では彼らを無視する」[21]かのような振る舞いにより、事実上の自治を実践していたのである。大切なのは、こうした状況が劇的な変化を被って一夜にして生じたのではなく、かつての植民地支配の過酷な経験に根差した集合的記憶によって創出された自律的空間の出現を意味しており、この空間は権力（パワー）による支配や暴力の発露を妨げるべく整えられているということだ。モースやクラストルといった人類学の先達がそれぞれのフィールドで発見したような抵抗のありかたを、グレーバーは「対抗権力（カウンターパワー）」と呼んでいる。こうした現象は、怒りに打ち震えた民衆による武装蜂起が発生しない場合であっても着々と進行しているというわけである。

　表面上は凪の状態に見えながらも、出来事としての世界規模の革命はすでに始まっているのではないか。こうした想定に基づいて、革命を黙示録的な断絶と見なす向きに異を唱える初期の姿勢は、ウェングロウとの共著の『万物の黎明』にも反映されているようである。『アナーキスト人類学のための断章』においてすでに記されているように、アメリカ独立革命や大文字の革命として通用しているフランス革命といった一定のスパンに境界画定される政治的現象を出来事の継起によって通時的に書き記す、「事象（シング）」としての革命史が彼の眼目ではないことは明らかだ。むしろ、「何らかの権力あるいは支配形態を拒絶し、ゆえにそれに対峙することで、この見地から社会的関係を――集団性の内側までも――再構成するあらゆる集団的活動」[22]を追跡するという人類学的方法が自身の経験から導き出される。決定的な断絶を強調するのではなく、長期的な変動のうねりに目を凝らすこと、それが政府の転覆や国家の奪取を必ずしも要請しないグレーバーの革命観となっている。

　前述のような社会運動、あるいは「政体変革」という意味に限定されない革命が西洋とは別の社会でもそこかしこに目撃されたとすれば、われわれの参照先の幅はいっそう広がっていく。グレーバーにとってのひとつのモデルは、同時代の特筆すべき事例であり、メソアメリカ社会における自己統治の実践という集合的記憶の後継者たるメキシコのサパティスタである。『万物の黎明』にもその名前が登場する彼らに対する共感がグレーバーの全仕事を貫く通奏低音をなしていることに疑いの余地はない。二〇一四年にフランス語版が刊行された『民主主義の非西洋起源について』では、その取り組みを「革命が国家という強制的装置を掌握するのを前提とするという考えを放棄し、自律的な共同体の自己組織化によって民主主義を再建するという計画に置き換える」[23]ことだと論じている。もはや古典となった前衛主導の革命理論に傾倒するのではなく、さらに歴史をさかのぼって先住民の伝統を掘り起こすことにより、サパティスタは「革命戦略自体の革命」を実行しようとしているのである。[24]

　現代革命の動向を参照すれば、民衆の自己統治の理想、すなわち民主主義を国家という強制的装置と接合しようとする試みが失敗に終わらざるをえないという事実に直面してしまい、今日の常識はまた揺り動かされる。[25]グレーバーは民主主義の歴史を記述する場合の二つの方法を区別するが、そのうちのひとつは古典古代のギリシアに始まる「民主主義」という言葉の歴史を記述することであって、われわれにとっても馴染み深い思想史的アプローチである。もうひとつはアテネでは「民主的」と称されており、これまで世界各地で実験されてきた平等主義的な意思決定過程の歴史を記述することであって、こちらが著者の立場に近いことは明らかだ。[26]前者の立場からすれば、民主主義という言葉は近代のある時点までは喧騒に満ちた貧者による支配を意味してきたのだから、どうしても否定的な論調にならざるをえない。これに対して後者は、あらかじめ設定された結論へと向かう一般的な意味での「コンセンサス」ではなく、水平的構造に基づいた妥協と総合の技法によって織りなされる即興の空間を詳細に検討するものである。多数決に依拠しないこの技法は無軌道ともなりうるからこそ、グレーバーが同列に並べるマディソンやシィエス、コンスタンといった自由主義者は公共的な討議によって意思決定を行うことに対する不信を手放しはしなかったのである。そう、ランシエールたちの指摘を待つまでもなく、自由主義は民衆の無定見（と彼らには思えるもの）を憎悪してきたのだった。自由民主主義（リベラル・デモクラシー）の語義矛盾はよく知られているが、こうした対立から理解するのが適切だろう。フランス革命のシンボルであるロベスピエールが最終的に民主政と共和政を等号で結ぶ挑戦に乗り出すことを決意した一方で、彼に先立つアメリカ建国の父たちは一貫して民主主義という言葉に対して警戒を緩めなかった。グレーバーがこの問題を論じる際にたびたび批判的に言及するアメリカ独立革命の記念碑的著作である『フェデラリスト』の主眼は、「政体変革」の無限円環を阻止するべくローマで考案された混合政体としての共和政を実現することにあったのだから、彼らを民主主義の祖と想定するのは用語上の混乱を招くことになる。民主主義と国家の両立不可能性を掲げるグレーバーの見解は一見すると奇異に映るかもしれないが、最新の研究成果に照らせばけっして突飛なものではない。[27]彼にとって、民主主義は国家における統治形態のひとつではなく、むしろ自己統治を実現するための「実践」のプロセスだと位置づけられているのである。

このような前提に立つとすれば、社会理論を反革命から解放せんとする彼のような知識人にとって、どのような自己規定がふさわしいのだろうか。『アナーキスト人類学のための断章』では、社会理論を変革するためのマニフェストとして、「別の世界は可能だ」という前提から出発すること、そして「絶対的な知識に到達不能であるというまさにこの事実が、楽観論に乗り出すことを道徳的要請とする」と認めることが掲げられている。[28]かくして変貌を遂げる社会理論は、人間本性に対するシニカルな立場や人類の未来へのペシミズムとは無縁なものとなるだろう。革命の不可能性を前提とする社会理論こそが、アクティヴィストの顔も有していたグレーバーがその生涯を通じて闘ってきた相手であった。[29]この点で、彼にとっての「知識人」の肖像は示唆に富む。アナキズムに範を得たそのイメージは、マルクス主義の長年にわたる桎梏となっていた大衆の指導を旨とする前衛主義とは無縁である。彼が唱える「非前衛的・革命的知識人」の役割は次の一節に要約される。「実現可能なオルタナティヴを創造している人々を眼差し、彼らが（すでに）実行していることのより大きな含意とは何でありうるかを理解しようと試み、そしてこうしたアイデアを処方箋としてではなく寄付として、可能性として——つまりは贈与として返礼すること」。[30]人類学者の信仰告白とも言いうるこうした定義のおかげで、彼にとっての理論と実践の両輪が一体となって駆動していたことが理解されるだろう。

権力奪取を志向せず、民主主義に基づいた自己組織化を目指すという革命の定義は、いささかナイーヴに響くかもしれない。実際に、彼はとりわけ二〇世紀の人類が囚われ続けた革命の戦略をめぐる喧々囂々、例の「主体」や「組織」を云々する気の遠くなるような議論からはっきりと距離をとっているようにも見える。楽観的、この言葉にどのような意味を含ませるにせよ、そう捉えても間違いではないだろう。少なくとも著作の次元では、グレーバーは自律や相互扶助といったアナキスト的原理を可能にするために肯定すべき、あるがままの人間本性に対する信頼をけっして捨て去りはしなかった。このことは、自らの苦痛とその周囲への再生産のみで世界を展望しようとする古典的な「自己犠牲的革命家」の肖像への疑義からも明白だ。[31]闘争の現場での衝突や軋轢は想像の域を出ないためここでは触れないが、最期まで彼がシニシズムにまどろむことを拒絶した事実は銘記しておくべきである。

＊

『万物の黎明』を手に取った今となっては、フランス革命から今日までを長期的スパンとして、つまりは「〈出来事〉の生じやすい」カイロスの時代として把握することもまた、およそ二〇万年の規模を誇る人類史のスケールからすれば現実的だというようにも思えてくる。本書の冒頭で著者たちが「集合的自己創造のプロジェクト」の項目として述べていたことをいま一度思い出してみよう。「人間を、その発端から、想像力に富み、知的で、遊び心のある生き物として扱ってみたらどうだろうか？　そのような生き物として理解するに値すると考えてみたらどうだろう？　人類が平等な牧歌的状態からいかにして転落したかを語るのではなく、なぜみずからを再創造する可能性を想像することさえできないほど、がんじがらめに思考の束縛に囚われてしまったのか？　このように、問いを立ててみたらどうだろうか」[32]。著者たちが教えてくれたように、人類がつねに社会組織のありうべき形態を探し求めていた事実を発見することで人間の自己創造の能力が浮き彫りになるのだとすれば、現在の世界にもそこかしこに芽吹いている想像力の実践に目を向けることが肝要なのだろう。この営為に、楽観的も悲観的もない。

『万物の黎明』の呼びかけに応答するかたちで、次のように本稿を結ぼう。革命は絶えずわたしたちとともにあり、不可能性をすり抜けながら到来の時機を待ち構えている。出来事への想像力に向けられる肯定的な眼差しこそが、グレーバーの死をもって未完のまま遺されている革命の社会理論の役割となるはずである。

注

1　デヴィッド・グレーバー、デヴィッド・ウェングロウ『万物の黎明』、酒井隆史訳、光文社、二〇二三年、五六〇頁。英語原文の確認に当たっては以下の原著を参照した。David Graeber and David Wengrow, *The dawn of everything. A new history of humanity*, New York, Picador, 2021. 本稿での『万物の黎明』からの引用は前掲の邦訳に依拠するが、それ以外のグレーバーの著作からの引用は新たに訳出したため、読者の便宜を図って括弧内に指示した既訳の対応箇所と一致していないことを先に申し添えておく。

2　同前、五六　—五六二頁。

3　二百年以上に及ぶロベスピエール解釈の歴史、すなわち「神話」の生成過程を追跡した一線級の革命史家たちによる以下の大著もまた、『万物の黎明』と並ぶ「神話」解体のための特筆すべき試みである。Marc Belissa et Yannick Bosc, *Robespierre. La fabrication d'un mythe*, Paris, Ellipses, 2013.

4　狂信的なルソー信者と定式化されてきたロベスピエールに近いジャコバン派と称されるグループにあっても、『人間不平等起源論』で展開された人間の本性的社会性の否定は乗り越えるべき対象であると考えられていた。『万物の黎明』の著者たちはこの問題をどうにか回避しているため批判の対象には当たらないが、フランス革命を一括して「ルソーの弟子たち」の所業と捉える傾向は多くの点で史実に反することは改めて確認しておくべきであろう。ともに公安委員会のメンバーとして活動したビヨ=ヴァレンヌとサン=ジュストについては以下の拙稿で論じた。山下雄大「本性的社会性の肯定から政府批判へ」、松浦義弘、山﨑耕一編『東アジアから見たフランス革命』、風間書房、二〇二一年、五七―八三頁。

5　前掲『万物の黎明』、三四頁。

6　同前、二六頁。

7　余談として、近年では「右翼」と「左翼」といった用語の起源をめぐる「神話」の再検討を目論む動きが存在することを紹介しておきたい。Marcel Gauchet, *La droite et la gauche. Histoire et destin*, Paris, Gallimard, 2021. 同書の著者である政治哲学者のマルセル・ゴーシェは優れた革命史研究を残した人物だが、自由主義研究の拠点としてコンスタンを再評価する流れに棹差した経歴からも示唆されるように、先に述べた「自由主義的進歩史観」の継承者である。

8　革命当初から啓蒙の哲学者たちの責任を糾弾し、後にその読者やフリーメイソンまでも陰謀の主体として定立することになる彼の議論に付き添うにはそれなりの根気が必要だが、詳細を知るには以下を参照。ジャック・ゴデショ『反革命』、平山栄一訳、みすず書房、一九八六年、三七―四五頁。

9　前掲『万物の黎明』、七九頁（強調は引用者）。

10　同前、五九二頁。

11　同前、五六三頁。

12　ハンナ・アレント『革命について』、志水速雄訳、ちくま学芸文庫、一九九五年、三八頁。

13　前掲『万物の黎明』、五九一頁。

14　同前、一〇六頁。

15　この問題を論じた例として、以下を参照。Pierre Rosanvallon, *La démocratie inachevée. Histoire de la souveraineté du peuple en France* [2000], Paris, Gallimard, coll. « Folio histoire », 2003.

16　前掲『万物の黎明』、三一六頁。

17　同前、三五四頁。

18　同前、四八七頁。

19　その理論の枠内で女性が軽視されている点などいくつかの異議を申し立てているにせよ、グレーバーは名実ともに彼の先駆者であったクラストルによる「国家に抗する社会」の発想をしっかりと受け継いでいる。さらに言えば、『万物の黎明』はクラストルがその熱心な読者であったラ・ボエシの『自発的隷従論』に登場する「みなでひとつの存在」の所在を、人類史のさまざまな実例のなかに発見していると敷衍してもよいだろう。クラストルのラ・ボエシ論として、以下を参照。ピエール・クラストル「自由、災難、名づけえぬ存在」、エティエンヌ・ド・

ラ・ボエシ『自発的隷従論』、西谷修監修、山上浩嗣訳、ちくま学芸文庫、二〇一三年、一九一―二二三頁。クラストルとラ・ボエシの関係については、次のインタビューおよび訳者の解説が決定的に重要である。ピエール・クラストル『国家をもたぬよう社会は努めてきた』、酒井隆史訳・解題、洛北出版、二〇二一年。

20　David Graeber, *Fragments of an anarchist anthropology*, Chicago, Prickly paradigm press, 2004, p. 33.（デヴィッド・グレーバー『アナーキスト人類学のための断章』、高祖岩三郎訳、以文社、二〇〇六年、七八頁。）

21　*Ibid.*, p. 64.（同前、一一九頁。）

22　*Ibid.*, p. 45.（同前、九三頁。）

23　David Graeber, *La démocratie aux marges* [2014], traduit de l'anglais par Philippe Chanial, préface d'Alain Caillé, Paris, Flammarion, coll. « Champs essais », 2018, p. 116.（デヴィッド・グレーバー『民主主義の非西洋起源について』、片岡大右訳、以文社、二〇二〇年、一二三頁。）

24　David Graeber, *Fragments of an anarchist anthropology*, *op. cit.*, p. 103.（前掲『アナーキスト人類学のための断章』、一七三頁。）もちろん、サパティスタですら現代革命にとっての無垢な理想郷であり続けているわけではない。薬物汚染を理由のひとつとした二〇二三年末の「解体」のニュースが全世界を震撼させたことは記憶に新しい。だからといって、後に発表されたその「再生」に向けた努力にわずかな希望を託すのもまた、グレーバーの革命観と矛盾するものではないだろう。

25　David Graeber, *La démocratie aux marges*, *op. cit.*, p. 111.（前掲『民主主義の非西洋起源について』、一一七頁。）

26　*Ibid.*, p. 47.（同前、四三頁。）

27　グレーバー自身が直接言及しているわけではないが、彼が提示する国家不在の民主主義の定義にフランスにおける民主主義論の一部の潮流、とりわけ初期マルクスの議論に立脚したアバンスールとの同時代性を看取することも可能である。ミゲル・アバンスール『国家に抗するデモクラシー』、松葉類、山下雄大訳、法政大学出版局、二〇一九年。

28　David Graeber, *Fragments of an anarchist anthropology*, *op. cit.*, p. 9-10.（前掲『アナーキスト人類学のための断章』、四五―四六頁。）

29　『アナーキスト人類学のための断章』に付された日本語版序文で、グレーバーは今日の社会理論がとりわけフランス革命から出発しているとともに、こうした革命が最終的には「失敗」だったと仮定することで、変革不能の「社会的現実」なるものを発見したと主張している（同前、二四―二五頁）。この立場は、本稿がすでに論じた『万物の黎明』における反革命の社会理論に対する批判に引き継がれていると見てよい。

30　*Ibid.*, p. 12.（同前、四八―四九頁。）

31　*Ibid.*, p. 74.（同前、一三三頁。）

32　前掲『万物の黎明』、一〇頁。

（政治哲学・政治思想史）

酒井隆史（さかい・たかし）
1965年生まれ。社会思想。大阪公立大学教授。『通天閣　新・日本資本主義発達史』（青土社）でサントリー学芸賞受賞。他の著書に『自由論　現在性の系譜学』（青土社／河出文庫）、『暴力の哲学』（河出書房新社／河出文庫）、『ブルシット・ジョブの謎』（講談社現代新書）、『賢人と奴隷とバカ』（亜紀書房）、訳書に、ピエール・クラストル『国家をもたぬよう社会は努めてきた』（洛北出版）、デヴィッド・グレーバー『ブルシット・ジョブ　クソどうでもいい仕事の理論』（共訳、岩波書店）、『官僚制のユートピア　テクノロジー、構造的愚かさ、リベラリズムの鉄則』（以文社）、『負債論　貨幣と暴力の5000年』（監訳、以文社）、デヴィッド・グレーバー、デヴィッド・ウェングロウ『万物の黎明　人類史を根本からくつがえす』（光文社）など。

装丁・組版　中島 浩
編集協力　　阿部晴政

グレーバー＋ウェングロウ『万物の黎明』を読む
人類史と文明の新たなヴィジョン

2024年4月20日　初版印刷
2024年4月30日　初版発行

責任編集　酒井隆史
発行者　小野寺優
発行所　株式会社河出書房新社
〒151-0051
東京都渋谷区千駄ヶ谷2-32-2
電話 03-3404-1201（営業）
03-3404-8611（編集）
https://www.kawade.co.jp/
印刷・製本　株式会社暁印刷

Printed in Japan
ISBN978-4-309-22916-4